KB124452

300만 원으로 100억 자산을 이룬 부동산 소액투자의 기술

나는 대출 없이 0원으로 소형 아파트를 산다

잭파시(최경천) 지음

다산북스

* **일러두기**

1. 부동산에 관련된 용어 중에서 관용적으로 사용되는 경우 표준어가 아닌 관용적 표현을 따랐다. (예: 새시 → 샷시)
2. 출처가 표기되지 않은 사진은 저자가 직접 촬영했다.
3. 별도의 표기가 없는 한 책에서 표기되는 부동산 시세의 기준 시기는 2022년 2월 초이며, 부동산 시세 이미지 역시 2022년 2월 초에 캡처했다.
4. 지역명은 가독성을 위해 정식 명칭이 아닌 일상에서 흔히 쓰이는 줄임말을 사용했다. (예: 서울특별시 → 서울 / 충청북도 → 충북)

나는 당신도 집을 샀으면 좋겠습니다

내가 '내 집'이라는 것을 처음 가져본 건 지금으로부터 10년 전인 2012년 겨울이었다. 그때 나이가 스물아홉이었다. 그전까지 서울엔 내 땅이 없었다. 더 정확하게 말하면 서울에서 내 땅을 갖는 건 상상도 할 수 없었다. 하지만 나는 서울에 땅이 갖고 싶었다. 술에 취해 달동네를 오르며 서울 시내를 내려다볼 때, 지하철 1호선을 타고 창문 너머로 한강 변을 따라 늘어선 아파트들을 볼 때, 힘이 들어 찾아간 여의나루의 벤치에 앉아 한강 맞은편 마포타워를 볼 때도 나는 늘 서울에 내 집을 갖고 싶다고 생각했다.

어렸을 적 부루마블Blue Marble을 좋아했다. 게임을 하다가 지면 너무 분해서 잠도 못 잘 정도였다. 부루마블의 필승법은 바로 서울을 사는 것이다. 아무리 상대방이 현금을 많이 모아놓아도 내가 사둔 서울에 한 번 들어오면 전의를 상실했다. 서울은 100만 원이면 대지를 살 수 있고, 다른 지역처럼 추가비용을 들여서 건물을 올리지 않아도 된다. 하지만 상대방이 내 땅인 서울을 밟으면 통행요금을 200만 원이나 내야 했다. 수익률 100%인 것이다! 그러니 서울만 가지면 승리는 나의 것이었다.

한 바퀴를 돌아서 씨앗은행에서 받는 용돈이 20만 원이니 열 바퀴를 돌아야 서울의 통행료인 200만 원이 생긴다. 열 바퀴를 도는 동안 서울에 한 번도 걸리지 않기는 힘들다. 그럼 서울을 못 산 사람은 무조건 지는 걸까? 아니다. 부산 같은 다른 광역시라도 사야 한다. 서울만큼의 수익률은 아니더라도 50만 원에 사서 통행료를 60만 원씩 받을 수 있다. 부산이 아니더라도 아주 싼 집들을 여러 채 모으면 서울을 가진 플레이어에 대항할 수도 있고, 이렇게 열심히 사다 보면 언젠가 서울을 빼앗을 수도 있다. 가장 안 좋은 플레이는 씨앗은행에서 주는 월급만 받고 집을 사지 않은 채 남에게 통행료(전·월세)만 내는 것이다.

이는 현실에서도 똑같다. 자산가치를 높이지 않은 채 근로소득만으로 전·월세를 내기 시작하면 자본이 쌓이지 않으므로 집을 살 수도 없고, 평생 다른 사람의 부를 키워주는 데만 능력을 쓰다가 가난한 상태로 일생을 보내고 만다. 그나마 부루마불은 한 판이 끝나면 새롭게 모두 공평한 상태로 시작할 수 있지만, 현실에선 그럴 수가 없다. 가난하게 일생을 마치면 자녀도 같은 길을 걸어갈 확률이 더욱 높아진다.

물론 은행에 차곡차곡 돈을 넣어놔도 잘 먹고 잘살 수 있는 때가 있었다. 예금금리가 20~30%였던 1970~1980년대의 일이다. 하지만 지금은 제로금리의 시대다. 예금금리도 많이 받아야 2%에 불과하고 물가상승률은 그보다 더 높아서 실질금리는 마이너스다. 돈을 은행에 넣어두는 건 돈을 버리는 것과 같다. 투자를 해야 하는 이유인 동시에 내가 부동산 공부를 권하는 이유이기도 하다.

20대 때부터 주식도 코인도 해봤지만 부동산만큼 안정적이고 수익률이 높은 투자 상품은 없었다. 20대 초반부터 후반까지 대학 근처 창문 없는 고시원 월세, 미아사거리 반지하 월세, 미아사거리 빌라 꼭대기 물탱크방 전세를 전전하다 강북구 번동에 30년이 넘은 빨간 벽돌 빌라를 1억 2000만 원에 매수했다. 당시에는 담보대출이 70%까지 나왔기 때문에 실제 들어간 돈은 3000만 원이 조금 넘었다. 첫 집은 투자 개념이 없는 상태로 샀기에 당연히 시세가 오르지 않았다. 이후부터 3개월마다 한 채씩 주택을 매수했다. 보통 계약 후 잔금까지가 3개월이 걸린다는 것을 생각하면 1년 내내 집을 사는 데 시간을 쏟은 것이다.

그렇게 10년간 투자를 해온 결과 임대를 주고 있는 주택이 50여 채가 되었다. 2021년 3월부터는 10년간 다니던 직장을 그만두고 전업투자자의 길로 들어섰다. 전업 투자자가 된 지도 1년이 지난 지금, 회사를 다닐 때보다 더 바쁜 하루하루를 보내고 있다. 회사를 그만둘 때 의미 있는 일을 하고 싶다는 마음에서 내가 알고 있는 부동산 지식을 나누기 위한 네이버 블로그(잭파시 갭투자연구소)를 개설했다. 블로그를 방문한 모든 사람이 나를 통해 조금이라도 삶의 여유가 생겼으면, 그래서 결국엔 나처럼 부자가 됐으면 좋겠다는 마음에서였다. 그리고 그 진심을 알아봐준 사람이 점점 많아져 지금은 15개월 만에 2만 1000명으로 늘어난 이웃들과 매일 소통하며 부동산 정보를 공유하고 있다.

이 책을 쓰게 된 이유도 같은 마음에서다. 블로그에서는 그때그때 시의성 있는 정보를 줄 수 있지만, 그런 정보들을 어떻게 얻을 수 있는지에 대해서는 전달하기가 힘들었다. 갓 낚아 올린 물고기도 좋지만 무

나는 대출 없이 0원으로 소형 아파트를 산다

엇보다 나는 낚시하는 방법을 알려주고 싶었다. 그래서 책을 출간할 기회가 생기자 블로그에서 다루지 못한 내용들, 10년간 투자하면서 느끼고 배우고 알고 있는 모든 내용을 담기로 했다. '이번 책에서는 조금만 알려주고 나중에 또 책을 내야지' '좋은 정보는 유료 강연으로 알려주고 여기서는 맛만 보여줘야지' 이런 생각은 하지 않았다. 인생에서 마지막 책을 쓴다는 생각으로 내가 알고 있는 모든 투자 노하우와 스킬들을 알기 쉽게 전하려고 노력했다. 그 과정에서 어떠한 거짓이나 과장도 하지 않았다. 그러니 안심하고 이 책의 내용을 자신의 것으로 만들길 바란다.

그리고 이 책이 나오기까지 많은 분들의 도움을 받았다. 선배 투자자로서 아낌없는 조언뿐만 아니라 이 책의 세금 감수까지 맡아준 투에이스 님, 평범한 직장인을 부동산 스타 강사로 만들어준 부동산스케치북 세노 님, 새싹 블로거의 가능성을 발굴해서 세상에 선보여준 박현미 팀장님과 김현아 매니저님, 결혼하자마자 회사를 나와 전업 투자자로 나선 남편을 지지해준 와이프, 마지막으로 최경천을 낳아서 잭파시로 길러주신 부모님께 감사의 말씀을 전한다.

난 다가가기 어려운 전문가가 아닌, 어려울 때 손 뻗으면 닿을 만한 거리에 있는 이웃이다. 그러니 언제든 이 책을 읽고 궁금한 내용이 있다면 내 블로그로 찾아와 댓글로 물어보길 바란다. 소중한 인연인 만큼 차근차근 설명해드리겠다. 그럼 부끄럽지만 자부심 가득한 나의 첫 책이, 당신이 부자가 되는 길에 디딤돌이 되어주길 바라며 첫 장을 시작한다.

잭파시 씀

차례

3장

시장흐름만 잘 읽어도 최적의 매수 타이밍을 찾을 수 있다

4장

아파트 단지까지 알려주는 가장 친절한 투자 사례 16

5장

무조건 오를 부동산 찾는 나만의 투자 도구 만들기

6장

돈이 없어도 누구나 부동산 부자가 될 수 있다

1장

300만 원이 전부였던 30대 직장인은 어떻게 부동산 투자를 시작했을까?

10년간의 월급으로 부자가 될 순 없었다

2013년 여름, 내 수중에는 단돈 300만 원밖에 없었다. 이대로 직장생활만 열심히 해서는 1억 원은커녕 몇천만 원도 모으기 힘들다는 걸 깨달았다. 그때 눈에 들어온 게 부동산 경매였다. 하지만 수중에는 경매 입찰을 위한 보증금 2000만 원도 없었다. 먼저 돈부터 빌려야 했다. 당시 일하고 있던 회사에서 가장 가까운 신한은행 광교영업부를 찾아갔다.

당시에는 사수와 부사수가 2인 1조로 영업을 나가야 해서 나는 신입사원 한 명과 같이 다니고 있었다. 은행까지 함께 간 신입사원은 이해가 안 된다는 듯 물었다.

"대리님, 회사를 3년 동안 다니셨으면 그래도 이삼천은 모으지 않나

<가계>일반자금대출 엘리트론(만기일시)
311-
8,000,000원

대출원금	8,000,000원
대출잔액	8,000,000원
대출금리	2.79 %
금융채수익률(3일평균) 1년 기준금리 0.99% + 가산금리 1.8%	
대출만기일	2021.05.21
다음이자 납입일	2021.02.27
대출신규일	2013.05.21
이자자동이체계좌	110-
담보계좌번호	
대출관리점	광교영업부

만기예정
<가계>일반자금대출 엘리트론(만기일시)
311-
12,000,000원

대출원금	12,000,000원
대출잔액	12,000,000원
대출금리	3.53 %
금융채수익률(3일평균) 1년 기준금리 1.33% + 가산금리 2.2%	
대출만기일	2021.03.28
다음이자 납입일	2021.02.27
대출신규일	2011.03.28
이자자동이체계좌	110-
담보계좌번호	
대출관리점	광교영업부

2013년 대출받았던 내역. (출처: 신한은행)

요? 왜 대출을 받죠?"

"나 3년 일했는데 지금 통장에 300만 원 있어."

내 대답에 신입사원이 비웃었던 기억이 난다. 그가 입사한 지 3년쯤 되었을 때 나는 같은 질문을 되돌려주었다. "이제 3년 차인데 얼마 모았어?" 돌아온 답변은 역시나였다. "대리님이 그때 많이 모으신 거였네요. 저는 오히려 마이너스예요."

지금 이 글을 읽으면서 피식 웃었다면 나나 내 후배와 크게 다르지 않은 상황일 것이다. 그렇다면 더더욱 이 책을 주의 깊게 읽어주길 바란다. 저때가 사회생활 3년 차였고 월급이 세후 200만 원이었으니 어쩔 수 없었다고 한다면, 10년 근속 후 과장이 된 2021년의 상황은 조금 달라졌을까? 아니다. 세후 300만 원으로 월소득이 100만 원 늘었지만 형편은 전혀 나아지지 않았다.

아무리 월급이 올라도 돈을 모으는 건 정말 어려웠다. 그렇다고 내가 명품을 좋아한다거나 취미에 큰돈을 쓰는 사람이 아닌데도 그랬다. 직원들끼리 간단하게 술 한잔하더라도 내가 사줬으면 사줬지 얻어먹을 수 있는 입장도 아니니 돈을 모으는 건 더욱 어려워졌다. 돈은 움켜쥔 모래처럼 손가락 사이로 쉽게 빠져나갔다. 그런 점에서 외벌이로 가족을 책임지는 분들이 정말 존경스럽다.

10년간 직장생활을 한 후 내가 내린 결론은 '회사는 직원이 도망가지 못하게 딱 굶어 죽지 않고 살 수 있는 만큼만 돈을 준다'는 것이다. 부자가 될 수 있는 기회는 회사의 지분을 가지고 있는 창립 멤버나 임원 그리고 주주들에게만 오는 것이지 그 안에서 부품처럼 노동력을 갈아 넣고 있는 나에겐 오지 않는다는 것을 깨달았다. 직장인은 절대 부자가 될 수가 없다. 내가 회사를 나오고 파이어FIRE, Financial Independence, Retire Early를 선택한 이유다.

월급쟁이는 노후에 자본가가 되어야 한다

월급을 차곡차곡 모았을 때 얼마만큼의 금액을 만들 수 있을까? 물론 상황에 따라 다르겠지만 일반적으로 한 달에 100만 원 모으는 것도 대단하다고 생각한다. 만약 월 100만 원씩 적금한다면 원금만 따졌을 때 1년에 1200만 원, 10년에는 1억 2000만 원, 30년 근속을 했다고 가정하면 3억 6000만 원이 되겠다.

바로 여기서 두 가지 맹점이 드러난다. 하나는 '30년 동안 직장생활을 할 수 있을 것인가', 다른 하나는 '물가상승률을 고려한다면 30년 뒤에도 내 연봉이 같은 가치를 가지고 있을까'다. 근속연수에 맞춰서 연봉은 오르지만 그보다 물가가 더 많이 오른다는 건 누구나 다 아는 사실이다. 실제로 고용노동부 산하 한국경제연구원에 따르면 근로자 월평균 임금은 2016년 310만 5000원에서 2021년 365만 3000원으로 17.6% 올랐지만, 근로소득세와 사회보험료 부담은 같은 기간 36만 3000원에서 50만 7000원으로 39.4% 증가했다. 그래서 아무리 월급이 올라도 체감이 어려운 것이다.

실제 내 사례를 보면 10년간 회사에 다니며 월급이 200만 원에서 300만 원으로 50%가 오르는 동안 서울의 아파트는 500%가 오른 단지도 많았다. 게다가 요즘 같은 세상에 대학을 졸업하고 들어간 회사에서 평생직장의 개념으로 30년간 근무하는 사람이 얼마나 있을까. 과거에는 있었겠지만 앞으로는 찾아보기 힘든 케이스라고 생각한다. 나의 경우 임금은 적었지만 업계 1위에 비전이 있는 회사라 오래 다닐 수 있었다. 하지만 코로나19로 인해 안정적인 직장이라는 환상은 깨졌다. 5년은 더 다니면서 자산을 모아가려고 했던 계획도 하루아침에 회사를 그만두어야 하는 상황에 처하면서 어그러졌다. 그러니 여러분도 방심하지 말아야 한다. 안정된 회사에 다니고 있다고 할지라도 내 주된 소득원이 갑자기 무너질 수도 있다는 사실을 항상 염두에 두어야 한다.

안타깝게도 현대사회에서 생산의 3요소인 노동, 토지, 자본 중 노동의 가치는 크지 않다. 토지와 자본의 생산성을 따라잡을 수 없기 때문이다. 언제까지 노동으로 먹고살 수 있을지 모르는 시대가 되었다. 하루라도 빨리 토지(부동산)와 자본을 만들어놓아야 한다. 토마 피케티의 저서 《21세기 자본》의 내용처럼 돈이 돈을 버는 속도(자본수익률)가 사람이 일해서 버는 속도(경제성장률)보다 빠르기 때문에 노동으로는 자본의 상승 속도를 따라잡을 수 없다.

이제 나는 월 300만 원을 받으며 회사에 속박당한 최 과장이 아니라 50여 채의 임대주택을 운영하는 엄연한 자본가가 되었다. 이는 어느 하나의 투자가 대박이 나서 만들어진 것이 아닌, 10년 동안 부동산 투자를 이어오면서 매년 한두 채씩 꾸준히 자산을 불려온 결과다. 이 책을 읽고 나면 더 이상 투자할 종잣돈이 없다거나 명의 때문에 투자를 할 수 없다는 핑계를 대며 근로소득으로만 생계를 유지하려고 하는 게 얼마나 아까운 일인지를 깨달을 수 있을 것이다.

> **MONEY POINT 1**
>
> 1년에 한두 채씩 집을 사는 걸 목표로 하라. 가만히 있는 건 가장 큰 리스크지만 조급함 또한 투자를 망칠 수 있다.

직장을 다니면서도, 심지어 종잣돈이 없어도 부동산 투자에 뛰어들 수 있다. 그 방법을 좀 더 많은 사람에게 알려주기 위해 펜을 들었다. 이 전략이 성공한다면 지금의 나처럼 부업이 주업을 자연스럽게 밀어내는 시기가 반드시 찾아올 것이다. 앞으로 나올 내용을 통해 월급쟁이가 노후에 자본가가 되는 방법을 꼭 익히길 바란다.

수익률 -90%의 주식 투자에서 나를 구해준 것

왜 부동산 투자여야 할까? 부동산, 주식, 코인 등 다양한 투자 경험을 통해 내가 얻은 결론은 부동산 투자가 성공 확률이 제일 높다는 것이다. 사실 부동산을 시작한 계기 또한 주식 투자에 실패했기 때문이기도 하다.

한창 주식 투자에 빠져 있었을 때도 지금처럼 마냥 '투자'가 너무 재밌었다. 그러나 월급으로 모은 종잣돈으로는 한계가 있었고, 결국 신용카드 단기대출까지 손을 댔다. 대출 한도였던 400만 원은 모두 신일건업에 투자했다. 신일유토빌이라는 브랜드의 아파트를 짓던 건설사였다. 연이자 20%에 돈을 빌리고도 그 이상으로 수익을 내면 된다고 생각했다. 물론 지금은 말도 안 되는 발상이란 걸 안다.

투자한 지 얼마 되지 않아 상장폐지(줄여서 '상폐')라는 날벼락을 맞았다. 정리매매를 맞은 첫날 -90%까지 떨어져 투자금 대부분이 날아갔다. 그때 지금 생각해도 참 이상한 일이 벌어졌다. 하필 증권사에서 계좌내역을 평택에 있는 부모님 집으로 잘못 보낸 것이다. 처참한 계좌내역을 확인한 어머니는 치밀어 오르는 울화를 참지 못하고 새벽 3시에 욕이 담긴 문자 메시지를 나에게 보냈다. '우리는 만 원 한 장 아끼겠다고 먹을 거 안 먹고 입을 거 안 입으면서 너희 뒷바라지하겠다고 아등바등 일하고 있는데, 넌 도대체 무슨 생각으로 살고 있는 거냐'와 같은 내용이었다. 문자를 받았을 때는 죄송스러운 마음도 들었지만, 나도 열심히 살아보겠다는 마음으로 한 일인데 왜 이렇게 되는 일이 하나도 없을까 하며 세상을 향한 원망이 더 컸다. 그래서 도저히 메시지를 계속 볼 자신이 없어 지워버리고 말았다. 많은 욕이 쓰여 있었는데 그걸 재현해낼 자신이 없으니 아쉬울 뿐이다.

빨리 돈을 벌고 싶었던 성급한 투자의 최후

고등학생 때부터 주식에 관심이 많았다. 당시 모의투자 사이트가 많았는데 차트를 보며 주가나 거래량 등의 기술적 분석을 통해 투자 심리를 읽고 매매 타이밍을 잡는 투자를 했었다. 그후 군대에서 우연히 박용석 저자의 《한국의 젊은 부자들》이라는 책을 읽었다. 홍콩 주식에 관해 짧게 소개된 단 몇 쪽을 읽고 온몸에 전율을 느꼈다. 이후 홍콩 주식에 투자하겠다는 일념에 불탄 나는 전역한 뒤 무작정 돈을 벌 곳을 찾다가 호주로 워킹홀리데이를 갔다. 그렇게 홍콩 주식 투자가 시작되었다. 홍콩 주식에 투자할 때는 기술적 분석뿐만 아니라 재무상태표와 현금흐름표를 보는 기본적 분석도 병행했다. 그 결과 대학교 2학년으로 복학하기 전까지 3000만 원 정도를 벌 수 있었다.

아래 표는 내가 2008년 8월 5일에 보유하고 있던 홍콩 주식의 종목과 수익률을 계산한 것이다. 그때 3~5홍콩달러에 샀던 인민재산보험이 20홍콩달러까지 올라 평가금액이 1억 원을 찍기도 했다. 하지만 같은 해 5월 쓰촨성 지진이 일어났고, 9월에는 리먼 브러더스발 금융위기까지 발생하여 반토막이 난 후에야 현금화를 했다. 그래도 2년간 투자수익률은 150%였다. 여기서 얻은 수익으로 대학 생활 3년 동안 정말 재미있게 놀았다.

| 홍콩 주식 투자 내역 |

종목명	수량	평균 단가	매입금액 (2007년 1월)	원화기준 (환율 120원)	현재가 (2008년 8월)	평가금액 (환율 130원)
베이징캐피털	4,000	3.84	15,360	1,843,200	3.29	1,710,800
북경북진실업	8,000	3.42	27,360	3,283,200	3.42	3,556,800
화대부동산	20,000	0.290	5,800	696,000	0.23	598,000
TCL멀티미디어	18,000	0.387	6,960	835,200	0.425	994,500
하이얼전자	1,000	2.65	2,650	318,000	1.21	157,300
북경우마트	7,000	7.080	49,560	5,947,200	6.9	6,279,000
인민재산보험	6,000	3.38	20,280	2,433,600	7.83	6,107,400
인민재산보험	4,000	5.02	20,080	2,409,600	7.83	4,071,600
차이나모바일	500	70.35	35,175	4,221,000	136	8,840,000
총합				21,987,000		32,315,400

비교적 어린 나이에 투자에 성공한 경험이 있었기에 이후에도 꾸준히 주식의 필승법을 찾으려고 노력했으나 백전백패였다. 회사에 다니는 동안에는 몇백만 원씩 돈이 모이면 주식시장으로 달려갔다. 그러나 내가 투자한 주식은 어김없이 상폐가 되곤 했다. 처음에는 안정적인 우량주 위주로 투자했으나 규모가 커서 움직임이 둔한 우량주로 돈을 버는 건 너무 느리게만 느껴졌다. 빨리 돈을 벌고 싶었고 여유 있게 부자가 되고 싶었던 때라, 인기검색어에 올라와 있는 핫한 주식에 손을 대기 시작했다. 하지만 내가 들어가면 작정했다는 듯 주가는 곤두박질쳤고, 그럴수록 내 계좌는 점점 녹아내렸다. 코인 열풍에 휩쓸려 코인에도 투자해봤으나 이 역시 쉽지 않았다.

강제적으로 장기투자를 할 수 있다면?

당시 나에게는 주식이 전부였다. 그렇기에 주식 투자로 돈을 벌기 어렵다는 걸 인정하고 포기하기가 쉽지 않았다. 돌이켜보면 홍콩 주식으로 수익을 얻었던 것 역시 얼떨결에 상승장에 올라탄 초심자의 행운에 더해, 해외 주식이라 수수료가 높았던 탓에 잦은 매매를 하지 않았기에 이룰 수 있는 결과였다. 그러니 국내 주식과 코인에 장기투자하는 것은 요원한 일이었는데도 나는 그걸 견디지 못했다. 결국 어머니의 분노 가득한 문자 메시지 덕분에 주식 투자에 대한 마음을 접을 수 있었다.

이후 나의 주된 투자 상품은 부동산이 되었다. 부동산은 세금구조상 양도세 기본세율이 적용되려면 2년을 보유해야 하고, 장기임대주택으로 등록해놓은 수도권 아파트의 경우 강제적으로 8년을 보유해야 한다. 즉 장기투자를 할 수밖에 없는 구조다. 주식에서도 꾸준한 배당을 주는 건실한 우량주에는 장기투자를 하고, 시세 변동이 높은 성장주에는 단기투자로 접근하는 것이 기본적인 투자법이다. 나는 이를 부동산 투자에 응용했다. 서울과 경기도의 아파트를 우량주라고 생각해 한번 보유하면 가능하면 팔지 않으려 했고, 지방 아파트는 단기투자로 접근해 2년 보유 후 매도하는 전략을 사용했다(이 전략에 대해서는 2장에서 자세히 설명하겠다).

MONEY POINT 2

수도권 아파트는 우량주로 장기투자를 지향해야 하고, 지방 저가 아파트는 테마주로 단기투자를 해야 한다. 단기라고는 해도 기본적으로 2년은 보유해야 하므로 장기적인 접근이 필요하다.

다음의 그래프는 서울의 매매지수다. 매매지수는 수요와 공급에 따

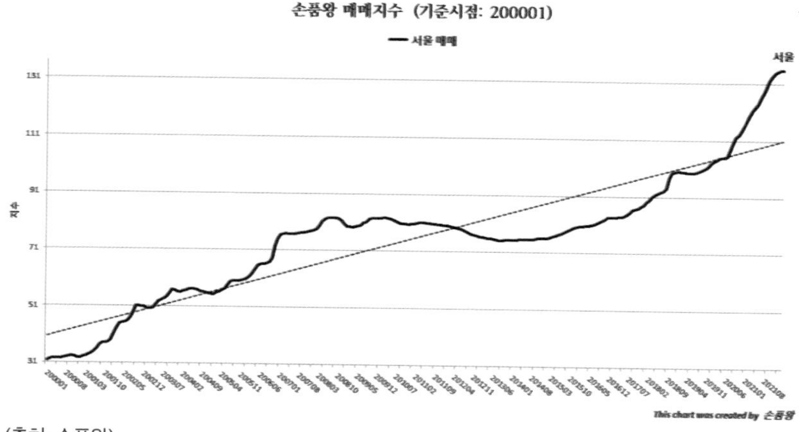

(출처: 손품왕)

라 상승과 하락의 사이클을 반복한다. 반면 점선으로 되어 있는 추세선은 우상향의 직선을 그린다. 20년간의 데이터밖에 보여주지 못하지만 그전의 데이터가 있더라도 추세선의 모양은 같을 것이다. 매매지수는 이 추세선을 기준으로 하여 너무 오르면 추세선에 맞춰 내려오고, 너무 내려가면 다시 추세선에 수렴해 오르면서 추세선을 따라 우상향하는 모습을 보여준다. 그렇다. 집값은 꾸준히 우상향해왔다.

그러니 주식이나 코인에서 실패했던 사람들은 부동산 우량주로 장기투자를 해보길 권한다. 참고로 부동산은 대지와 건축물로 이뤄진 실물 자산이기에 내재적인 가치가 0에 수렴하는 주식에서의 상폐 개념이 존재하지 않는다.

20대에 집을 사고 내 인생은 완전히 바뀌었다

난 원래 경기도 평택에서 태어나 자랐지만 서울에서 대학교를 다니면서 자연스럽게 자취를 시작했다. 학교가 있는 4호선 충무로역 근처에서 살다가 매일 술만 먹고 있다는 사실을 깨닫고 학교와 떨어진 곳으로 이사했다. 미아사거리(당시 미아삼거리)역에서 10분 정도 걸어가면 있는 빌라였다. 반지하로 방은 한 개였고 작은 거실이 있었다. 보증금 500만 원에 월세 30만 원으로 꽤 오랫동안 살았다.

취업 후에는 보증금을 대출받을 수 있어 근처에 있는 빌라 옥상(일명 물탱크방)에 전세 2000만 원으로 들어갔다. 내 생애 첫 전셋집이었다. 여름에는 너무 더워서 잠을 이룰 수 없었고 겨울에는 너무 추워서 변기에 있는 물이 얼 정도였지만 내 힘으로 전셋집을 마련했다는 게 뿌듯했다.

막 대리로 승진했을 때쯤 내 집을 갖기로 결심했다. 첫 부동산 매매 계약은 초기 재개발 예정지로 잘 알려진 번동 148번지였다. 하지만 내가 매수했던 2012년에는 아무도 관심을 갖지 않았다. 근처에 북서울꿈의숲도 있는, 지금으로 따지면 서울의 '숲세권'에 위치한 집을 1억 원대 초반에 살 수 있다는 게 신기했다.

지금 와서 생각해보면 좁기도 하고 상당히 높은 위치에 있어서 절대 사지 않았을 집이었다. 오죽하면 회식 뒤 택시를 탈 때 차로 급경사를 오르는 수고를 끼치는 게 미안해서 평지에 있는 아파트 이름을 대곤 했을까. 그래도 스물한 살에 서울로 와 창문도 없는 고시원에서 시작해 오랜 시간 월세, 전세를 거치다가 내 이름으로 된 집을 얻었다는 사실만으로도 기쁨에 벅차오르곤 했다. 지금은 투자자들이 재건축·재개발 호재 하나만 기대하며 '썩빌'(노후화된 구축 빌라)이라고 부르는 집을 보지도 않고 사고팔지만 말이다.

이제까지 사람들이 "잭파시 님은 투자에 항상 성공하셨나요?"라고 물어보면 나는 항상 "예"라고 답했다. 이유는 내가 수도권 부동산 사이클상 저점이었던 2012년부터 매수를 시작했기 때문이다. 그러니 상승 사이클을 탄 후엔 손해를 보는 게 어려울 정도다. 실제로 지금까지 매도할 때 마이너스가 났던 물건은 이 첫 집 말고는 없었다.

사실 약간 비싸게 사기도 했다. 첫 집이다 보니 집을 보러 가는 것도 처음이라 적정한 가격을 가늠하질 못했던 것이다. 부동산중개사를 따라서 처음 본 아주 조그만 집이 1억 원이라는 사실을 알고 내가 산 집을 보니 대궐이 따로 없었다. 이런 큰 집이 1억 2000만 원이라고 하니 상대적으로 비싸게 느껴지지 않았던 것이다. 물론 아래 사진만 보면 대궐이라기엔 민망하지만, 당시 내가 보는 세상은 이렇게나 작았다. 혼자서 방 3개를 쓰긴 너무 크다고 생각해 대학교 후배를 들여 월 10만 원 정도를 받고 담보대출 이자에 보태기까지 했으니 아주 손해 보는 거래는 아니었다고 생각한다.

거기에 내가 투자자로서 잘될 새싹인가 싶었던 일이 있었다. 이 빌라 바로 위층 매물이 1억 원에 올라온 것을 보고 100만 원을 깎아서 9900만 원에 매수한 것이다. 지하층이 있는 3층짜리 빌라에서는 2층이 메인인데 내가 1층을 2000만 원 더 주고 샀기에 그 정도 가격이면 싸다고 봤다. 그래서 전세 끼고 매수를 했다가 2년 뒤에 1억 2700만 원에 매도했다. 내가 산 첫 집만을 보면 900만 원이 마이너스였으나 건물 전체로 보면 이익을 봤기에 굳이 손해를 봤다고 이야기하지 않았던 것이다.

2015년에 매도하고 나오면서 찍은 첫 집 사진. 매수했을 때의 모습 그대로 살다가 나왔다.

그런데 만약 내가 이 집 두 채를 지금까지 보유했다면? 지금 한 채에 호가가 3억 원 정도이니 매매가 기준 약 두 배의 이익을 얻었을 것이다. 이렇게 서울의 노후 빌라는 어떻게 될지 모른다. 다만 나는 이때 생긴 투자금을 가지고 재투자를 수없이 반복했기에 아쉽게 느껴지지 않는다.

투자자가 되는 첫걸음, 부동산중개소와 친해지기

당시 최대 대출금액인 매매가의 70%를 받아 첫 집을 매수한 후 여유가 있을 때마다 근처 부동산중개소 사장님께 인사드리러 갔다. 무주택자에서 유주택자로, 유주택자에서 다주택자가 되는 가장 쉬운 길은 동네 부동산중개소 사장님과 친해지는 것이다. 부동산중개소에 앉아 있으면 투자금이 적게 들어가는 좋은 물건이 하나씩 보이기 마련이다. 당시에는 전세를 낀 갭 투자는 생각도 못 할 때였다. 그래서 이 물건을 사서 70% 대출을 받고 월세입자에게 보증금 1000만 원에 월세 40만 원 정도를 받으면, 투자금은 얼마가 필요하고 이자를 제외한 월세 수익률은 얼마인지 계산하곤 했는데 그게 그렇게 재밌을 수가 없었다.

MONEY POINT 3

투자자가 되기 위한 첫 번째 미션은 부동산중개소의 문턱을 낮추는 것이다. 돈이 돌고 투자자가 오가는 곳을 친숙하게 여겨야 한다.

어떤 물건을 보든 그 물건의 매매가·전세가·월세가를 파악할 수 있었고, 당시 은행 대출 정책에 따른 담보대출은 몇 퍼센트이며 금리는 어느 정도인지도 바로 계산할 수 있

| 투자금 산출 내역 |

매매가	1억 원	담보대출 70%
(-) 담보대출	7000만 원	이자 약 18만 원, 금리 3%
(-) 월세보증금	1000만 원	월세 40만 원
투자금	2000만 원	수익 월 22만 원(연 264만 원)
연 수익 264만 원 / 연 수익률(투자금 기준) 약 13.2%		

었다. 물론 더 정확하게 하려면 집을 사는 데 드는 취등록세, 등기비용, 부동산 중개 수수료 등의 비용을 빼야 하지만 만약 취득세가 1%라면 수익률에 크게 영향을 미치지 않으니 위의 표 정도만 꾸준히 연습해도 충분했다. 이렇게 나는 내가 사는 동네는 물론 처음 가보는 지역에서도 네이버 부동산을 보며 현재 매물로 나와 있는 물건의 매매가·전세가·월세가를 대략적으로 확인해서 수익률을 구하는 연습을 아주 오랫동안 해왔다.

마지막으로 투자금을 구한 뒤에는 내가 운용할 수 있는 자금 내에 있는지를 따져봤다. 만약 투자금이 모자라면 보증금을 더 높게 잡아서 투자금을 최소화할 수 있을지, 아니면 전세로 바꿔서 투자금이 필요 없게 만들 수 있을지를 고민해보곤 했다. 이때부터 시작된 습관이 지금까지 계속돼 머릿속에서 끊임없이 투자 시뮬레이션을 하며 투자법을 발전시켜온 것이다.

MONEY POINT 4

매물을 보면 ① 매매가·전세가·월세가를 통해 실 투자금을 파악하고, ② 투자금을 낮출 수 있는 방법을 고민한다. ①까지만 해도 중수이고, ②까지 찾아낸다면 고수라고 할 수 있다.

'어떻게 하면 투자금 없이 집을 살 수 있

을까?'

'이 집이 얼마까지 오를까?'

'투자금이 들어간다면 그 물건의 연 수익률과 목표 매도가, 예상 수익률은 얼마나 될까?'

내가 부동산 투자에 성공할 수 있었던 것은 10년 동안 이런 훈련을 통해 최대한 돈을 들이지 않으면서 수익을 창출할 수 있는 투자 전략을 연구해왔기 때문이다. 이렇게 오랜 연구와 공부를 거쳐 2012년에 부동산을 처음 취득한 이후 4년간 경매를 했다. 낙찰된 물건에 대한 대출이 제한된 후로는 대출이 필요 없는 투자법으로 전환하여 6년째 투자해오고 있다.

돈이 없어서 부동산 투자를 시작했다

여기서 의문이 생길 것이다. 직장인이 어떻게 집을 수십 채나 살 수 있었을까? 2010년 입사했을 때 월급은 세후 180만 원이었고, 2021년 퇴사할 때는 세후 290만 원이었다. 이 정도 월급으로는 종잣돈 1000만 원 모으는 것조차 버겁다.

그래서 10년 동안 연구해서 개발한 투자법이 바로 돈 없이도 집을 사는 무피(無+Premium의 합성어로, 전세가와 매매가의 차익이 없어 매수자의 돈을 들이지 않고 부동산을 구매하는 것)와 플피(Plus+Premium의 합성어로 전세가가 매매가보다 높아 매수자가 오히려 돈을 받으면

MONEY POINT 5

무피 투자는 '매매가 = 전세가', 플피 투자는 '매매가 < 전세가'로 세팅해 최대한 투자금을 줄이고 안전마진을 확보하는 투자 전략을 뜻한다.

서 부동산을 구매하는 것) 투자 전략이다. 돈을 모아서는 집을 살 수 없으니 돈이 들어가지 않는 집을 사는 것이다. 물론 남들이 눈여겨보지 않더라도 이후 가격이 상승할 여력이 있는 물건을 구하는 게 핵심이다.

부동산 투자에 성공하기 위한 세 가지 능력

부동산 투자에 성공하기 위해서는 정보력, 행동력, 자금력이 필요하다. 세 가지 능력이 조화롭게 갖추어져야 하며, 이 중에 하나라도 부족하면 투자에 성공하기 쉽지 않다. 예를 들어 자금력과 행동력만으로 투자에 뛰어들 수는 있다. 그렇지만 제대로 된 정보가 없다면 잘못된 타이밍에 오르기 쉽지 않은 물건에 투자할 수 있다. 행동력이 없다면 아무리 자금과 정보가 있어도 투자에 뛰어들기가 쉽지 않을 것이다. 마지막으로 자금력은 따로 설명이 필요 없을 정도다.

다만 이 세 가지 능력이 단순히 많은 투자금을 기반으로 돈이 되는 정보를 찾고 바로 투자에 뛰어들 수 있다는 걸 의미하진 않는다. 먼저 정보력이란 부동산 정보가 다양한 채널을 통해서 오픈되어 있는 이 시대에서 돈이 될 정보를 얼마나 잘 찾느냐를 뜻하는 것이 아니다. 공짜로 구할 수 있는 정보 중에서도 좋은 정보는 너무나 많다. 우리가 갖추어야 할 것은 누군가 잘 정리해놓은 정보 속에서 나에게 맞는 투자처를 찾아내는 능력이다.

자금력 또한 내가 가진 현금 자산에 한정되지 않는다. 대출, 전세금 등의 레버리지를 포함한 것이다. 특히 직장인의 경우 근로소득만으로 돈을 모으는 건 한계가 있으므로 초기에는 은행 대출을 이용할 수밖에 없다. 레버리지를 얼마나 잘 활용하느냐가 진짜 능력이다. 처음에 투자 물건을 잘 세팅해놓으면 2년마다 전세금 증액이나 매도를 통해 다시 투자금을 만들 수 있다. 투자 초기에는 자산이 쉽게 쌓이지 않는 것 같아 답답할 수 있으나 잘 견뎌야 한다. 그렇게 4년 정도만 꾸준하게 투자를 하면 앞서 투자한 물건들을 통해 마르지 않는 자금력을 얻을 수 있다.

마지막의 행동력 또한 단순히 투자에 뛰어든다는 결정적인 행위를 뜻하는 것이 아니다. 이제 막 시작하는 초보 투자자들은 정보와 자금을 모두 레버리지를 통해 얻어야 한다. 수없이 쏟아지는 부동산 정보들을 분석하고 연구하며 나에게 맞는 투자처를 찾는 한편, 투자금 대비 수익금을 계산하는 훈련을 하면서 적은 투자금을 이용해 반복적으로 투자를 해봐야 한다. 이 모든 과정을 장기적으로 끈기 있게 실행할 수 있는 능력을 바로 부동산 투자에 필요한 행동력이라 하는 것이다.

사실 행동력이 가장 중요하지만 오랫동안 혼자 하기가 쉽지 않다. 생각만큼 성과가 나오지 않으면 당연히 의욕이 떨어진다. 행동력은 목표를 이룬 경우에도 약해질 수 있다. 때문에 같은 목적을 향해 함께 뛸 러닝메이트를 만들거나 나보다 먼저 자본주의 사회에서 승리한 멘토를 옆에 두면, 자극을 주고받으면서 오래 투자활동을 할 수 있는 것은 물론이고 더 높은 목표를 세우는 데도 도움이 된다. 몇 번의 성공과 실패에 안주하거나 주저앉느냐, 아니면 꾸준히 더 큰 목표를 향해 행동력을 펼치느냐는 자신의 몫이다. 투자로 성공한 모든 사람이 필수적으로 거친 과정이기도 하다.

나 역시 세 가지 능력을 키우며 적극적으로 레버리지를 활용해 10년째 투자 중이다. 내가 직장인으로서 적은 종잣돈을 가지고 꾸준히 아파트, 빌라, 오피스텔을 매수할 수 있었던 방법이기도 하다. 이 방법을 체득하기 위해 제일 먼저 필요한 것은 레버리지에 대한 두려움과 오해에서 벗어나는 것이다.

MONEY POINT 6

부동산 투자에 성공하기 위해서는 정보력, 행동력, 자금력이 필요하다. '레버리지'로 얻은 외부의 정보와 자금을 얼마나 잘 활용하느냐, 이를 위해 얼마나 꾸준히 공부하고 연구하느냐가 투자의 성패를 결정한다.

레버리지를 무서워하지 마라

많은 사람이 부동산 투자를 망설이는 이유 중 하나는 거액의 종잣돈이 필요하다는 선입견 때문일 것이다. 하지만 어느 정도 종잣돈이 있더라도 막상 투자를 하려고 하면 쉽지 않게 느껴진다. 아무리 책이나 강의를 통해 공부를 열심히 했더라도 말이다. 이는 힘들게 모은 거액의 종잣돈이 하나의 부동산에 묶인다는 것에 대한 부담감일 것이다. 그럼 레버리지만으로 투자금을 충당할 수 있다면 어떨까? 시세보다 저렴한 물건을 매수해 안전마진을 확보하고, 매수가 또는 매수가 이상으로 전세금을 받을 수 있다면? 이후 전세가나 매매가가 적어도 물가상승률 정도로 상승할 것까지 생각한다면 이 투자법에서 리스크는 거의 없는 것이나 마찬가지다. 이렇게 돈이 들지 않는 투자를 망설일 이유가 있을까?

왜 이런 방법으로 투자를 하느냐고 묻는다면, 현금은 없지만 투자가 하고 싶은 직장인에게는 이 방법밖에는 없었다고 답하겠다. 돈이 없었기 때문에 더욱더 네이버 부동산 매물을 미친듯이 검색하여 수만 개의 물건 중에서 투자금이 필요 없는 물건을 찾기 위해 애썼다.

몇 년 전 현금흐름이 막혔던 때는 부동산 계약을 할 계약금조차 없어서 전세가보다 매매가가 낮은 물건을 찾기 위해 반년 동안 내내 검색만 한 적도 있다. 사실 매도자가 돈을 더 얹어주면서 파는 물건은 찾기 힘들다. 하지만 난 이렇게라도 취등록세를 비롯한 등기비용을 벌어야 했다. 돈이 없어도 투자를 하고 싶었기 때문이다. 이렇게 들어온 돈은 또다시 새로운 물건에 투자하는 데 썼다. 부동산 투자이기에 가능한 일이었다. 나는 이런 방식의 부동산 풍차 돌리기, 즉 레버지리 투자를 10년간 꾸준히 해왔고 그 결과 대출금 2000만 원으로 시작한 투자는 현재 110억 원의 자산이라는 결실을 맺을 수 있었다.

이쯤에서 궁금증이 생길 것이다. 말로만 들어도 숨이 턱 막히는 '역전세'를 고려하지 않았는지 말이다. 무피 투자, 즉 갭 투자는 전세가가 지속적으로 유지되거나 상승한다는 전제하에 가능한 투자법이다. 그렇다면 과거로부터 전세가가 얼마나 상승해왔는지를 살펴볼 필요가 있겠다.

다음의 전국 아파트 매매·전세지수 그래프를 보면 2019년 1월부터 2022년 2월까지 매매지수(파란색 선)가 전세지수(빨간색 선)보다 위에 있다. 전반적으로 매매가의 상승이 더 높았다는 것이다. 그러나 이 자료의 시작인 1986년 1월에 매매지수가 21이었고 전세지수가 10.8인 걸 따져보면 1986년 1월부터 매매가격과 전세가격이 거의 근접해 지수의 기

| 전국 아파트 매매·전세지수 |

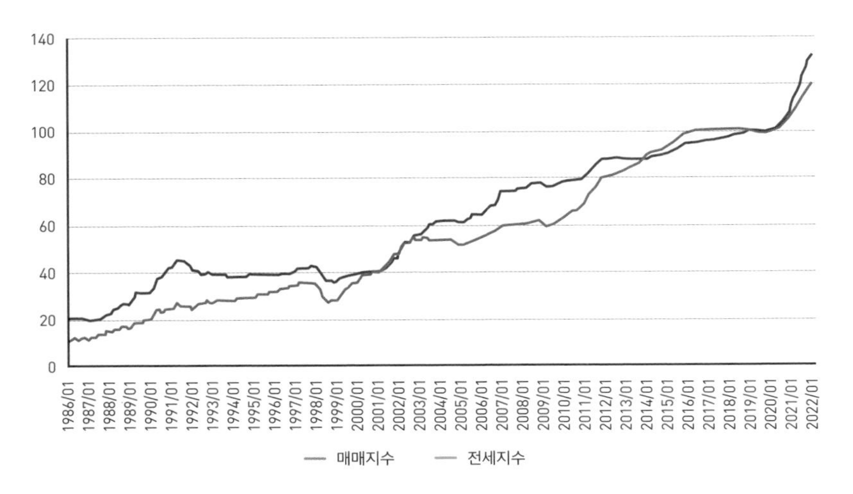

KB부동산 월간통계에서 제공하는 1986년 1월부터 2022년 2월까지의 전국 아파트 매매지수와 전세지수 데이터를 재가공한 것이다. KB부동산의 매매·전세지수는 2019년 1월의 데이터를 100으로 잡고 지수화했다.

준이 되는 2019년 1월까지 전세가격이 매매가격보다 약 2배가 더 오른 것을 확인할 수 있다.

물론 특정 지역에서 공급이 많아지거나, 가처분소득 대비 전세가격이 너무 높거나, 급격하게 금리가 인상되거나 하여 전세가격이 다소 주춤할 수는 있다. 하지만 전세가격도 소비자물가지수 중 하나이므로 장기간으로 보면 우상향할 수밖에 없다.

이런 설명에도 불구하고 역전세가 걱정된다면 시장의 평균치보다 다소 낮게 전세를 줘서 하락 리스크를 방어하거나, 언제든 전세금 반환이 가능하도록 현금 비중을 키우는 것도 방법이다. 법인투자자라면 보유 기간 제한이 없어 투자 지역에서 역전세가 발생하기 전에 빠져나올 수 있지만, 개인투자자라면 양도소득세(줄여서 '양도세') 기본세율 적용을 위해 2년을 보유해야 하므로 매수를 할 때부터 2년 뒤의 공급량을 미리 체크해 엑시트(매도) 전략을 세워야 한다.

이렇게 하나라도 확실하게 내 소신대로 투자해서 수익금을 얻고 나면, 이런 노하우들이 점차 쌓여 실패하지 않는 나만의 투자 원칙을 개발할 수 있을 것이다.

10년 만에 50채의 집주인이 되려면?

아마 책을 읽다 보면 '회사에 나가서 일하면 뭐하나, 잭파시는 돈 없이도 집을 사고 연봉만큼 버는데' 같은 생각이 들지도 모른다. 하지만 나 역시 얼마 전까지 직장인이었다. 정확히 말하면 2010년 가을에 입사해 2021년 3월에 퇴사했으니 이 책이 나올 즈음에는 퇴사한 지 1년이 조금 지났을 것이다.

이전까지 다니던 직장은 대학 졸업 후 사회생활을 시작한 첫 직장이었다. 그래서 알을 깨고 나오는 게 더더욱 힘들었다. 10년간 받아오던 월급이 없어진다는 것이 두렵기도 했다. 그럼에도 퇴사를 해야 할 때가 오자 망설임 없이 결정을 내릴 수 있었던 것은, 10년이 넘는 투자 계획을 세운 뒤 차근차근 자산을 늘려왔기 때문이었다.

부동산 투자는 장기전이다

부동산 투자는 장기적으로 접근할 필요가 있다. 주식 투자에 실패한 내가 부동산 투자에서 성공을 할 수 있었던 것은, 안전마진을 확보하고 장기투자를 할 수밖에 없는 제약 조건 때문이었다. 시세보다 싼 급매를 찾아야 하는 것은 물론이고, 양도세가 기본세율로 적용되기 위해서는 보유 기간 2년을 채워야 하므로 장기적인 관점에서 매수 타이밍이 맞는지, 상승 여력이 있는지 등을 살펴야 했다. 투자 대상에 제약이 있던 것이 오히려 성공적인 투자를 할 수 있는 밑바탕이 된 것이다.

이처럼 안정적인 투자를 위해서는 내가 살아갈 똘똘한 집 한 채는 기본으로 있어야 한다. 대치동 키즈의 책 제목이기도 한 '내 집 없는 부자는 없다'는 말은 진리다. 내가 살 주택이 하나 마련되었으면 비로소 투자로 넘어갈 차례다. 1주택자에서 2주택자로, 그리고 3주택자에서 다주택자로 자산을 하나씩 늘려가면서 복잡해지는 세금구조와 싸우고 돈이 될 만한 투자처와 투자 종목을 연구하면 점차 투자자로서의 경험과 노하우를 쌓아갈 수 있을 것이다.

직장을 다니면서 세운 계획은 43세에 50채 임대주택을 보유한 후 퇴사하는 것이었다. 2021년 퇴사할 때 나이가 38세였고 30채 정도의 임대주택을 가지고 있었으니, 5년 더 다녔다면 1년에 네 채씩만 사도 목표를 달성할 수 있었을 것이다.

그러나 코로나19로 인해 계획보다 퇴사가 빨라지고 말았다. 전 직장이 서비스업이라 다른 산업군에 비해 연봉은 낮았지만, 업계 1위 업체라 계획했던 때까지는 다닐 수 있을 줄 알았다. 그러나 코로나19의 여파는 생각보다 강력했다. 다행히도 다른 이들보다 훨씬 먼저 그리고 더욱 치밀하게 준비해왔고, 결혼하면서 아내 직장 근처로 신혼집을 얻어 반 년간 원주에서 종각까지 출퇴근했을 무렵이라 심신도 지쳐 있었기에 퇴사에 망설임은 없었다.

물론 나처럼 퇴사 시점에 30채 정도가 있다면 집 관리 때문에 자연스럽게 퇴사할 명분이 생기며 전업 투자를 해도 무방한 현금흐름이 만들어진다. 이 부분이 중요하다. 회사를 그만두더라도 부동산에서 월급 이상의 현금이 나와야 한다. 아무것도 없이 회사를 박차고 나오면 당장 먹고살 생활비도 걱정되고 직장이라는 신용 보증도 없으니 마음 편하게 투자하기가 어렵다. 그러니 퇴사를 하고 싶다면 조급해하지 말고 우선 집의 개수를 늘려나가는 데 집중하라.

투자 상황판에 나의 자산 목록을 붙여라

베스트셀러인 《시크릿》의 표지에는 "수 세기 동안 단 1%만이 알았던 부와 성공의 비밀"이라는 글귀가 있다. 여기서 '부와 성공의 비밀'이란 긍정적인 마음을 가진 채 내가 원하는 것이 곧 나의 것이 된다고 상상하면 온 우주가 내가 바라는 방향으로 인생이 나아가게 도와준다는 것이다. 나 역시 부동산 투자를 처음 시작했던 10년 전부터 50채를 가질 거라고 당당하게 말하고 다녔다. 종잣돈이 크지 않은 걸 아는 주변 사람들은 비현실적인 목표라며 비웃었다. 하지만 나는 가장 잘 보이는 벽에 '서울·수도권 광역전철노선도'를 붙여놓고서 여기에 내 집을 갖겠다고 계속 다짐했다. 터무니없게 느껴져도 괜찮다. 목표를 높게 잡아서 노트에도 써보고 남들에게도 말하고 다녀라.

이렇게 벽에 지도나 내가 사고 싶은 집의 사진을 붙여놓는 것이 단순히 동기부여를 위한 것만은 아니다. 나는 여기서 더 나아가 지도 옆에 내가 산 부동산 정보들을 하나씩 붙여나갔다. 이를 '투자 상황판'이라고 하고, 상황판을 붙여놓고 부동산 관련 책과 서류들을 모아놓은 방은 '부동산방'이라고 불렀다. 군대 작전병 시절에 배운 업무 스타일이 익숙하기도 했거니와, 성격상 직접 눈으로 볼 수 있도록 구조화시키고 수시로 확인해야 마음이 놓였기 때문이다. 이렇게 자신의 투자 상황을 객관적으로 확인할 수 있는 환경과 자료를 만드는 것은 장기투자를 할 때 목표를 환기시키는 역할을 하며, 투자 방향성을 되새기는 데도 도움이 된다.

MONEY POINT 7

내가 투자하는 지역을 한 눈에 볼 수 있는 지도, 자산 현황을 파악할 수 있는 투자 상황판 등 스스로 동기부여를 할 수 있는 나만의 투자 환경을 만들자.

지금도 나는 이사할 때마다 어느 방을 '부동산방'으로 삼을지를 가장 먼저 정한다. 한 벽면에 만들어놓은 투자 상황판도 매일 들여다본다. 다음 사진들은 부동산 투자를 시작한 2012년부터 2022년 현재까지의 투자 상황판을 찍은 것이다. 이 여섯 장의 사진들이 내 10년간의 투자 발자취다.

2013년 사진은 앞서 언급했던 대출금 2000만 원으로 경매에 낙찰된

2013년

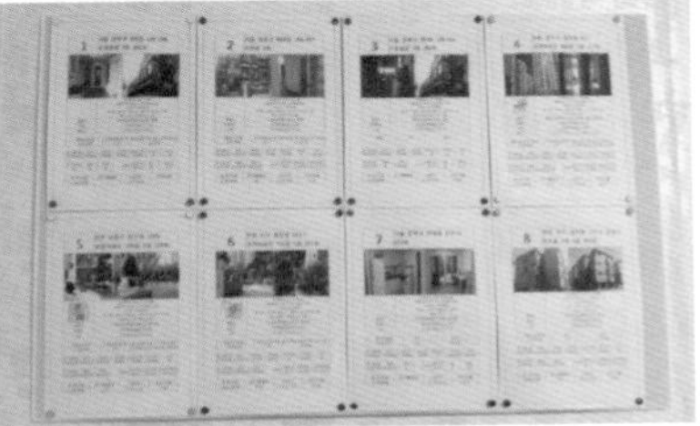

2015년

2018년

2020년

2021년

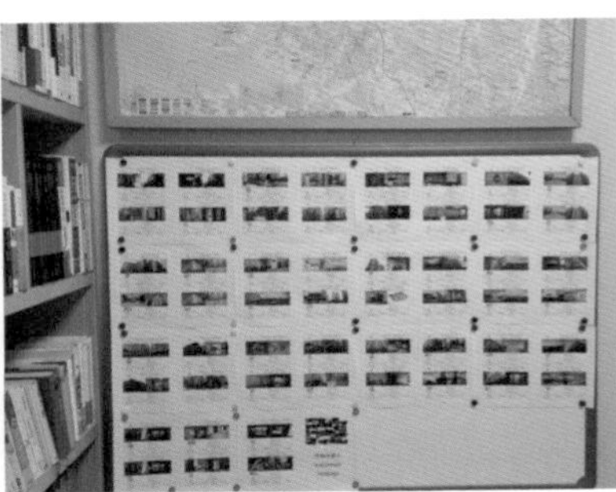

2022년

물건을 팔아서 여러 부동산으로 불렸던 상황을 보여준다. 2020년부터 부동산의 개수가 급격하게 늘어난 것이 보일 것이다. 눈사람을 만드는 것과 비슷하다. 처음에는 눈덩이가 잘 뭉쳐지지 않아도 어느 정도 만들어지면 가속도가 붙어서 빠르게 커진다. 그렇다. 스노볼 효과다. 이처럼 투자 초기에는 1년에 한두 채 사는 것도 힘들었지만 지금은 한 달에 한두 채씩 매수하고 있다. 그만큼 물건을 찾는 노하우가 쌓여 투자 대상도 빠르게 찾고, 투자 판단에 확신이 생기니 결정도 빠르게 내릴 수 있다. 그러니 조급해하지 않아도 된다. 내 자산이 늘어나는 만큼 투자 경험이 차곡차곡 쌓이고 능력도 성장할 것이다.

지금 할 수 있는 최선의 투자를 하라

회사를 그만두고 부동산 투자에 전념하는 지금은 지방 아파트, 강남 오피스텔, 서울 구축 빌라 등 다양한 곳에 투자하고 있지만, 회사에 다니고 있을 때에는 차가 없어서 임장을 멀리 갈 수 없었다. 퇴근 후나 주말에 지하철로 움직일 수 있는 곳 위주로 임장을 다녔으니 투자한 곳은 대부분 수도권 역세권이었다. 그리고 종잣돈이 크지 않은 만큼 적은 돈으로 투자할 수 있는 25평대의 아파트를 노렸다. 이처럼 차가 없고 모아놓은 적금도 적은 직

 **MONEY POINT 8**

'직장인이라 임장 갈 시간이 없어서' '투자금이 너무 적어서' 등 내가 투자를 못 하는 이유라고 생각하는 것들이 오히려 수익률을 높이는 강점이 될 수 있다.

장인이기에 어쩔 수 없이 선택했던 부동산들이 지금에 와서는 가장 높은 수익률을 보여주고 있다.

당연히 직장인으로서 투자를 하는 건 어려운 일이다. 하지만 그런 어려움 속에서도 최선의 투자를 하는 것이 중요하다. 그 방법을 찾는 과정에서 부동산을 보는 눈이 점점 넓어지고 깊어질 수 있기 때문이다. 대출금 2000만 원으로 시작한 투자가 110억 원의 자산 가치를 갖는 50여 채의 부동산으로 늘어날 때까지 10년이 걸렸다. 여기서 중요한 점은 회사에 다니면서 천천히 투자해왔다는 사실이다.

만약 회사에 다니면서 투자하는 건 도저히 불가능하다고 생각된다면 퇴사 대신 휴직을 고려해보자. 1년 혹은 몇 개월이라도 투자에 집중할 시간을 만들고 그 기간 동안 모든 시간과 노력을 부동산에 쏟아보라. 전업 투자를 경험해보면 생각보다 그 생활을 어렵게 느끼는 사람이 훨씬 많을 것이다. 투자가 적성에 맞는다면 회사에 다니면서도 저녁이나 주말, 연차 등의 시간을 사용해 투자와 집 관리를 병행하는 데 크게 어려움을 느끼지 않을 것이기 때문이다. 시간이 주어진다고 해서 할 수 없었던 것이 가능해지진 않는다. 오히려 회사에 다니면서 시간을 쪼개가며 집중해서 진행하는 게 더 효율적일 수 있다.

이제 좀 퇴사 생각으로 들떴던 마음이 가라앉았는지 모르겠다. 드라마 〈미생〉에 나왔던 대사처럼 '회사 안이 전쟁이라면 회사 밖은 지옥이다'. 나처럼 전업 투자자로 제2의 인생을 꿈꾼다면, 힘이 들더라도 지금의 전쟁터에서 얻을 수 있는 자신만의 무기를 조금씩 준비해두어야 한다. 그러다 보면 정말 자연스럽게 퇴사를 해야 하는 날이 올 것이다.

서울 아파트, 아직 투자 기회는 있다

왜 지금 부동산 투자를 해야 할까? 거래량은 절벽이고 부동산가격은 꼭대기에 오른 지금 투자를 시작한다는 건 손해가 정해진 것 아닐까? 부동산 투자에서 손해를 보지 않으려면 부동산 시세 사이클상 가격이 저점을 찍은 다음 상승세로 전환되는 회복기에 최소의 금액으로 들어가는 것이다. 그렇다면 지금은 투자하기에 가장 최악의 타이밍이 아닐까?

먼저 지금까지 내가 부동산 투자에 성공할 수 있었던, 제일 간단하면서도 어려운 기본 원칙을 이야기하겠다. 나는 부동산 사이클을 나타낸 다음의 그래프에서 불황기를 거치고 난 뒤 회복기에만 투자해왔다. 불황기를 거치는 동안 입주 물량이 줄어드니 전세가는 차츰 올라가고

| 부동산 사이클에 따른 매수 타이밍 |

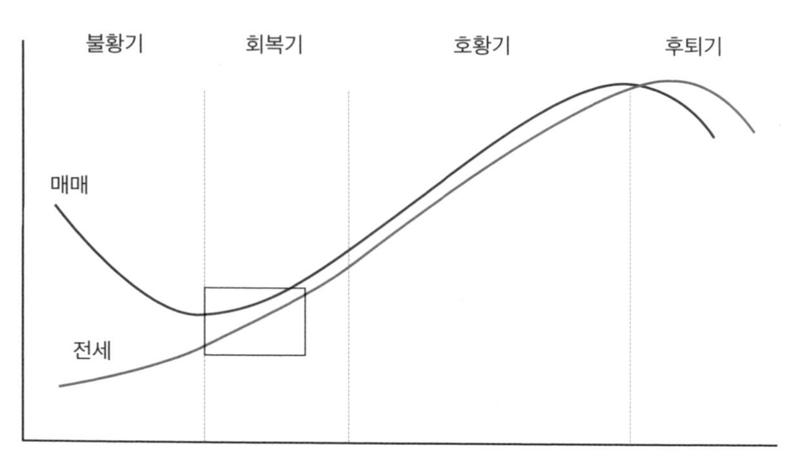

네모로 표시한 부분이 내가 주로 투자하는 회복기다. 부동산시장 사이클에 대한 자세한 내용은 3장에서 다룰 것이다.

그에 맞춰 매매가도 반등한다. 특히 반등하기 전 저점은 지지선이 되어 부동산가격이 이 밑으로 떨어지지 않는다. 즉, 이때의 금액이야말로 투자 수요가 확 빠진 해당 아파트의 내재적 가치라고 판단할 수 있다.

회복기 초입에는 아직 불황기가 끝났는지 아닌지 확실히 알 수가 없기에 절대적으로 매수자 우위의 시장이 형성된다. 그 말은 매도자가 긴 불황기의 끝을 견디지 못해 패닉 셀을 하기 쉬운 상태이므로 매매 계약 조건을 나에게 유리하게 설정할 수 있다는 의

 **MONEY POINT 9**

절대 실패하지 않는 부동산 투자의 기본 원칙은, 부동산 사이클에서 불황기가 끝나고 회복기가 시작할 때 매수하는 것이다. 이를 위해서는 현재가 부동산 사이클 중 어느 시기인지 파악할 수 있어야 한다.

미이기도 하다. 매매가를 깎을 수도 있고, 매도자가 전세입자를 받아서 매매 잔금을 처리하도록 요청할 수도 있다. 매도자 입장에서는 이렇게 하지 않으면 물건을 팔 수 없을 거라고 생각하기 때문이다. 그래서 이 시점을 노리면 매매가는 최대한 낮게, 전세가는 최대한 높게 설정해 무피나 플피 투자에 성공할 수 있다.

상승기 초입에 올라타면 앞으로 5년은 상승장이 이어진다. 그러므로 적은 종잣돈으로 투자했다면 손해를 볼까 봐 불안해할 필요가 없다. 상승장이 5년인 이유는 공급 주기를 따르기 때문이다. 불황기에 쌓인 미분양으로 잠정 휴업 상태에 있던 건설사는 회복기를 맞이해 다시 아파트를 짓고 분양할 계획을 세운다. 하지만 상승기 초기에는 매수세가 크지 않기에 완판(매진)할 자신도 없고 분양가를 높게 잡기도 힘들다. 그래서 상승기 2~3년 차에 시장이 무르익으면 분양을 시작한다. 기존의 신축, 준신축 등의 집값이 많이 오른 상태라 집을 갈아타려는 1주택자의 수요가 생기고, 무주택자도 청약에 관심을 가질 시기이므로 높은 분양가에 완판시킬 수 있기 때문이다. 분양 후 입주까지는 3년 정도가 걸리므로 한 번의 상승 사이클은 5년이 되는 것이다.

2022년 부동산시장의 향방은?

서울의 부동산시장은 2013년 이후 쭉 상승기였다. 하지만 2022년 초 대선 전의 혼란으로 거래량이 끊기고, 2020~2021년에 걸쳐 큰 폭의 오름세를 보였던 부동산가격도 주춤하자 하락에 대한 우려가 커졌다. 하지만 부동산시장은 주식처럼 어제 상한가를 갔다가 오늘 하한가로 폭락하는 일은 거의 일어나지 않는다. 호황기(상승장)에서 후퇴기(하락장)로 전환되더라도 어느 정도의 기간에 걸쳐 진행되기 때문이다.

그렇다면 2022년 이후의 부동산시장은 어떨까? 부동산시장에 막대한 영향을 미치는 요인인 공급과 유동성을 통해 알아보자. 부동산가격을 잡으려면 공급을 늘리는 동시에 시중에 풀린 돈을 환수해야 효과가 있다. 하지만 지금과 같은 팬데믹 상황에서는 양적완화 정책을 계속 펼 수밖에 없다. 코로나19 발생 후 2022년 3월 현재까지 일곱 차례에 걸쳐 130조 원 규모의 추가경정예산(줄여서 '추경')이 편성된 것은 물론, 50조 원 규모의 추경을 공약으로 내세운 새 정부가 출범했으니 유동성 유입은 끝나지 않을 듯하다.

한국은행은 2021년 11월과 2022년 1월 두 차례에 걸쳐 25베이시스포인트(1bp=0.01%)씩 금리를 올렸지만 이는 긴축정책이 아니라는 입장이다. 2020년 이후 2년간 5대 은행(KB국민·신한·하나·우리·NH농협)이 코로나19 지원책의 일환으로 상환을 미뤄준 소상공인과 중소기업의 대출 원금과 이자만 현재 150조 원가량 된다. 만약 이 상황에서 금리를 연속으로 올린다면 강력한 저항에 부딪힐 수밖에 없을 것이다.

현금을 비롯한 2년 이내의 예적금·국채·지방채·회사채 등 넓은 범위의 통화량을 뜻하는 광의통화(M2)의 연간 상승률을 보면, 코로나19 사태가 시작된 2020년부터 최근까지 매년 더 큰 상승률로 돈을 풀고 있다. 더 자세하게 설명하자면 2011년부터 2019년까지 M2의 연간 상승

| 광의통화(M2)의 연간 상승률 |

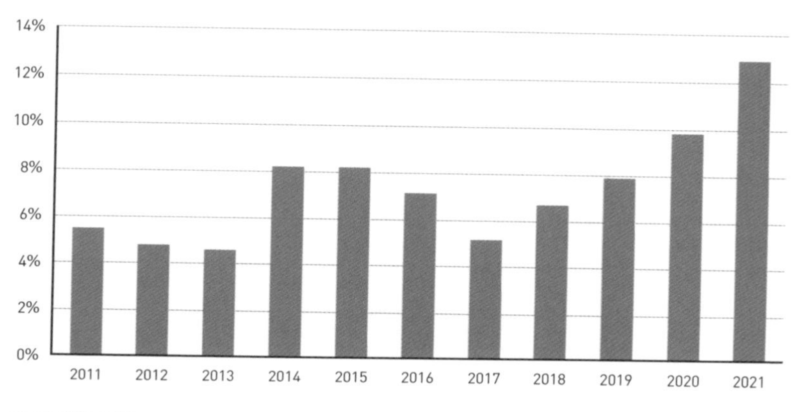

(출처: 한국은행)

률이 6.4% 정도였다. 그러나 코로나19 사태가 발발한 2020년 한 해 동안에는 9.8% 상승했고, 2021년에는 12.9%가 늘어나 2008년 금융위기 사태 이후로 가장 돈을 크게 풀었던 해로 기록될 것이다.

2022년엔 통화량 상승을 멈출 수 있을까? 난 그렇지 않다고 본다. 아직 코로나19가 끝나지 않았기에 현 상황을 탈피하기 위한 추경이 편성될 것이다. 그리고 3기 신도시 토지보상 작업이 본격화되면 30조 원 이상의 보상금이 풀리고, 이 돈은 다시 부동산시장으로 들어갈 것이다. 양도세와 종합부동산세(줄여서 '종부세')의 부담으로 주택에 투자하기 힘들어지자 오피스텔, 상가, 생활형 숙박시설, 지식산업센터 등에 투자가 몰리고 있다. 이는 보통 주거용 부동산시장이 과열된 후에 상업용 부동산과 토지시장으로 돈이 흘러가는 것과 같은 맥락이다.

부동산시장의 흐름을 좌우하는 두 번째 요인은 공급량이다. 50쪽 그

| 수도권 및 광역시 연평균 입주 물량 |

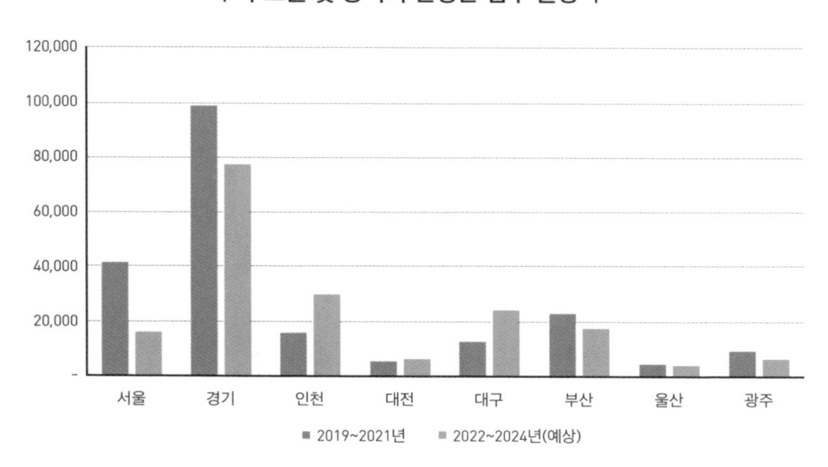

| 세종시 및 지방 8도 연평균 입주 물량 |

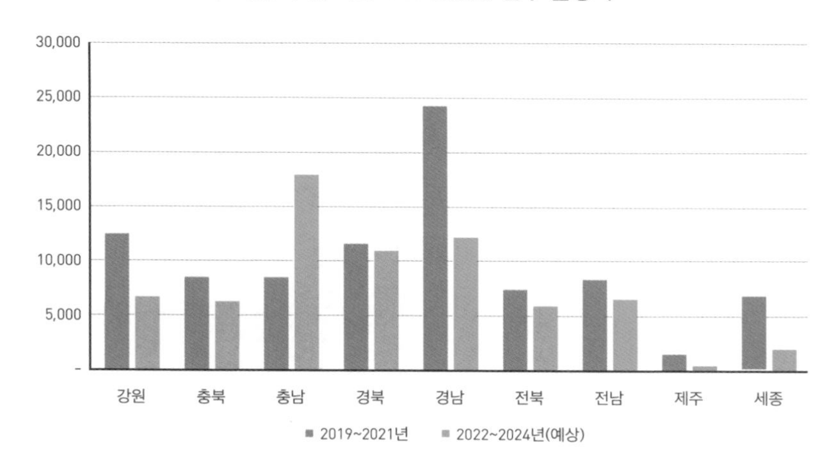

래프는 지역별 2019~2021년 연평균 입주 물량과 2022~2024년 예상 연평균 입주 물량을 나타낸 것이다. 인천과 대구, 대전, 충남을 제외하고는 앞으로 3년간은 공급량이 이전에 비해 낮아짐을 알 수 있다.

공급량이 축소되는 가운데 광의통화 상승률이 지속적으로 증가한다면 2022년 부동산시장은 최소한 5% 이상 상승할 것이라고 예측한다. 2022년 3월 기준 시중 금리(명목금리)에서 물가상승률을 뺀 실질금리는 마이너스 상태로 유지되고 있다. 기준금리를 앞으로 1~2% 이상 올린다면 모르겠지만, 현재 상태로는 실물자산가격의 상승률이 은행 금리보다 높기 때문에 투자처를 못 찾은 돈이 은행으로 가진 않을 것이다.

2021년 부동산시장의 폭등은 전 세계적인 현상이었다. 앞서 언급한 막대한 유동성을 비롯하여 전례 없는 저금리와 팬데믹에 의한 재택근무 확산으로 주거 공간의 수요가 급증했으나 공급량은 턱없이 못 미쳤기 때문이다. 이에 미국 S&P 코어로직 케이스실러 전국주택가격지수가 2021년 한 해 234.46에서 278.63로 약 19% 상승했고, 한국 역시 KB부동산 전국 아파트 매매지수가 111에서 131.4로 약 18% 상승했다. 하지만 이 수치도 그리 크지 않은 것이다. 캐나다는 약 26%, 뉴질랜드는 약 24% 상승했기 때문이다.

이처럼 주식시장뿐만 아니라 부동산시장 역시 세계적인 추세를 따라가기 때문에 이후의 부동산시장을 예측하기 위해서는 미국과 선진국의 부동산 지표를 함께 살펴보아야 한다. 전미부동산중개인협회NAR에 따르면 2021년 12월에 매물로 나와 있거나 계약 중인 주택 수는 91만 채다. 1999년 주택 재고를 집계한 이후 22년 만에 가장 적은 양이다. 이로 인해 2022년 미국 주택가격은 10% 이상 상승할 것이라 보고 있다. 이런 점에서 한국 부동산시장의 상승률을 5%로 본 것은 굉장히 보수적인 수치다.

이는 건설·주택 전문 연구기관들의 전망치로도 확인할 수 있다. 한국부동산원은 집값 전망을 2021년에 이어 2022년에도 하지 않고 있지만, 대한건설정책연구원·주택금융연구원·주택산업연구원·한국건설산업연구원 등에서는 2022년 전국 주택 매매가격 상승률을 2~5%로 예측했다. 심지어 정부 출연 연구기관인 국토연구원도 5.1%의 상승을 예측했다. 최대한 보수적으로 잡았을 텐데도 이 정도 상승률을 예측했다면 그 밑으로는 떨어지지 않을 거라는 의미임을 유추할 수 있다.

현재 우리나라는 정부가 억지로 수요를 막고 있지만, 2022년 하반기쯤에는 거래 심리가 다시 살아날 것이다. 여기에 앞서 언급했듯이 풍부한 유동성으로 인한 가구소득 증가, 공급망 이슈에 따른 수급 불안, 경기회복 등도 집값 상승 요인으로 작용할 것이다. 물론 금리 인상, 대출 제한, 가격 부담 등의 하락 요인도 있다. 그렇지만 하락 요인보다 상승 요인이 시장에 미치는 영향력이 더 큰 만큼, 이후 주택시장은 완만한 상승세를 유지하는 조정기가 형성될 것이다.

서울 아파트, 2022년이 기회다!

2020년 초에 부동산에 들어갔다면 큰 수익을 얻을 수 있었겠지만 그렇지 못했다고 해도 너무 상심하지 말기 바란다. 문재인 정부가 은행의 돈줄을 막아서 인위적으로 하락시킨 부동산가격이 기회가 될 수 있으니 말이다. 물론 수도권과 울산, 부산을 제외한 광역시는 2013년부터 현재까지 큰 하락 없이 상승장이 유지되어온 곳이라 매수하기 부담스러운 시점이다. 그래서 2022년 상반기는 수도권·광역시·세종시에 투자할 시점은 아니라고 본다. 충분한 조정을 거친 후 하반기에 매수자의 기대 심리가 올라올 때가 기회일 것이다. 특히 윤석열 대통령의 공약이었던 '다주택자 중과세율 한시적 배제(최대 2년)'가 시행되면 다주택자의 급매들이 쏟아져 나올 수 있다.

아래 표는 다주택자(3주택 이상)가 조정대상지역에서 5억 원에 매수해 15억 원에 매도할 때의 양도세 내역이다. 다주택자 중과로 인해 기

| 다주택자 양도세 산출 내역 |

취득가액	₩500,000,000	매수가격
취득일자	2019.01.01.	
양도가액	₩1,500,000,000	매도가격
양도일자	2022.02.01.	
필요경비	₩20,000,000	부동산 중개비, 법무사비 등
양도차익	₩980,000,000	양도가액 - (취득가액 + 필요경비)
보유기간	3년 1개월	취득일자로부터 양도일자까지 기간
과세표준	₩977,500,000	양도차익 - 공제액(인별공제 적용)
양도소득세율	72%	조정대상지역 3주택 이상 30% 가산 (7.22 세법 개정안 적용)
양도소득세	₩668,400,000	과세표준×세율(72%) - 누진공제액(₩35,400,000)
지방소득세	₩66,840,000	양도소득세의 10%
총납부금액	₩735,240,000	양도소득세 + 지방소득세

본세율에 30%를 가산하므로 시세차익이 10억 원이라도 실제 손에 주어지는 금액은 2억 6000만 원뿐이다.

하지만 다주택자 양도세 중과 배제가 시행되면 어떨까? 당연히 정책의 일관성을 저해하며 다주택자에게 '버티면 이긴다'는 생각을 심어준다는 부정적인 영향도 있겠지만, 주택 공급이 부족한 상황에서 재고주택을 시장에 풀도록 독려해 거래량 확대와 가격 안정에는 분명 도움이 될 것이다. 우리나라 전체 주택량의 절반 이상을 2주택 이상의 다주택자가 가지고 있는데, 이들이 중과세를 부담하면서 거래하는 경우는 전체 거래량의 5%도 되지 않는다. 이는 가격 상승, 대출 규제, 금리 상승 등의 원인도 있지만 징벌적인 중과세로 이익이 크게 줄기 때문에 대부분의 다주택자들이 양도세가 완화될 때까지 버티고 있기 때문이다.

양도세 중과 배제가 시행된다면 앞선 사례의 15억 원짜리 주택을 팔 때 양도세는 얼마나 줄어들까? 다음의 표를 보면 기본세율 42%만 적용된 양도세액은, 앞서 살펴본 중과세율 30%가 합해져 양도세율 72%로

| 다주택자 양도세 완화 시 수익 산출 시뮬레이션 |

	매수가격	매도가격	양도소득세 (기본세율)	최종 수익
시뮬레이션1	5억 원	14억 원	3억 4000만 원	5억 6000만 원
시뮬레이션2	5억 원	13억 원	2억 9000만 원	5억 1000만 원
시뮬레이션3	5억 원	12억 원	2억 5000만 원	4억 5000만 원
시뮬레이션4	5억 원	11억 원	2억 1000만 원	3억 9000만 원
시뮬레이션5	5억 원	10억 원	1억 7000만 원	3억 3000만 원

계산상 편의를 위해 1000만 원 단위 이하는 절삭했다.

적용된 양도세액과 확연히 차이가 난다. 게다가 기본세율에는 장기보유 특별공제도 적용되기에 양도세가 더 낮게 나온다.

그렇다면 다주택자가 이 한시적 정책을 이용해 매도한다면 얼마까지 내려서 던질 수 있을까? 매도가격을 1억 원씩 내려서 시뮬레이션해 보자. 양도차익 10억 원일 때 중과세를 적용한 수익(약 2억 5000만 원)보다 양도차익 5억 원에 대한 일반과세의 세후수익(약 3억 3000만 원)이 더 크다는 것을 알 수 있다. 즉, 다주택자 입장에서는 세금으로 다 뜯길 바에야 5억 원을 내려파는 편이 수익이 더 높으므로 급매로 나올 수 있는 것이다. 그렇기에 무주택자나 1주택 갈아타기의 경우, 이런 다주택자의 급매 물건을 잘 노린다면 충분한 기회가 있을 것이다.

MONEY POINT 10

다주택자 양도세 중과가 완화되면 그동안 세금 부담으로 내놓지 못했던 물건들이 쏟아져 나올 수 있다. 이때가 바로 서울 부동산에 투자할 기회다.

또한 모든 지역이 동일한 사이클로 진행되는 것이 아니라 지역마다 그 흐름의 양상도 다르기에 지역별 회복기와 호황기에 맞춰서 투자하면 된다. 특히 다주택자의 경우는 광역시 중에서 상대적으로 흐름이 좋은 광주광역시나 지방 8도 중에 아직 저평가되어 있지만 상승세가 지속될 투자처를 찾으면 좋겠다. 게다가 특정 부동산별로 이슈에 따른 가격 사이클이 만들어지기 때문에, 이러한 작은 단위의 사이클을 이용하면 부동산 투자의 적기는 끊임없이 생긴다고 보는 게 옳다. 이에 대해서는 3장에서 자세하게 다룰 예정이다.

당신은 부의 길을 걷고 있는가

57쪽 그림은 앞서 말한 홍콩 주식에 투자했을 당시 수첩에 메모한 내용이다. 세계 10대 부자에 항상 이름이 거론되는 워런 버핏의 평균 수익률조차 22%인데, 자신감에 차 있던 나는 매년 연평균 수익률 100%를 목표로 했다. 당시에 돈 버는 것을 얼마나 쉽게 생각했는지 알 수 있는 부분이다. 그런데 정말 신기한 것은, 모로 가도 서울만 가면 된다고 주식이 아닌 부동산으로 결국 30대에 110억 부자가 되었다는 것이다. 물론 레버리지를 빼면 아직 갈 길이 멀지만 말이다.

사실 이 치기 어린 메모에는 중요한 내용이 숨겨져 있다. 바로 자산 증식을 '복리'로 계산했다는 것이다. 초기 원금에 대해서만 이자가 붙는 단리와 달리, 복리는 초기 원금과 과거의 이자를 합친 금액에 다시 이자

주식과 펀드로 34세에 100억 원을 목표로 세웠던 자산 계획.

가 붙는 형식이다. 단리를 적용하는 일반적인 적금과 달리 투자 수익률은 복리를 기본으로 하기 때문에 20대 때부터 복리를 적용해 목표 자산을 정했던 것이다. '복리의 마법'은 잘 알려져 있지만 막상 자신의 현금흐름에 복리를 적용하긴 쉽지 않다. 앞서 말했듯 회사원으로 월급을 받고 다른 투자활동 없이 적금만 한다면 '단리'로 자산이 증식하므로 복리의 힘을 체감하기 힘든 것이다. 물론 월급도 매년 작년 연봉을 기준으로 해서 퍼센티지로 오르기 때문에 복리가 적용되지만, 다른 물가도 그만큼 혹은 그 이상으로 함께 오르니 상승을 체감하기가 힘들다.

투자는 수익을 투자금에 더해 재투자를 하므로 복리로 자산이 불어난다. 예를 들어 1억 원의 투자금에 투자수익률 연 10%를 가정하고 같은 금액의 같은 이자수익률의 적금에 들었을 때와 자산 증가 추이를 비교해보자. 사실 매년 10%씩 수익률을 기록한다는 것도 쉬운 일은 아니다. 어쨌든 수익률이 같으므로 1년 후 자산은 단리와 복리 모두 1억 1000만 원이 된다. 그다음 해에도 단리로는 1000만 원의 이자만 붙기 때문에 자산은 1억 2000만 원이 되지만, 복리는 1억 1000만 원에 10%인 1100만 원이 더해져 총 1억 2100만 원이 된다. 사실 한두 해 정도로는 단리와 복리의 차이를 느끼기 힘들지만, 72의 법칙에 따라 7년(72/10%)만 지나도 복리의 경우 자산은 2배가 되며 20년 후에는 3배 가까이 차이가 난다. 이것이 바로 복리의 마법이다.

좀 더 극적으로 자산을 빠르게 늘리고 싶다면 초기 투자금을 키우거나 수익률을 높이는 방법이 있다. 하지만 수익률을 높이는 건 노력한다고 해도 외부요인이 크게 작용하므로 쉽지 않다. 그에 비해 초기 투자금을 키우는 것은 이미 많은 사람이 하고 있는 방법이다. 투자를 하지 않는 분들은 의아하겠지만, 집이 있는 사람들이 상위입지로 갈아타거나

| 복리와 단리의 자산 증가 추이 비교 |

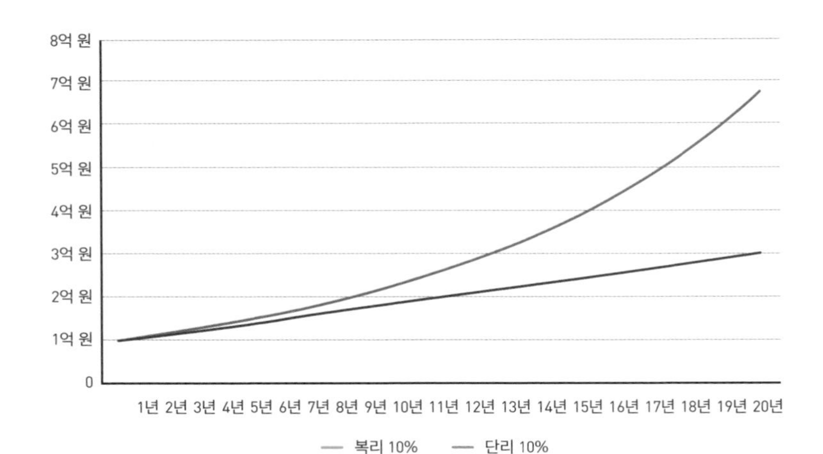

평수를 늘리는 것이 대표적이다. 1가구 1주택 비과세를 이용해 집값 상승에 따른 수익과 대출금을 더해 상위입지로 갈아타면 투자금을 몇 배로 늘릴 수 있다. 이렇게 갈아타기에 몇 번만 성공하면 중산층 정도의 자산을 소유할 수 있다. 내가 항상 먼저 1주택자가 되어야 한다고 주장하는 이유다. 이때부터 비로소 복리 투자가 시작되기 때문이다.

MONEY POINT 11

장기적으로 화폐가치를 지키는 최선의 방법은 자산을 소유함으로써 자산가치를 높이는 것이다. 자산 중에서도 꾸준히 가치가 상승하는 것은 부동산이다. 우리가 부동산에 투자해야 하는 이유다.

부동산 추월차선에 올라타는 법

브리지워터 어소시에이츠의 설립자이자 CEO인 레이 달리오는 "현금은 쓰레기"라고 일갈했다. 코로나19 이후 미국 정부의 대규모 지출로 인해 달러의 가치가 점차 줄어들고 인플레이션은 높아져 실질금리가 마이너스가 되니 현금을 들고 있는 것 자체가 큰 손해라는 말이다. 이는 세계적인 흐름이다. 2022년 2월 현재 한국 소비자물가는 4개월 연속 3% 대를 기록하며 고물가 기조를 이어가고 있다. 이렇게 4개월 넘게 높은 상승률을 유지하는 건 약 10년 만이다.

60쪽 그래프는 실질금리의 월별 추이다. 2021년 4월 이후 수치는 마이너스이며, 같은 해 10월부터는 22년 만에 가장 낮은 수치를 기록하고 있다. 이처럼 실질금리가 마이너스면 레이 달리오의 표현처럼 현금은 쓰레기가 된다. 현금 상태로 자산을 보유하고 있으면 인플레이션으로 인해 그 가치가 낮아지기 때문이다. 그래서 이 시기에는 가치가 떨어지는 현금을 부동산과 같은 실물자산으로 바꾸려고 한다. 2021년 전국 아파트 매매가격이 전년도에 비해 14.1% 상승했다는 한국부동산원의 통계가 그런 심리를 잘 보여준다.

세계적인 베스트셀러인《부의 추월차선》에는 '부를 향한 재무 지도 세 가지'가 나온다. 세 가지 재무 지도에는 각각 인도·서행차선·추월차선의 길이 있고, 그 길은 가난·평범한 삶·부자를 향한다. 여기서 인도와 서행차선은 근로소득으로만 사는 삶이다. 차이라면 인도는 소득보다 소비가 많다는 것뿐이다. 저자인 엠제이 드마코는 근로소득만으로는 절대로 부자가 될 수 없다고 말하며, 진정한 부를 위한 추월차선에 올라타는

| 실질금리 추이 |

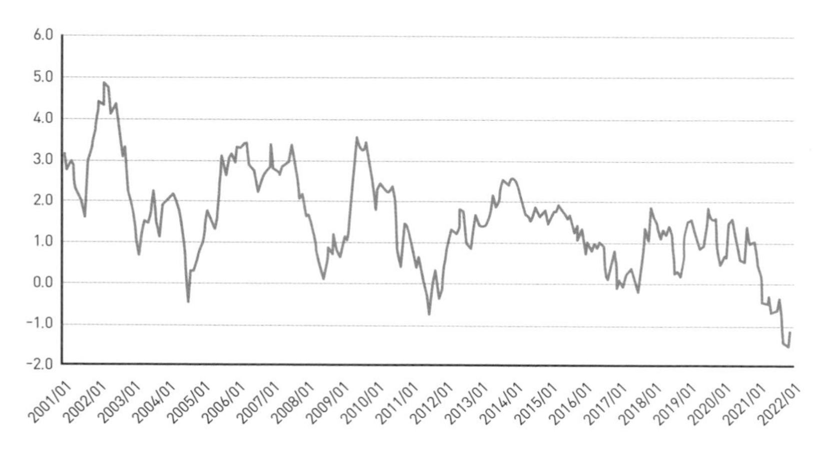

한국은행 경제통계시스템에서 명목금리의 기준이 되는 10년물 국고채 금리에서 소비자물가지수를 차감해서 구한 실질금리의 월별 데이터다.

여러 방법을 소개한다. 임대 시스템(부동산, 라이선스, 특허 등), 컴퓨터·소프트웨어 시스템(인터넷과 소프트 사업 등), 콘텐츠 시스템(책, 블로그, 잡지 등), 유통 시스템(프랜차이즈, 체인점, 네트워크 및 텔레비전 마케팅 등), 인적자원 시스템(회사) 등이 해당된다. 여기서 주목할 것은 부동산 임대 시스템이 오래된 방법이지만 부자가 되는 확실한 추월차선이라고 설명하고 있다는 점이다.

이제 월급을 은행에 차곡차곡 쌓아두기만 하면 현금은 쓰레기가 될 뿐이고 나는 점점 가난해질 뿐임을 이해했으리라고 생각한다. 그러나 부동산을 소유하고 있다면 이야기는 달라진다. 주택가격이 상승할수록 나의 자산 역시 증가한다. 내가 가진 부동산의 시세 총합이 110억 원이 넘으니, 10%만 상승한다고 해도 내 자산 가치는 11억 원이 증가한다. 그럼에도 부동산 투자가 망설여진다면 58쪽의 복리와 단리 그래프를 다시 보자. 지금 내 자산은 빨간색 선(복리)과 파란색 선(단리) 중 어느 선에 올라타 있는가? 내가 부의 길로 향하고 있는지, 아니면 빈의 길로 향하고 있는지를 알 수 있을 것이다.

2장부터는 어떻게 평범한 직장인이 10년간의 투자를 통해 110억 원 자산을 가진 파이어족이 되었는지 그 과정을 자세하게 알려주려 한다. 나는 10년 전 부동산 투자를 시작할 때 여러 부동산 강사들을 만났고, 그들과 어떻게든 관계를 만들고 배우면서 따라잡으려고 노력했다. 이 책을 펼쳐 든 독자 역시 내가 설명하는 투자 노하우와 팁들을 자신의 것으로 만들어, 원하는 목표의 자산을 이루길 바란다.

2장

어떻게 대출 없이 110억 자산의 집주인이 될 수 있었을까?

10년간의 부동산 투자 현금흐름표

연차	자금 마련		매수		
1년차			서울 강북구1 (매수)	서울 강북구2 (매수)	
3년차	서울 강북구1 (매도, +3000만 원)	→	서울 강북구3 (매수)	인천 연수구4 (매수)	인천 남동구5 (매수)
	서울 강북구2 (전세증액, +2000만 원)	→	인천 서구6 (매수)	서울 강북구7 (매수)	
5년차	서울 강북구2 (전세증액, +2000만 원)	→	인천 서구8 (매수)	인천 서구9 (매수)	
	서울 강북구3 (매도, +3000만 원)	→	인천 남동구10 (매수)	인천 서구11 (매수)	인천 서구12 (매수)
	인천 연수구4 (매도, +3000만 원)	→	경기 평택시13 (매수)	경기 평택시14 (매수)	경기 의정부시15 (매수)
7년차	인천 남동구5 (매도, +6000만 원)	→	충북 청주시16 (매수)	경기 고양시17 (매수)	경기 이천시18 (매수)
			경기 수원시19 (매수)	인천 서구20 (매수)	서울 도봉구21 (매수)
	인천 서구8 (매도, +3000만 원)	→	인천 서구22 (매수)	경기 의정부시23 (매수)	경기 남양주시24 (매수)
	인천 남동구10 (전세증액, +2000만 원)	→	전북 군산시25 (매수)	충남 천안시26 (매수)	
	경기 평택시14 (전세증액, +2000만 원)	→	경기 의정부시27 (매수)	서울 도봉구28 (매수)	
	경기 의정부시15 (매도, +5000만 원)	→	서울 도봉구29 (매수)	경기 수원시30 (매수)	경북 칠곡군31 (매수)

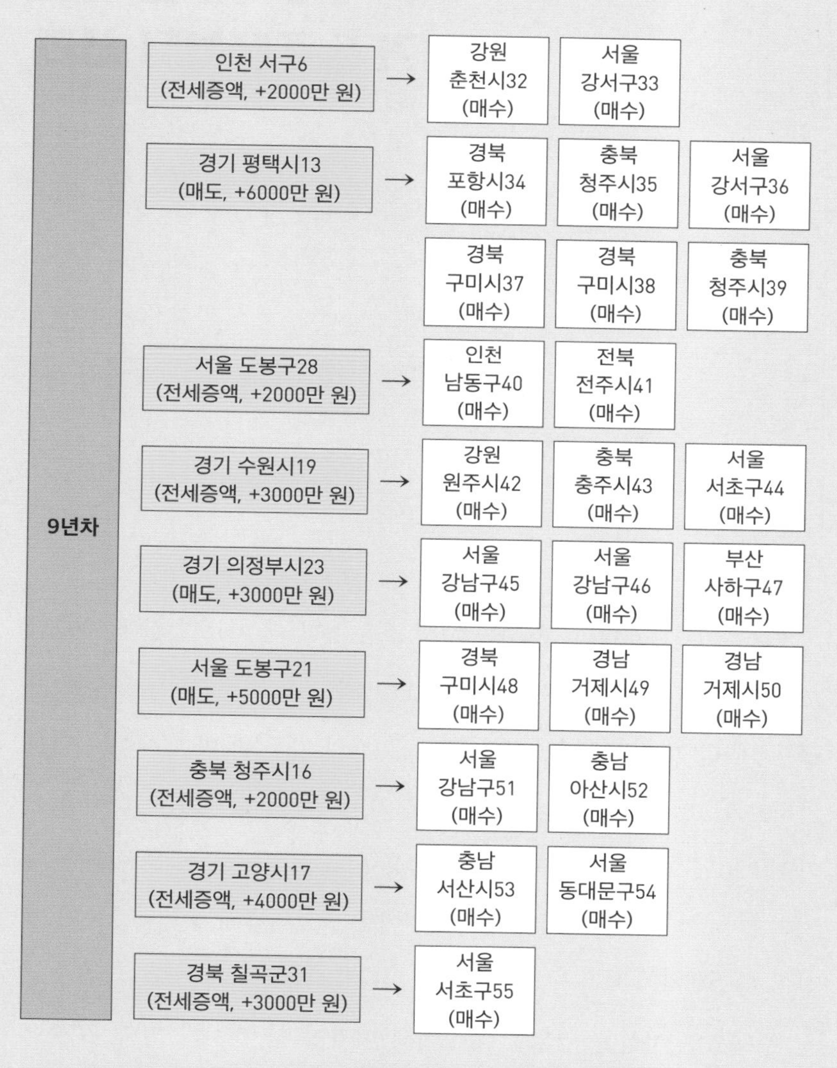

※ 현금흐름표를 최대한 간단하게 만든 것이며 시간이 흐름에 따라 매도금액뿐 아니라 전세증액분을 통해서 추가 매수를 진행했다.

무주택자는 빨리 실거주 주택부터 사라

통계청의 '2020년 주택 소유 통계'에 따르면 전체 2092만 7000가구 중 주택을 소유한 가구는 1173만 가구(56.1%)이고 무주택 가구는 919만 7000가구(43.9%)다. 즉, 우리나라 가구 중 반 이상이 주택을 가지고 있고 나머지 반 정도가 주택을 가지고 있지 않다. 이상하지 않은가? 2020년 기준 우리나라 주택보급률이 103.6%인데 아직 주택을 가지지 않은 가구가 절반이나 된다. 그 이유는 그만큼의 주택을 2주택 이상의 다주택자가 보유하고 있기 때문이다.

주택으로 자산을 만드는 과정에서 따라야 할 절차가 있다. 무주택에서 1주택으로, 그리고 그다음에 다주택으로 넘어가야 한다. 무주택자가 바로 다주택자가 될 수는 없다. 현재 주택을 소유한 가구들은 대체로 실거주 부동산이 지속적으로 올랐기에 몇 년마다 상승지로 갈아타면서 어느 정도 여유 있는 자산을 만들 수 있었다. 안타까운 것은 주택가격이 떨어질 거라고 믿고 여기에 편승하지 못한 무주택자들이다. 모든 무주택자의 마음을 헤아릴 수는 없겠지만, 많은 무주택자가 객관적인 데이터보다 막연한 내용의 뉴스나 기사를 있는 그대로 믿고 판단했을 것이다. 이에 대해서는 조금 긴 설명이 필요하다.

다음의 서울 통화량 지수 그래프를 보자. 서울의 매매지수는 M2 통화와 유사하게 움직이며 약 46년간 우상향을 그리고 있다. 그럼 어떻게 이 그래프를 이해하면 될까? 막대한 돈이 시중에 풀리고 있는 만큼 그 가치가 희석되기에 물건의 가격이 오르는 것이다. 물건 자체의 가치는

| 서울 통화량과 매매지수 비교 |

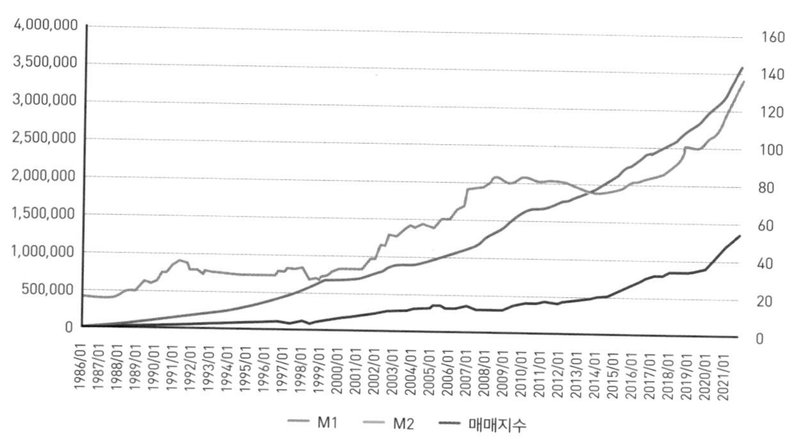

M1(협의통화)과 M2(광의통화)는 통화량의 개념 중 하나다. M1은 현금을 비롯해 예금 등 바로 현금화가 가능한 돈을 뜻한다. 반면 M2는 M1을 포함한 만기 2년 미만 정기 예적금, 금융채, 시장/실적배당형 금융상품을 포함하는 넓은 범위의 돈이다.

차치하고서 상대적으로 돈의 가치가 낮아졌기 때문이다.

그래프를 보면 46년 동안 가격이 크게 조정된 시점은 생각보다 많지 않다. 1990년대 초반 1기 신도시가 공급되던 시기 수도권 주택시장은 꽤 오랜 기간 하락세였고, 그다음이 1998년 IMF의 여파로 인해 1년에서 1년 반 정도 큰 하락세를 겪은 이후 꾸준히 상승해왔다. 이후 발생한 하락세는 2008년 미국 리먼 브러더스 파산 및 서브프라임 모기지 사태로 인한 대침체의 영향 때문이었다.

즉 이 시기들을 제하면 부동산에 투자한 사람들은 모두 자산이 늘어났다는 말이 된다. 설사 대폭락 전에 투자했더라도 어느 정도의 시간을 버티면 가격은 회복됐고, 이후 전 고점 이상으로 상승했기 때문에 결국 수익을 얻을 수 있었다.

통화량으로 읽는 부동산 매수의 기회

우리나라에서 실거주 주택 한 채를 가진다는 건 큰 의미가 있다. 집을 선택한 우선순위에 따라 직주 근접(집과 직장의 거리가 가까운 것)이라면 쾌적한 워라밸work-life balance을 즐길 수 있고, 아이의 학군을 중요시했다면 전학이나 이사에 대한 걱정 없이 원하는 교육 환경에 맞춰 자녀를 키울 수 있다. 특히 후자의 경우 임대인의 결정에 따라 아이의 학교를 옮겨야 하는 위험이 사라지므로 아이에게도 안정감을 줄 수 있다. 이렇게 집을 통해 얻는 만족은 비교적 높은 가격에 샀다고 해도 삶을 영위

하면서 충분히 상쇄되는 사항이 아닌가 싶다. 게다가 부동산 투자는 인플레이션을 방어할 수 있는 가장 효과적인 수단이기도 하다. 그래서 무주택자인 경우에는 되도록 빨리 실거주 주택을 마련하라고 말하고 싶다.

70쪽 그래프를 통해 필승 투자법을 한 가지 더 알려주려고 한다. 고객예탁금이 늘고 있다는 뉴스가 나온다면 주식시장에서는 큰 호재다. 주식을 살 수 있는 여유자금이 늘었다는 의미이기 때문이다. M1/M2의 비율 증가 역시 이와 비슷한 맥락으로 해석할 수 있다. 채권을 포함한 M2 통화에서 바로 현금화가 가능한 M1 통화의 비율이 높다는 것은 언제든지 시장에 투입될 수 있는 유동성이 크다는 의미다. 36년간 M1/M2 비율이 35% 정도로 높았던 때는 1987년, 2005년, 2020년 이렇게 단 세 번이었다. 그리고 정확하게 이듬해인 1988년, 2006년, 2021년에 투자시장이 폭등했다.

MONEY POINT 12

M1/M2 비율이 높다는 것은 잠재적 유동성이 큰 상태를 뜻하며, 이 수치가 높았던 다음해에는 부동산시장이 폭등했다.

앞에서도 언급했지만 부동산가격이 폭등한 이유는 다름 아닌 코로나19 때문이다. '유동성 파티'라고 불릴 만큼 역대급으로 시장에 돈이 풀린 것이다. 여기서 중요한 것이 바로 M1/M2 비율이 반등한 시점이다. 2019년 12월 중국 우한에서 시작된 코로나19가 전 세계로 확산되면서 우리나라의 경우 2020년 2월부터 확진자가 기하급수적으로 늘어났는데, 딱 이 시기와 일치한다.

스스로를 부동산 전문가라고 칭하는 사람들이 최근 1~2년간 어떻게 몇십억 혹은 몇백억을 벌었는지 장황하게 연설하는 모습을 흔하게

| 매매지수와 M1/M2 비교 |

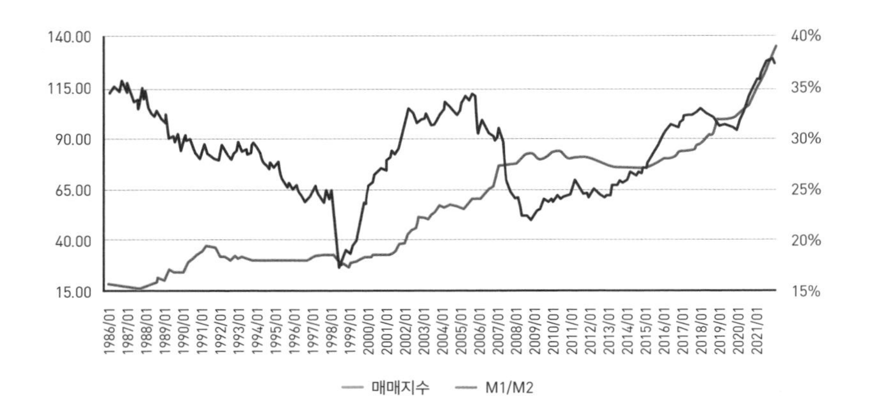

볼 수 있다. 이는 전적으로 아무도 예상치 못했던 위기이자 기회였던 코로나19의 덕이 크다. 만약 코로나19가 발생하지 않았더라면 그렇게 짧은 기간 동안 막대한 돈을 벌 수 없었을 것이다. 게다가 M1/M2 비율은 아직도 역사상 가장 고점을 기록하고 있으며, 유동성의 영향을 받지 못한 지역 또한 분명히 있다. 이 기회를 잘 잡길 바란다.

다주택자가 되는 두려움에서 벗어나라

1주택자의 경우 실거주하는 아파트가격이 오르더라도 주위 다른 집은 그 이상 올랐을 가능성이 크므로 최소한의 인플레이션 헤지만 하고 있다고 봐야 한다. 부동산으로 돈을 벌려면 실거주 주택이 아닌 별도로 투자한 부동산이 올라야 한다.

72쪽 표는 국세청에서 발표한 주택 소유 통계 중 하나다. 주택을 소유하고 있는 가구가 1173만 가구인데 이 중 두 채 이상 가지고 있는 가구가 319만 1000가구라고 한다. 이 책을 읽는 여러분의 목표 역시 이들과 같은 다주택자가 되는 것이어야 한다. 그것을 위해 이 책을 읽고 있는 것이 아닌가. 욕심을 부리자면 이 책의 독자들이 모두 다섯 채 이상의 주택을 보유하고 있는 15만 5000가구 안에 속하길 바란다.

| 거주 지역 및 소유 물건 수별 주택 가구 현황 |

(단위: 1000가구, %)

연도	거주 지역	합계	1건	비율	2건 이상	비율	2건	비율	3건	비율	4건	비율	5건 이상	비율
2019	전국	11,456	8,288	(72.3)	3,168	(27.7)	2,301	(20.1)	550	(4.8)	156	(1.4)	160	(1.4)
2020	**전국**	**11,730**	**8,539**	**(72.8)**	**3,191**	**(27.2)**	**2,334**	**(19.9)**	**551**	**(4.7)**	**151**	**(1.3)**	**155**	**(1.3)**
	서울	1,928	1,414	(73.3)	514	(26.7)	361	(18.7)	86	(4.4)	26	(1.3)	41	(2.1)
	부산	809	591	(73.1)	218	(26.9)	158	(19.5)	37	(4.6)	10	(1.3)	12	(1.5)
	대구	570	426	(74.8)	144	(25.2)	108	(19.0)	24	(4.3)	6	(1.1)	5	(0.9)
	인천	659	495	(75.0)	165	(25.0)	123	(18.7)	27	(4.1)	7	(1.1)	7	(1.1)
	광주	344	256	(74.6)	87	(25.4)	65	(18.9)	15	(4.3)	4	(1.2)	4	(1.0)
	대전	331	243	(73.4)	88	(26.6)	65	(19.7)	15	(4.6)	4	(1.3)	4	(1.1)
	울산	286	207	(72.5)	79	(27.5)	59	(20.8)	13	(4.7)	3	(1.2)	3	(0.9)
	세종	73	51	(69.4)	22	(30.6)	16	(21.9)	4	(5.7)	1	(1.7)	1	(1.4)
	경기	2,843	2,097	(73.8)	745	(26.2)	551	(19.4)	124	(4.4)	34	(1.2)	36	(1.3)
	강원	379	271	(71.5)	108	(28.5)	78	(20.6)	19	(5.1)	6	(1.5)	5	(1.3)
	충북	394	285	(72.2)	109	(27.8)	80	(20.3)	19	(4.9)	5	(1.4)	5	(1.2)
	충남	518	359	(69.4)	158	(30.6)	113	(21.8)	30	(5.7)	9	(1.7)	7	(1.4)
	전북	449	324	(72.1)	125	(27.9)	92	(20.6)	22	(5.0)	6	(1.3)	5	(1.1)
	전남	464	327	(70.3)	138	(29.7)	101	(21.7)	26	(5.6)	7	(1.5)	4	(1.0)
	경북	689	490	(71.1)	199	(28.9)	149	(21.6)	35	(5.1)	9	(1.3)	6	(0.9)
	경남	850	608	(71.5)	242	(28.5)	181	(21.3)	43	(5.1)	11	(1.3)	7	(0.8)
	제주	144	96	(66.4)	48	(33.6)	33	(22.7)	9	(6.6)	3	(2.0)	3	(2.3)

(출처: 국세청)

10년간 55채를 사보고 느낀 것들

2장에서 맨 처음에 나온 표(64쪽)는 10년 동안의 대략적인 투자 현금흐름표다. 간단하게 설명하면 맨 처음 신용대출을 받은 2000만 원을 가지고 1000만 원 갭으로 아파트 두 채를 매수했다. 양도세에 기본세율이 적용되는 최소 조건이 2년이니 이후 매도한 차액 3000만 원을 가지고 다시 1000만 원 갭으로 재투자하는 형식이다. 그리고 보유하고 있는 물건 중에 일부는 전세금을 증액해 재투자를 한다. 이런 방식으로 10년 동안 꾸준히 눈덩이를 굴리다 보니 현재 50여 채에 110억 원의 자산을 갖게 되었다.

2년 보유 후 시세차익 3000만 원, 2년마다 전세금 2000만 원 상승이라는 투자 사이클상 짝수 해에는 노는 것처럼 보일 것이다. 그러나 실제로는 이렇게 딱 떨어지게 움직이지는 않는다. 홀수 해에 매수나 매도 그리고 전세 계약을 갱신하는 경우도 생기기 때문에, 투자 기간이 길어질수록 매년 수익 실현의 기회가 생긴다.

10년간 매도한 물건이 아홉 채밖에 안 되는 데서 굉장히 보수적으로 운영했음을 알 수 있다. 내가 전업 투자자가 아닌 회사원 겸 투자자였기에 가능한 한 전세금 증액이나 매도를 하지 않으려고 했기 때문이다. 또한 실현된 수익을 다시 부동산에 재투자하는 데 거의 썼기에 10년간 수익을 얻지 못한 것처럼 보일 수도 있겠다. 하지만 이런 방식으로 수년간 보유하면 미실현 시세차익이 한 채당 몇천에서 몇억까지 붙는다. 현금흐름이 막히면 수익이 남는 물건을 하나씩 처분하면 된다.

가지고 있는 주택 수만큼 투자 경험이 쌓인다

55채의 건물을 매수하는 데 든 총투자금은 5억 3000만 원이다. 즉, 한 건당 1000만 원도 들지 않았다는 것이다. 그럼 어떻게 1000만 원도 안 되는 돈으로 아파트를 살 수 있었을까? 심지어 나는 25평 이상 계단식 아파트만 샀고, 생각보다 좋은 위치에 구축이지만 괜찮은 물건들을 보유하고 있으며, 준신축(준공 연한이 10년이 지나지 않아 신축에 준하는 건물) 물건도 10채 이상 보유 중이다. 물론 아파트만 산 건 아니고 오피스텔과 빌라도 섞여 있다.

앞으로 내가 어떻게 돈 없이 집을 살 수 있었는지 상세하게 알려줄 것이다. 꼭 종잣돈이 많아야만 투자를 할 수 있는 게 아님을 이해하길 바란다.

이 책에 나온 내용은 모두 내가 실행해보고 돈을 벌었던 방법들이며, 지금도 같은 방법으로 돈을 벌고 있다. 심지어 나뿐만 아니라 내 강의를 들은 사람들도 같은 방법으로 돈을 벌었다. 사실 시장의 물건은 한정되어 있고 내 투자법은 누구나 할 수 있기 때문에 알려질수록 경쟁자가 많아져서 투자가 힘들어진다. 그럼에도 내가 거리낌 없이 투자법을 모두 밝히는 이유는 실제로 행동에 옮기는 사람이 많지 않을 거라는 사실을 알고 있기 때문이다. 나 역시 부동산 투자 초기에는 100권 정도의 책을 읽었고 그중에서 내가 실행할 수 있는 것을 바로 투자에 적용했다. 즉, 책만 읽고 행동하지 않으면 아무 의미가 없다.

나는 독자들이 무주택에서 1주택은 물론이고 다주택으로까지 도전하길 바란다. 한두 채를 살 때까지는 당연히 시행착오를 겪을 것이다. 하지만 보유하는 주택 수가 많아질수록 당당한 투자자로 거듭날 것임을 믿는다.

주택을 보유하지 않는 것과 두세 채의 주택을 보유하는 것에는 자부심의 차이가 따른다. 그 주택들이 20~30채로 늘어나면 투자 노하우가 쌓이고 그만큼 수익률도 더욱 올라간다. 이 정도로 주택을 가지고 있으면 계약 갱신이나 종료 등의 이유로 매수·매도도 활발해지고 수중에 들어오는 현금흐름도 매우 좋아진다. 그러므로 직장인으로 투자를 시작했더라도 자연스럽게 회사를 그만두고 임대사업자의 길로 들어설 수 있을 것이다.

그렇게 주택을 하나하나 모으고 조금씩 수익을 내는 모습을 보면 돈으로 낳은 자식 같은 느낌도 든다. 열 손가락 깨물어서 안 아픈 손가락이 없듯, 수익이 낮은 못난이더라도 내가 어떤 부분에서 투자 결정을 잘못했는지 복기하며 뉘우치고, 시세가 쑥쑥 오르는 똘똘한 아이라면 매수 당시 고려한 어떤 부분이 적중했는지 되짚어보며 다음에 투자할 때 이를 반영해보자. 이는 뛰어난 재능이나 깊이 있는 지식이 필요한 일이 아니다. 누구나 몇 번의 경험으로도 체득할 수 있는 간단한 기술이다. 그러니 당신도 할 수 있다.

MONEY POINT 13

부동산 투자는 누구나 몇 번의 경험을 거치면 체득할 수 있는 비교적 쉬운 기술이다. 그러나 이 경험들이 당신을 부자로 만들어줄 것이다.

리스크를 최소화하는 세 가지 부동산 포트폴리오 전략

부동산 투자를 시작했을 때 읽은 100권 이상의 책 중 몇 분의 저자와 실제로 만날 기회가 있었다. 그런데 그때 성공한 투자자들 중 지금까지 활동하고 있는 분은 많지 않다. 안 좋은 예로 사기 등으로 법의 심판을 받은 분도 있고, 한 가지 투자법만을 고집하다가 시장 변화를 대비하지 못해 큰 손해를 떠안은 분도 많다. 이는 부동산 불패 신화만을 믿고 리스크를 고려하지 않은 채 투자를 했기 때문이다.

앞서 이야기했듯 투자시장에는 주기적인 상승기와 하락기의 사이클이 있다. 특히 부동산의 경우 세금이나 대출과 관련해 정부의 정책에 크게 영향을 받을 수밖에 없으니 정부의 방침과 부동산시장의 방향성을 빠르게 파악하고 이를 투자에 반영해야 한다. 그러니 사실 언제나 성공하는 투자법 따위는 없다고 할 수 있다. 물론 대세 상승기에는 어디에 투자해도 다 성공할 수 있지만 최적의 투자 타이밍은 빠르게 지나가버린다. 또한 부동산은 빠른 현금화가 힘든 자산이기에 시장의 변화에 즉각적으로 대비하기가 어려운 만큼, 더더욱 위험을 철저하게 분산시킬 전략이 필요하다.

MONEY POINT 14

부동산에도 하락 리스크를 방어할 포트폴리오 전략이 필요하다. 지역에 따른 6:4 전략, 부동산 종류별 4:2:2:2 전략, 전세와 월세의 비율 조정을 통한 현금흐름 확보 전략 등이 그렇다.

포트폴리오 전략 1
: 수도권과 디커플링되는 지역을 찾아라

"50채 정도 있으면 불안하지 않나요?"

종종 듣는 질문이다. 나는 역으로 질문하고 싶다. 집이 없는 게 더 불안하지 않을까? 나는 내가 망하면 다른 사람도 다 망할 거라고 생각한다. 이렇게 생각하는 이유는 투자 지역과 종류를 다양하게 분산시켜 리스크를 최소화한 포트폴리오를 만들었기 때문이다. 만약 하락장이 온다고 해도 내가 받는 타격은 다른 투자자에 비해 훨씬 낮을 것이다.

좀 더 자세히 설명하자면 우선 지역별로 수도권 물건과 지방 물건을 6 : 4 정도로 운영하고 있다. 지역별 사이클에 따라 주기적으로 찾아오는 하락 리스크를 분산시키기 위해서다.

만약 서울을 비롯한 수도권에서 하락기가 온다면 지방 8도도 동조화해 같이 하락할까? 물론 비슷하게 움직이는 지역도 있겠지만 디커플링되는 지역도 있을 것이다. 이처럼 지방과 서울의 사이클이 다른 데에는 공급과 수요의 차이가 큰 영향을 미친다. 서울은 투자 수요가 가장 많은 지역이다. 인구의 반 이상이 수도권에 살고 있으며 그 외 지역에서는 어떻게 해서든 서울로 진입하길 원하지만 서울에 있는 사람들은 가능하면 서울을 떠나려고 하지 않는다. 반면 서울의 공급량은 한정되어 있다. 정확히 말하면 부족하다. 지방은 빈 땅이 많고 대지가격도 높지 않으므로 건설사들이 마음만 먹으면 공급이 가능하다. 그러나 서울에는 현재 개발되지 않은 땅이 없다. 새로운 공급을 위해서는 낡은 건물을 허물어야 한다.

이를 뒷받침하는 자료가 바로 통계청에서 진행하는 대규모 통계 조사인 〈인구주택총조사〉 중 '인구 1000명당 주택 수'다. 예전에는 '주택보급률'이 주택 보급의 양적 지표로 많이 사용되었으나, 이미 2011년부터 100%가 넘었고 가구수보다 인구수 측정이 용이하기에 최근에는 '인구 1000명당 주택 수'를 많이 사용한다. 주택 재고의 절대 부족 문제가 해결된 선진국에서도 주택보급률보다는 '인구 1000명당 주택 수'를 주된 통계로 활용하고 있다.

2020년 인구 1000명당 주택 수는 서울이 394호에 불과하나 지방 중 가장 높은 수치를 보이는 경북은 494호다. 기존 공급량도 이처럼 확연한 차이를 보이는데, 앞으로의 공급량도 차이가 크다. 뒤에서 더 자세히 다루겠지만 앞으로도 서울의 공급량은 한없이 부족할 것이다.

실제로 서울·경기·인천을 포함한 수도권은 2013년부터 쭉 상승했으나, 대구·부산·울산 등의 광역시와 전남을 제외한 지방 7도는 2016~2019년이 하락장이었다. 반대로 2008년 리먼 사태 이후 2009년부터 2013년까지 수도권에서 대세 하락기가 이어질 동안 10%가 넘는 연상승률을 보인 지역들도 굉장히 많았다.

이렇게 전국이 같은 시기에 동일한 상승·하락의 사이클을 보이진 않는다. 전국적으로 불장이 형성된 2020~2021년은 코로나19로 인한 특수한 상황으로 2010년 이후 10년 만이다. 만약 수도권이 고점 경계감으로 하락장세로 들어선다고 해도, 부산을 비롯해 가까운 울산과 경남 지역은 수도권과 디커플링되어 상승할 것이라 예상한다.

포트폴리오 전략 2
: 부동산 종류에 따라 투자 기간을 달리하라

앞에서 투자 대상을 수도권과 지방으로 이원화시켜 리스크를 분산시킨 것을 보여줬다면, 이번에는 투자 종류를 다양화해 리스크를 분산시킨 방법을 알려드리겠다.

물건의 종류별 포트폴리오는 수도권 아파트, 지방의 공시가 1억 원 이하 아파트, 서울·인천의 구축 빌라, 서울 오피스텔 이렇게 네 가지 종류를 4 : 2 : 2 : 2 비율로 가지고 있다. 종합적으로 수도권의 물건은 장기 보유를 기본으로 하고, 지방의 물건은 2년 보유 후 기본세율이 되면 바로 매도해 현금흐름을 만드는 방법으로 포트폴리오를 리밸런싱한다.

수도권의 물건을 장기 보유하는 이유는, 수도권광역급행철도GTX 호재에 영향을 받을 수 있을 만한 물건을 골라서 투자했기에 하락해도 어느 정도 방어가 되리라 판단했기 때문이다. 또한 수도권 물건들은 대부분 수요가 많은 25평 계단식 아파트다. 1000만~2000만 원의 투자금에 사서 현재 최소 3억 원 이상씩은 다 올랐으니, 들어간 돈이 적은 데 비해 수익이 확정되어 마음 편하게 지켜볼 수 있었다.

게다가 부동산 상승장이 성숙해감에 따라 전세를 준전세로 바꿔 현금흐름을 만들어놓은 것도 많았다. 지방 저가 주택(수도권·광역시·세종 이외 지역의 공시가격 3억 원 이하 주택) 같은 경우에는 기본세율로 전환되는 2년 보유가 금방 돌아오기에 언제든 현금화시킬 수 있었다.

이처럼 서울과 지방 주택의 포지션이 달라야 하는 건 세금 측면에서도 필요한 일이다. 서울 같은 조정대상지역에서 다주택자의 양도세는 기본세율에서 2주택자는 20%, 3주택자 이상은 30%가 추가된다. 세금을 내면 남는 게 없을 정도로 과하다. 하지만 지방 저가 주택의 경우 공시가격이 3억 원이면 매매 시세는 약 4억 3000만 원(2021년 공동주택의 평균 공시가격 현실화율 약 69% 적용)이 되는데 이보다 낮은 금액이 거의 대다수다.

즉 투자한 곳이 조정대상지역으로 묶이더라도 소득세법상 지방 저가 주택은 양도세 중과를 받지 않으므로 기본세율로 매도가 가능하다. 2년을 채운 후에는 기본세율로 매도할 수 있으니 더 보유할 필요가 없다. 지방은 공급이 한번 크게 생기면 시세도 쉽게 흔들리며, 수도권에 비해 전세가격의 상승이 그리 높지 않고 2년 갱신청구권을 사용하는 경

| 부동산 포트폴리오 |

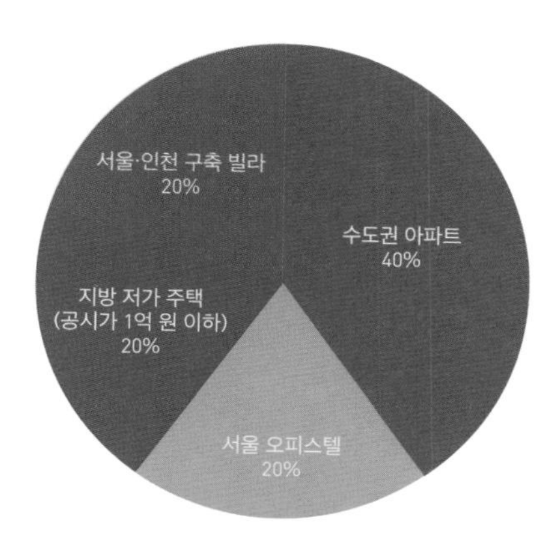

우도 드물어 2년 보유 후 공실을 만들어 매도하기에도 상대적으로 용이하다.

포트폴리오 전략 3
: 월세로 현금흐름을 확보하라

이렇게 지역별, 물건별 포트폴리오 말고도 유용한 포트폴리오 전략이 한 가지 더 있다. 그건 바로 전세와 월세로 나눈 포트폴리오 운영이다. 아마 갭 투자를 주된 투자법으로 활용한 다주택자들은 거의 전세입자에게 세를 주었을 것이다. 하지만 하락기를 대비한 현금흐름을 만들어놓지 못하면 수익을 오래 유지할 수가 없다. 부동산 투자에서 가장 중요한 것은 현금흐름이다. 현금흐름이 막혀버리면 사실상 끝이라고 봐야 하는데 전세금 증액이나 매도가 내 마음대로 되지 않는다면 위험해진다.

이를 대비하기 위한 대책이 바로 전·월세 포트폴리오를 구성하는 것이다. 투자 초기부터 바로 월세를 놓으면 담보대출도 많이 안 나오는 상황에서 투자금이 너무 커지고 투자금 대비 수익률도 그리 높지 않기에 이 방법은 추천하지 않는다.

내가 쓰는 방법은 이러하다. 처음에는 전세로 넣었다가 2년 뒤 계약이 종료되거나 임차인이 갱신청구권을 사용해 4년 뒤 계약이 종료되었을 때를 노리는 것이다. 이렇게 2~4년 정도가 지나면 전세가격의 상승분이 생긴다. 이때 다음으로 계약하는 임차인에게 기존 보증금은 그대로 두면서 전세가 상승분을 월세로 받는 것이다. 수도권 아파트 전세를 새로 받을 때 이 방법을 쓴다. 인상된 전세가격이 1억 5000만 원이면 월세로 50만 원을 받는데, 3000만 원당 월세 10만 원 꼴로 변경할 수 있다고 보면 된다.

참고로 2015년 8월 전·월세시장에서 월세가 차지하는 비중이 늘어남에 따라 월세 유형을 세분화하고 그에 따른 특성을 통계에 반영할 수 있도록 구분해두었다. 보증금이 월세 12개월 치 이하면 '월세'라 하고 12~240개월 치 수준이면 '준월세'이며, 240개월 치를 넘으면 '준전세'라고 한다. 내가 보유했던 아파트의 경우 기존 전세금 2억 원에서 계약 종료 후 신규 임차인에게는 보증금 2억 원에 월세 50만 원을 받았으며 월세에 240배를 해도 보증금이 이를 크게 넘으므로 '준전세'인 셈이다.

이렇게 월세가 들어오면 현금흐름을 좀 더 디테일하게 조정할 수 있다. 전세 증액이나 매도 수익으로는 정기적인 수익을 만들기 어렵기 때문이다.

만약 퇴직 후 부동산 임대사업자 또는 매매사업자를 준비하고 있다면, 월세로 퇴직하기 전에 받았던 월급 정도의 금액이 들어왔을 때 전업 투자자로서 준비가 어느 정도 됐다고 볼 수 있다. 이제 매월 내가 생활할 수 있을 정도의 현금흐름은 만든 것이다. 다른 전세가 껴 있는 물건의 전세금 증액이나 매도 수익 등은 다른 투자처에 재투자하면 된다.

이 정도로 투자 지역, 투자 물건, 수익실현 방법 등으로 다양하게 분산해 투자했는데도 불안할 이유가 있겠는가? 이 정도까지 했는데도 내가 망한다면 난 모든 투자자가 망할 거라 생각한다. 그리고 앞에서 이야기한 것과 같이 지금까지 약 50채를 매수하는 데 총 5억 원 정도밖에 들지 않았다. 수도권에 25평짜리 구축 아파트 한 채 정도나 살 수 있는 돈으로 마련한 자산이다.

수도권 아파트는 투자금이 1000만~2000만 원이었지만 최근 2년간 지방 아파트나 서울 오피스텔의 경우는 매수하면서 돈을 받은 경우가 대부분이었다. 애초에 돈이 들어가지 않았는데 무슨 리스크가 있단 말인가? 또한 이렇게 포트폴리오를 다양하게 마련해놓으면 조금씩 다른 투자 사이클에 따라서 항상 어느 정도의 수익을 얻을 수 있는 구조가 만들어져 마음 편한 투자를 할 수 있다.

돈이 되는 곳은 서울만이 아니다

2013년 사원에서 대리로 진급한 후 뭔가 배우고 싶다는 생각이 들었다. 그래서 선택했던 것이 바로 부동산 경매였다. 지지옥션에서 저녁 7시부터 10시까지 주 3회 강의를 들었다. 이때만큼 행복했던 적이 없었던 것 같다. 열심히만 하면 부자가 될 수 있겠다는 기대로 가득 차 있었다. 그때를 떠올리면 지금도 가슴이 벅차오른다.

회사를 다니면서 투자를 했기에 주말마다 임장을 다녔고, 계약하거나 매수한 집을 관리할 때는 퇴근하거나 연차를 낸 뒤에 움직였다. 당시에는 차가 없어서 내가 갈 수 있는 곳은 지하철이 연결된 곳으로 한정되어 있었다. 하지만 이 부분이 오히려 성공의 밑거름이 되었다. 왜냐면 매수한 곳들이 대부분 지하철에서 걸어갈 수 있을 만한 역세권이었기 때문이다.

하지만 이렇게 투자를 계속 진행하니 서울을 비롯한 수도권에만 자산이 집중되어 있었다. 문제는 이로 인해 조정대상지역 내 다주택자 양도세 중과로 현금흐름이 꽉 막힌 것이다. 그렇다고 회사에서 받는 월급으로는 집 한 채도 사기 어려웠다. 수도권 아파트 중 일부는 종부세와 양도세를 아끼기 위해 8년 장기임대주택으로 등록해놓은 상태라 당장 매도를 할 수도 없었다. 전세금 증액도 5% 이내에서만 가능했기에 회사를 다니면서 수십 채의 부동산들을 운영하는 것도 버거웠다.

그런 시기에 '지방 저가 주택'이 눈에 들어왔다. 지방 저가 주택은 공시가격 3억 원 이하일 경우 양도세 중과에서 배제되고, 추가로 공시가격 1억 원 이하이면 취득세까지 1%로 적용되어 매수와 매도 시 모두 절세를 할 수 있었다. 물건의 가격이 낮아 부대비용도 크게 고려하지 않아도 될 정도였다. 나는 적극적으로 투자에 뛰어들어 2020년 8월부터 현재까지 지방을 돌아다니며 20여 채의 주택을 매수했다.

이제 수도권과 지방에 소유한 집 분포가 반반이 되어서 지방 아파트는 2년 뒤 기본세율에 맞춰 매도한 뒤 그 돈으로 다시 수도권에 재투자하는 플랜을 짜놓았다. 이렇게 지방 저가 주택에 투자함으로써 최소한의 투자금으로 한 채당 약 5000만 원의 수익을 챙길 수 있었다. 게다가 지방 저가 주택은 양도세 기본세율이 적용되기에 세전수익이 5000만 원이라면 세후수익은 4000만 원이 넘는다.

투자 지역을 한 곳만 보는 것은 리스크 관리에도 좋지 않다. 투자 지역이 서울로 한정되어 있다면 필연적으로 맞이할 하락장에 대응하기가 힘들 뿐 아니라 리스크를 그대로 떠안아야 한다. 손해를 볼 확률이 매우 큰 것이다. 반면 지역을 나누어 투자하면 서울을 포함한 수도권과 지방은 시세 사이클이 디커플링되는 경우가 많으므로, 서울이 하락기에 들어가더라도 지방의 상승기를 이용해 투자 수익을 확정지을 수 있다.

지방 아파트 투자 전성 시대가 열리다

이제 조금만 더 시야를 넓혀보자. 서울의 아파트가 너무 가격이 높다면 지방으로 눈을 돌려보는 것이다. 수도권이나 광역시는 대부분 조정대상지역으로 걸려 있어 다주택자의 경우 2년 뒤 매도를 하더라도 양도세가 기본세율에서 20%(2주택), 30%(3주택 이상) 추가된다. 양도세의 10%인 지방세를 내는 것까지 감안하면 최대 82.5%까지 세금으로 내야 한다. 그래서 수도권이나 광역시에서 세전수익 10억 원을 올렸다고 해도, 막상 세후수익은 2억 원이 채 되지 않는 상황이 벌어질 수 있다. 하지만 지방 8도의 경우라면 이야기가 다르다. 이 지역은 소득세법 시행령상 매도 당시 공시가격이 3억 원을 넘지 않는 저가

MONEY POINT 15

조정대상지역에 위치하더라도 공시가격 3억 원 이하의 지방 저가 주택은 다주택자에게 양도세 중과 규정이 적용되지 않는다. 여기에 더해 공시가격 1억 원 이하의 지방 주택은 취득세 1%가 적용되며 중과에서도 배제된다. 즉 공시가격 1억 원 이하의 지방 주택은 양도세와 취득세를 동시에 절세할 수 있다.

주택에는 양도세가 중과되지 않는다.

소득세법 시행령
제167조의4(1세대 3주택·입주권 또는 분양권 이상에서 제외되는 주택의 범위)
②법 제104조 제7항 제4호에서 1세대가 소유한 주택(주택에 딸린 토지를 포함한다. 이하 이 조에서 같다)과 조합원입주권 또는 분양권의 수를 계산할 때 수도권 및 광역시·특별자치시(광역시에 소속된 군, 「지방자치법」 제3조 제3항·제4항에 따른 읍·면 및 「세종특별자치시 설치 등에 관한 특별법」 제6조 제3항에 따른 읍·면에 해당하는 지역은 제외한다) 외의 지역에 소재하는 주택, 조합원입주권 또는 분양권으로서 해당 주택의 기준시가, 조합원입주권의 가액(「도시 및 주거환경정비법」 제74조 제1항 제5호에 따른 종전 주택의 가격을 말한다) 또는 분양권의 가액[주택에 대한 공급계약서상의 공급가격(선택품목에 대한 가격은 제외한다)을 말한다]이 해당 주택 또는 그 밖의 주택의 양도 당시 3억 원을 초과하지 않는 주택, 조합원입주권 또는 분양권은 이를 산입하지 않는다.

조정대상지역이더라도 수도권·광역시·세종시의 읍면 지역과 수도권·광역시·세종시가 아닌 지방 8도의 공시가격 3억 원 이하의 주택에는 다주택자에게 양도세 중과 규정이 적용되지 않는다. 88쪽 표를 통해 지방 저가 주택의 양도세 중과 배제 혜택이 얼마나 큰지 알아보자.

지방과 광역시에서 양도차익을 똑같이 5000만 원씩 얻었다고 가정해보자. 지방의 경우 기본세율로만 계산해 양도세 납부세액이 약 700만 원이지만 광역시는 양도차익의 반에 가까운 2300만 원이다. 물론 법인투자자라면 양도세 중과가 아닌 '법인세+주택거래세'라서 상관없겠지만, 개인투자자라면 지방을 노리는 게 수익률 측면에서도 좋다.

| 양도세 중과 배제 혜택 비교 |

구분	조정대상지역 (수도권·광역시·세종특별자치시)	비조정대상지역 (지방)
양도차익	**₩50,000,000**	**₩50,000,000**
(-) 장기보유특별공제	₩0	₩0
양도소득금액	**₩50,000,000**	**₩50,000,000**
(-) 양도소득 기본공제	₩2,500,000	₩2,500,000
과세표준	**₩47,500,000**	**₩47,500,000**
(×) 세율	54%	24%
(-) 누진공제	₩5,220,000	₩5,220,000
양도소득세	**₩20,430,000**	**₩6,180,000**
(+) 지방소득세	₩2,043,000	₩618,000
총납부금액	**₩22,473,000**	**₩6,798,000**

양도세에 취득세까지? 지방 아파트를 주목해야 하는 이유

여기에 추가로 정부는 2020년 7월 10일 발표한 지방세법 시행령 개정안으로 다주택자 취득세를 4.6%에서 12%(조정대상지역 3주택 이상)까지 올렸는데 공시가 1억 원 이하인 주택은 예외로 했다. 투기 대상으로 보기 어렵고 주택시장 침체지역에 대한 배려가 필요하다는 판단에서다. 이에 해당 주택은 수십, 수백 채를 사더라도 취득세 중과를 받지 않아 1%로 매수가 가능하다.

취득세 1%와 양도세 중과 배제가 복수 적용되는 건물이 얼마나 메리트가 있는 것일까? 다주택자나 법인의 경우 취득세 12%를 내면 그 물건이 약 20%는 상승해야 손익분기점이 되며 그 이상으로 올라야 수익을 얻을 수 있다. 이건 큰 리스크다. 하지만 취득세 1%는 거의 부대비용이 없다고 셈할 수 있을 정도다. 양도세 또한 수도권·광역시의 경우 다주택자로 중과를 하면 수익의 50~70%를 내야 하는데 지방은 기본세율로 20~30%만 내면 되니 부대 비용이 확연히 줄어든다.

지방세법 시행령

제28조의2(중과세 제외 대상 주택취득 등)

다음 각 호의 어느 하나에 해당하는 주택은 중과세 대상으로 보지 아니한다.

1. 법 제4조에 따른 시가표준액(지분이나 부속토지만을 취득한 경우에는 전체 주택의 시가표준액을 말한다)이 1억 원 이하인 주택. 다만, 「도시 및 주거환경정비법」 제2조 제1호에 따른 정비구역(종전의 「주택건설촉진법」에 따라 설립인가를 받은 재건축조합의 사업부지를 포함한다)으로 지정·고시된 지역 또는 「빈집 및 소규모주택 정비에 관한 특례법」 제2조 제1항 제4호에 따른 사업시행구역에 소재하는 주택은 제외한다.

투자자 입장에서는 절세를 할 수 있는 물건에 새로운 모멘텀이 생겨 수익을 얻을 좋은 기회이지만, 전체 부동산시장의 관점에서 보면 이런 예외 조항은 대상 부동산의 가치를 왜곡시켜 시장에 혼란을 줄 수 있다. 이 범위에 해당하는 아파트의 폭등은 예견된 수순이기 때문이다.

예를 들어 같은 동에서 2층의 공시가는 9500만 원, 10층의 공시가는 1억 100만 원이라고 하자. 시장 논리대로라면 2층이 10층보다 싸다. 공시가가 6% 싼 것처럼 분양가도 저층이 싸기 때문이다. 이때 10층 매매가가 1억 5000만 원이라면 다주택자는 취득세 12%인 1800만 원을 납

부해야 한다. 반면 2층은 취득세를 1%만 내면 되니 10층보다 비싼 1억 6000만 원에 매수해도 취득세를 포함한 전체 투자비용은 10층보다 약 640만 원(1억 6800만 원 - 1억 6160만 원) 저렴하다. 이래서 저층인데도 고층보다 높은 매매가가 형성될 수 있는 것이다. 취득세에서 11%의 절세 효과가 발생하기 때문이다.

만약 같은 지역에 공시가가 1억 원이 약간 넘는 단지와 공시가가 9000만 원대인 단지가 있다면, 공시가가 낮은 단지가 오히려 매매가가 높아지는 기현상이 발생하는 것이다. 이건 지금까지 보지 못했던 현상이다.

다주택자를 위한 절세 노하우

부동산 블로그를 운영하면서 강의도 하고 있는 만큼 매일 많은 질문을 받는다. 그중 가장 많이 받는 내용이 1주택이나 일시적 1가구 2주택이라 비과세 때문에 다른 부동산에 투자하지 못할 땐 어떻게 해야 하느냐는 것이다. 하지만 이런 분들은 대부분 1주택으로 얻는 비과세 혜택과 기본세율의 양도세를 제한 투자수익을 제대로 따져보지 않은 경우가 많다. 막상 양도세 필요경비와 기본공제 250만 원을 제하면 일반과세가 되어도 내야 할 금액의 차이는 거의 없는데도, 지레짐작으로 부동산 투자를 못 한다고만 생각해버리는 것이다.

실거주 주택을 당장 처분해야 하는데 시세차익이 커서 무조건 비과세로 팔아야 하는 상황이 아니라면 다른 주택을 사고판 후에 다시 2년 비과세 요건을 채워 나가면 된다. 만약 현재 실거주하는 집을 당장 처분해야 한다면 따로 법인을 만들어서 투자를 하거나 주택이 아닌 비주거용 물건에 투자할 수도 있다. 투자하지 못하는 상황이란 핑계일 뿐이다. 방법은 얼마든지 있다.

여기서는 집을 구입하는 과정에 따라 취득할 때 내는 취득세, 보유하는 중에 내는 재산세와 종합부동산세, 마지막으로 집을 처분할 때 내는 양도소득세 순서로 다주택자를 위한 절세 전략을 알려주겠다.

취득세 절세하면서 집 사는 순서

주택 세금이 크게 바뀐 것은 2020년 7월 10일 발표된 부동산 대책부터다. 7.10 부동산 대책의 핵심은 다주택자의 취득세와 종부세, 양도세를 모두 크게 인상해 더 이상의 주택 구입을 막고, 청년층이나 생애최초 주택 구입자에게 기회를 준다는 것이다. 그중 취득세의 경우 지방세법 시행령이 변경된 2020년 8월 12일부터 조정대상지역 3주택 이상(비조정대상지역은 4주택 이상)이나 법인의 경우 무조건 12%라는 무거운 세율을 부과했다. 1주택자도 조정대상지역에서 주택을 추가로 매수하면 취득세율이 8%이기에 아주 높은 수준이다.

이 보도자료가 나온 날 많은 다주택자가 이제 투자는 끝났다고 생각했겠지만, 난 오히려 기회라고 봤다. 특히 그 시점의 자산인 50억 원 정도를 다시 사야 했다면 취득세 12%로 약 6억 원의 세금을 내야 했을 텐

| 2020년 개정된 취득세율 비교 |

		과거	개정	
			조정대상지역	비조정대상지역
개인	1주택	1~3% (주택 금액에 따라)	1~3% (주택 금액에 따라)	
	2주택		8%	1~3%
	3주택		12%	8%
	4주택 이상	4%	12%	12%
법인		1~3%	12%	

데 그 돈을 벌었다고 생각한 것이다. 2020년 7월 10일 이전에 투자했다면 2억 원짜리 아파트를 매수할 때 취득세는 200만~300만 원에 그쳤을 것이다. 하지만 지금은 다주택자로 취득세 중과를 따지면 같은 2억 원짜리 아파트를 매수할 때 2400만 원을 내야 하니 투자비용이 10배 이상 뛰었다. 특히나 나처럼 무피나 플피를 지향하는 소액투자자로서는 취득세 12%를 내면서 수익을 챙기기가 쉽지 않다. 그러니 당연히 기존에 투자했던 대로 해서는 안 됐다.

하지만 7.10 부동산 대책에서는 다주택자들의 세금 회피처를 별도로 만들어주었다. 그게 바로 앞에서 설명한 '공시가격 1억 원 이하의 주택'(재개발 구역 등 제외)이다. 공시가격 1억 원 이하의 집들은 노후화되고 입지가 좋지 않을 것이 뻔하기에 투기 대상으로 보기 어렵다는 이유다. 또한 주택시장 침체지역 등 배려가 필요한 지방에 위치하는 경우가 많아 몇 채를 사더라도 취득세 중과에 적용되는 주택 수에 해당하지 않는다.

이해하기 쉽게 그림으로 정리하면 94쪽과 같다. 예시 1과 같이 주택

| 공시가격 1억 원 이하 주택 매수 시 취득세 적용 예시 |

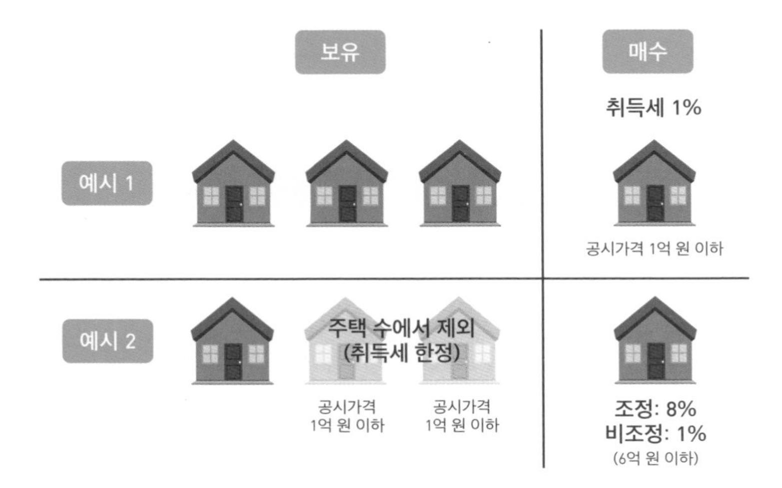

세 채를 가지고 있는데 네 번째 사는 주택이 공시가격 1억 원 이하의 물건이라면 취득세는 12%가 아닌 1%로 적용된다. 예시 2처럼 두 번째와 세 번째 산 주택이 공시가격 1억 원 이하의 주택이라면 주택 수에서 제외되므로 네 번째 산 주택이 2주택으로 인정된다. 그렇기에 네 번째 매수한 주택이 6억 원 이하라면 조정대상지역은 8%, 비조정대상지역은 1%의 취득세를 내는 것이다.

만약 원주에 공시가격 1억 원 이하 주택을 10채 가지고 있는데 서울에 주택을 매수한다면 어떻게 될까? 취득세 산출 시 공시가격 1억 원 이하 주택은 주택 수에서 제외되므로 서울에 주택을 매수할 때는 무주택자 기준으로 취득세율이 결정된다. 다만 매년 4월 말쯤 공시가격이 변경되는데, 이때 보유한 주택 중에서 공시가격이 상승해 1억 원을 넘어버린다면 그때는 취득세 적용 주택 수에 포함되므로 주의해야 한다.

그럼 무주택자가 취득세를 최대한 절세하면서 다주택자가 될 수 있는 방법은 무엇일까? 첫 번째 주택은 조정대상지역에서 매수해 무주택자 세율 혜택을 받아 취득세 1%(매매가 6억 원 이하)를 낸다.

MONEY POINT 16

취득세 절세를 위한 매수 플랜으로, 1주택은 조정대상지역에서, 2주택은 비조정대상지역에서 매수해 1~3%를 낸다. 3주택부터는 공시가격 1억 원 이하의 주택을 매수해 1%를 내거나 오피스텔을 매수해 4%를 낸다.

두 번째 주택은 비조정대상지역에서 매수해 2주택이 적용된 1%(매매가 6억 원 이하)를 낸다. 이때는 당연히 2억~3억 원짜리 주택보다 1%에 적용되는 한 가장 높은 금액인 5억~6억 원짜리 주택을 매수하는 것이 절세에 유리하다. 만약 다주택자가 6억 원짜리 주택을 산다면 12%인 7200만 원의 취득세를 내야 하지만, 2주택일 때 산다면 1%인 600만 원만 내면 되기에 그 금액만큼 절세가 되는 것이다. 따라서 흐름이 좋은 비조정대상지역의 대장 아파트를 2주택으로 매수하는 것이 좋다.

3주택부터는 비조정대상지역에서도 8%의 취득세를 내야 한다. 난

| 부동산 취득 시의 세율 합계 |

구분		취득세	농어촌특별세	지방교육세	세율 합계
6억 원 이하	$85m^2$ 이하	1%	-	0.1%	1.1%
	$85m^2$ 초과	1%	0.2%	0.1%	1.3%
6억 원 초과 ~9억 원 이하	$85m^2$ 이하	1.01% ~2.99%	-	0.101% ~0.299%	1.111% ~3.489%
	$85m^2$ 초과		0.2%		
9억 원 초과	$85m^2$ 이하	3%	-	0.3%	3.3%
	$85m^2$ 초과	3%	0.2%	0.3%	3.5%

이것도 크다고 보기 때문에 세 번째 주택을 살 때부터 공시가격 1억 원 이하의 주택을 매수하는 것을 추천한다.

만약 공시가격 1억 원 이하의 물건이 너무 많이 올랐다고 판단되거나, 건물 상태·입지·연식 등이 마음에 들지 않는다면 주택이 아닌 오피스텔을 매수하는 것도 생각해볼 수 있다. 오피스텔은 보유하고 있는 주택의 주택 수와 상관없이 취득세율이 4.6%(농어촌특별세, 지방교육세 포함)다. 오피스텔은 주택이 아니니 취득세 중과가 적용되지 않는다. 주택 취득세가 1%였던 때는 오피스텔 취득세 4.6%가 너무 많다고 생각해 투자를 피했으나 지금은 반대가 되었다. 오피스텔 취득세는 변하지 않았으나 다주택자의 주택 취득세가 너무 올라 오히려 저렴해 보이는 것이다. 실제로 거래를 해보면 4.6%까지는 부대비용으로 감당할 만하다.

2021년 1~10월 전국 오피스텔 매매 거래량은 5만 9022건을 기록했다. 이는 2020년 같은 기간의 거래량(3만 5311건)보다 67.1% 증가한 수치다. 돈은 결국 수익이 많이 남는 곳으로 흘러간다는 것을 보여주는 현상이다. 세금 정책을 꾸준하게 모니터링하고 분석해야 하는 이유다.

문제는 종합부동산세다

사실 재산세는 세율이 크지 않다. 과세표준 6000만 원 이하의 주택이라면 표준세율이 0.1%라 6만 원 정도다. 과세표준이 2억 원이더라도 1억 5000만 원 초과금액 0.25%에 19만 5000원을 더하면 32만 원이 나온다. 아무리 높은 세율을 적용해도 재산세는 1%가 되지 않는다. 진짜 문제는 종부세다.

종부세는 전국에 있는 주택의 공시가격을 합산해 6억 원이 초과될 때부터 부과된다. 요즘 공시가격도 시세에 맞춰서 많이 오른 상태라 집이 많은 투자자라면 몇 개만 더해도 6억 원은 쉽게 넘는다.

2020년까지만 해도 나 역시 종부세에 상관없이 매수했지만, 2021년 종부세가 기존 대비 2배가량 오르면서 종부세에 추가되는 금액을 생각해서 수익률을 계산하고 있다. 그만큼 투자 수익률이 종부세 때문에 크게 악화된 것이다.

종부세를 절세하기 위해서는 우선 명의 분산이 일순위다. 종부세는 가구당이 아닌 사람별로 부과하기 때문에 가족과 명의를 분산하면 세금이 줄어든다. 만약 남편이 이미 다주택자로 공시가격의 합이 6억 원

| 종합부동산세율 |

시가 (다주택자 기준)	과세표준	일반 (조정·비조정 불문 1주택, 조정 1주택 + 비조정 1주택, 비조정 2주택)			3주택 등 (3주택 이상자 및 조정대상지역 2주택자)		
		개인		법인	개인		법인
		세율	누진공제		세율	누진공제	
8억~12.2억 원	3억 원 이하	0.6%		3%	1.2%		6%
12.2억~15.4억 원	3억~6억 원	0.8%	60만 원		1.6%	120만 원	
15.4억~23.3억 원	6억~12억 원	1.2%	300만 원		2.2%	480만 원	
23.3억~69억 원	12억~50억 원	1.6%	780만 원		3.6%	2160만 원	
69억~123.5억 원	50억~94억 원	2.2%	3780만 원		5.0%	9160만 원	
123.5억 원 초과	94억 원 초과	3.0%	1억 1300만 원		6.0%	1억 8560만 원	

시가는 2021년도 기준에 맞춰 공시가격 현실화율 75~85%, 공정시장가액 95%를 적용해 구했다.

이 넘은 상태라면 그다음 투자는 아내 명의로 한다. 아내까지 6억 원이 다 차면 종부세율 범위를 보고 미리 종부세를 부대비용으로 산정해 접근해야 한다.

사실 종부세 부담을 덜어버릴 수 있는 최고의 카드는 주택임대로 등록하는 것이었다. 장기일반민간임대주택으로 등록한 뒤 관할 세무서에 종부세 합산 배제를 신고하면 주택 수에서 빼주었다. 하지만 이것이 2020년 7월 10일 국토교통부 주택시장 안정 보완 대책 중 주택임대사업자등록 제도 보완과 관련해 단기 임대(4년) 및 아파트 장기일반매입임대(8년)가 폐지되어 더 이상 등록할 수 없다.

윤석열 대통령의 공약 중에 등록임대사업자 지원제도를 재정비하겠다는 내용이 있다. 매입임대용 소형 아파트(전용면적 60m² 이하)의 신규 등록을 다시 허용하고 종부세 합산 과세 배제 및 양도세 중과세 배제 등의 세재 혜택을 준다는 것이다. 또한 10년 이상 장기임대주택 양도세의 경우 장기보유 공제율을 현행 70%에서 80%까지 상향하는 내용도 있다. 만약 이 공약이 실행된다면 나처럼 종부세 부담을 덜면서 투자를 유지하는 포지션을 만들 수 있다. 다만 공약이기에 무조건 실행될 수 있다고 하기는 힘들다. 문재인 정부와 정반대 입장의 정책이기에 야당의 반발이 굉장히 클 것이라 예상되기 때문이다.

개인에게 부과되는 종부세가 너무 부담스럽다면 법인 명의로 매수하는 방법도 있다. 개인 명의와 법인 명의는 별도이기에 주택 수나 금액 역시 별도로 계산된다. 하지만 이 또한 2020년 6월 17일 부동산 법인 규제 강화로 6억 원을 공제해주던 것이 폐지되어 개인보다 더 높은

3~6%의 단일 세율로 부과된다. 그렇기에 법인의 투자 패턴은 과세 기준일인 6월 1일 전에 매도한 다음 6월 2일 이후에 소유권을 이전받는 형식이 되었다. 법인의 경우 양도세를 부과하지 않고 법인세를 부과하는 방식이기에 개인처럼 단기 보유 양도세 중과를 받지 않아서 가능한 투자 형태다.

오피스텔 재산세 절세 전략

주택이 아닌 상가, 오피스텔, 지식산업센터, 생활형 숙박시설은 종부세 과세 대상이 아니다. 분양권과 조합원 입주권도 주택이 아니므로 역시 종부세 과세 대상에 해당되지 않는다. 그러니 종부세를 피하려면 이쪽으로도 투자를 고려해볼 수 있다. 나 역시 50여 채를 보유하면서도 종부세 걱정을 크게 하지 않고 투자할 수 있는 이유 중 하나가 오피스텔의 보유 비중이 높기 때문이다. 오피스텔은 공부상 근린생활시설, 즉 상가로 분류되어 주택 재산세가 나오지 않는다. 종부세는 주택 재산세 과세 대상에 적용되는 누진세이므로, 결국 오피스텔은 종부세의 과세 대상에서 벗어난다.

의외로 많은 사람이 헷갈리는 부분이 바로 이것이다. 오피스텔을 주거용으로 사용하면, 특히 세입자가 전입신고를 하거나 전세자금대출을 받으면 실사용이 주거용임을 증명하는 것이니 재산세도 주거용으로 책정되고 종부세에 합쳐질 거라고 생각하기 쉽다. 하지만 아니다.

재산세
2021년 7월
(주택1기분: 주택분 재산세의 1/2)

최경천 귀하
2 6 3 5 2
C1(원주M) 220(원주) 08 34

512-008413

재산세 2021년 9월
(주택2기분: 주택분 재산세의 1/2)

최경천 귀하
2 6 3 5 2
C1(원주M) 220(원주) 08 36

512-008414

창동대우 아파트의 재산세 지로청구서로 7월에 주택1기분, 9월에 주택2기분으로 나뉘어서 나왔다.

재산세
2021년 7월
(건축물분: 사무실,상가 등)

최경천 귀하
2 6 3 5 2
C1(원주M) 220(원주) 08 34

512-000429

재산세 2021년 9월
(토지분)

최경천 귀하
2 6 3 5 2
C1(원주M) 220(원주) 08 36

512-001156

창동ESA홈타운 오피스텔의 재산세 지로청구서다. 7월에 건축물분(사무실, 상가 등) 그리고 9월에 토지분으로 나뉘어서 나왔다.

실제 재산세 지로청구서를 보면 확연히 알 수 있다. 왼쪽 그림 중 첫 번째와 두 번째 지로청구서는 내가 보유한 아파트의 주택분 재산세 지로청구서다. 세목에도 주택으로 되어 있기에 주택 재산세를 내며 당연히 종부세에도 합산된다. 세 번째와 네 번째 지로청구서는 오피스텔의 재산세 지로청구서다. 이 오피스텔은 방 3개 화장실 2개로, 현재 임차인이 주거용으로 사용하고 있으며 전입신고 및 전세자금대출까지 받은 상황이다. 그럼에도 상가로 분류되는 건축물분과 토지분으로 나뉘어 재산세가 고지되고 있는 것을 알 수 있다.

헷갈리는 이유는 양도세와 재산세(종부세)에서 주택과 상가를 구분하는 기준이 다르기 때문이다. 양도세의 경우 주택과 상가를 구분하는 가장 중요한 사항이 전입신고다. 주거용으로 전입이 되어 있으면 아무리 오피스텔이라도 실질과세의 원칙에 따라 주택 양도세가 발생한다. 세무 공무원이 오피스텔마다 실제로 어떻게 사용하고 있는지를 따져서 판단해야 하니 인력이 많이 들어가는 작업이다. 하지만 정부 입장에서는 상가보다 주택일 때 세금을 더 많이 거둘 수 있으니 필요한 과정이다.

하지만 재산세는 국세가 아닌 지방세다. 관할 시군구청 입장에서 국세는 소관이 아니니 얼마나 나오든 상관없고, 상가 재산세가 주택 재산세보다 높기 때문에 오피스텔 재산세를 상가로 받는 게 유리하다. 그래서 양도세처럼 행정 인력을 써가며 실질사용을 따지지 않고 공부상으로만 체크하는 것이다. 이러한 이유로 오피스텔은 종부세에 포함되지 않아 세금 회피성 투자가 가능하다.

현재 내 포트폴리오 중에 약 20%를 오피스텔이 차지하고 있다. 아파트만큼 시세차익이 나지는 않지만 꾸준하게 올라주면서 종부세에 포함되지 않기에 세금 걱정 없이 장기투자를 하기에 딱 좋다.

다만 유의할 점은 주택임대사업자로 신고한 후 오피스텔을 등록했거나 재산세 변동신고서를 통해 상가분에서 주택분으로 변경했다면, 주택분 재산세로 청구된다는 것이다. 주택분 재산세가 되면 종부세에 합쳐지니 유의해야 한다. 그리고 서울의 경우는 매도자가 주택분 재산세를 내고 있을 때 소유권을 이전받은 매수자에게 주택분 재산세를 부과하는 '구'가 있고, 자동으로 공부상에 따라 상가용 재산세로 변경하는 '구'가 있으니 매수하기 전에 각 구청 재산세 담당자에게 확인해봐야 한다.

나중에 세금 때문에 낭패를 당하지 않으려면 매수할 오피스텔의 재산세가 무엇으로 나오는지 알아보는 것이 좋다. 주택분 재산세가 나오는데 매수 후에 상가로 자동 변경되지 않는다면, 그 물건은 종부세에 더해져 오피스텔 상승률만큼 내야 하기에 의미 없는 투자가 될 수 있다. 나는 매도인을 통해 미리 주택분 재산세인지, 상가분 재산세인지를 확인해 둔다. 하지만 이런 방법들은 종부세를 피해가는 회피성 투자이기에 추후 재산세도 양도세처럼 실질사용에 따라 부과될 수 있다. 2021년 6월부터 주택임대차 신고제가 의무화되어 정부가 실질사용에 대한 자료를 계약서로 가지고 있는 만큼 이를 어떻게 세금에 활용할지는 예단할 수 없다. 그러나 지금 당장 종부세가 무서워서 주택을 매수하지 못하는 투자자라면 이 방법이 크게 도움이 될 것이다.

참고로 상가이더라도 상가가 가지고 있는 부속 토지의 공시지가 합계가 80억 원이 넘으면 종부세 대상이다. 그러나 개인투자자가 건물분을 제외한 토지분만으로 공시지가 80억 원이 넘는 상가를 갖기는 어렵다. 입지가 좋은 지역에 위치한 메디컬 빌딩 정도는 되어야 하니 말이다.

양도세 중과 주택과 중과 배제 주택의 투 트랙 운영

현재 2주택자가 전체 주택의 28%, 3주택자 이상이 22%로 다주택자가 전체 주택의 절반에 가까운 양을 보유하고 있다. 그리고 2021년 6월 1일 양도분부터 조정대상지역 2주택자는 기본세율에 20%가 중과되고 조정대상지역 3주택 이상 소유자는 기본세율에 30%가 중과된다. 이로 인해 양도차익 10억 원을 초과하는 조정대상지역의 3주택자인 경우, 양도세가 최고구간 45%에 30%를 추가해 75%까지 올라간다. 이렇게 높은 세율이 적용되어 다주택자들이 매각을 포기하는 경우가 많다. 실제로 양도세 중과를 감수하고 거래하는 사례는 2020년 통계청 자료 기준으로 5% 미만이다.

다주택자의 경우 중과 주택은 최대한 매도 없이 가져가고 중과 배제 주택도 일정 비중을 두고 보유하며 현금흐름을 만드는 게 좋다. 양도세 중과는 내가 팔려는 집이 조정대상지역에 속할 때만 해당하는 것이라 만약 비조정대상지역에 있는 집을 2년 보유한 뒤 매도한다면 기본세율이 적용된다. 특히 중과 배제 주택의 대표 격인 공시가격 3억 원 이하의 지방 저가 주택을 잘 활용해야 한다. 지방 저가 주택이란 수도권과 광역시, 세종시를 제외한 지역에 소재한 공시가격 3억 원 이하의 주택을 말한다. 경기와 세종시의 읍면 지역, 광역시의 군 지역도 공시가격 3억 원 이하라면 이 또한 중과 배제되는 지방 저가 주택에 해당한다.

지방 저가 주택은 매도 시에 그 지역이 조정대상지역에 속한다고 하더라도 중과를 하지 않으며, 중과세 판단 시 주택 수를 계산할 때도 제외된다. 나의 경우 지방 저가 주택을 20여 채 보유하고 있는데, 2년만 보유하면 기본세율로 정리가 가능하므로 현금흐름이 필요할 때는 여기서 챙긴다. 참고로 기본세율이라면 장기보유특별공제도 추가되어 양도세를 더 적게 내면서 매도가 가능하다.

그리고 앞서 살펴봤던 종부세처럼 양도세도 명의를 분산시키는 것으로 절세가 가능하다. 양도세의 경우 소득이 높아지면 세율도 높아지는 누진세다. 단독 명의로 과세표준이 1억 원이라면 부부 명의로는 과세표준이 반으로 쪼개져서 각각 5000만 원이 된다. 그럼 105쪽 표에서 확인할 수 있는 것처럼 1억 원일 때 기본세율은 35%이지만 5000만 원일 때 기본세율은 24%라서 세금을 줄일 수 있다.

또한 명의를 분산하는 것 말고도 시간을 분산하는 방법도 사용할 수 있다. 양도세의 합산 기준일은 매년 1월 1일부터 12월 31일까지다. 이 기간 동안 수익이 나면 합산 과세를 하는데, 과세표준이 8800만 원 이하까지는 기본세율 24% 구간이라서 충분히 세금을 낼 만하나 이 구간을 넘어가면 35%가 적용된다. 즉, 1년을 통틀어서 매도한 양도세 과세

| 과세표준에 따른 양도세 기본세율 |

과세표준	기본세율	누진공제액
1,200만 원 이하	6%	-
4,600만 원 이하	15%	108만 원
8,800만 원 이하	24%	522만 원
1.5억 원 이하	35%	1490만 원
3억 원 이하	38%	1940만 원
5억 원 이하	40%	2540만 원
10억 원 이하	42%	3540만 원
10억 원 초과	45%	6540만 원

표준의 합산 금액이 8800만 원이었고 하나를 추가로 매도할 계획이라면 12월 31일을 넘기는 것이 좋다. 그러면 전년도 양도차익에 합산되지 않고 새롭게 계산된다.

복잡한 세금 계산 쉽게 하는 법

나는 양도세 등의 세금 신고는 세무사에게 위임해서 진행한다. 하지만 대행을 맡기기 전에 세금이 얼마나 나올지 미리 계산해둔다. 국세청 홈택스(hometax.go.kr)에서도 양도세나 종부세를 계산할 수 있지만, 무료 사이트인 부동산계산기(부동산계산기.com)를 주로 활용한다. 사실 중개 보수, 대출이자, 보유세, 취득세 등은 계산기 없이 암산으로도 바로 구할 수 있으나 양도세의 경우 정확하게 하려면 계산기가 필요하다.

충남 천안의 쌍용동 계룡푸른마을은 투자한 지 1년 반이 지난 물건

다양한 부동산 세금을 계산할 수 있는 부동산계산기 메인화면(가장 왼쪽)과 양도세를 계산하는 과정(가운데)과 결과 화면(가장 오른쪽). (출처: 부동산계산기.com)

이다. 즉, 반 년만 있으면 양도세가 기본세율로 적용되니 슬슬 매도를 생각할 때라는 것이다. 부동산계산기를 이용하여 현재 실거래가를 기준으로 양도세와 세후수익을 구해보자.

위의 계산기 화면에서 조정대상지역은 다주택자 중과를 따지기 위해 체크하는 것이다. 지방 저가 주택이라면 중과 대상이 아니니 체크하지 않아도 된다. 기본공제는 자동으로 체크되는데 1년에 1회 250만 원이 공제된다. 만약 이미 공제를 받았다면 체크를 해제하면 된다. 이제 아래 빈칸에 내가 산 취득가액과 예상 양도가액을 넣는다. 필요경비는 보통 취득세, 등록세, 중개 보수, 법무사 보수 등을 합해서 구한다. 여기에 샷시, 발코니, 거실 및 방 확장 같은 공사를 했다면 추가로 합산한다. 마지막으로 취득일자와 양도일자를 넣고 '양도소득세 계산' 버튼을 누르면 결과값이 나온다.

보유 기간이 2년 이하라면 양도세 중과 대상이 되며 2년을 넘기면 기본세율로 양도세가 그리 크지 않다. 계산 결과표를 보니 양도차익은 7850만 원이고 양도세와 지방소득세를 합치면 약 1430만 원, 세후수익은 약 6420만 원이 된다. 참고로 투자금은 -150만 원이었다. 즉 150만 원을 받고 산 것인데 세후수익으로 6400만 원이 생긴 것이다(이 투자 사례의 자세한 설명은 4장 참조). 어떤가, 벌써부터 흥미롭지 않은가?

20채 이상의 부동산을 소유하면 알게 되는 것들

처음 부동산으로 돈을 벌어야겠다고 생각했을 때부터 다짐한 게 있다. 임대사업자가 되면 그동안 내가 겪었던 임차인으로서의 설움을 다른 사람이 겪지 않도록 임차인에게 잘해주자고 말이다.

대학교 4학년 때부터 회사에 입사한 후까지 몇 년간 송중동 주민센터 근처에서 보증금 500만 원에 월세 30만 원을 내고 살았던 때의 일이다. 계약서에는 월세 30만 원이 선불로 되어 있었고, 얼굴도 보지 못한 임대인은 같은 빌라 2층에 사는 자신의 어머니에게 월세를 주라고 했다. 난 2년 동안 매월 초에 현금 30만 원을 뽑아 할머니에게 직접 돈을 갖다드렸다. 2년 후 집을 나갈 때가 되자 갑자기 할머니는 이제까지 돈을 후불로 받았다며, 마지막 월세를 내고 가라고 했다. 항상 돈을 현금으로 건넸기 때문에 은행 이체 기록이 전혀 없었던 게 문제였다. 할머니의 억지를 이겨낼 자신도 없어서 결국 월세 30만 원을 더 주고 나왔다.

그다음은 미아경남아너스빌1차아파트 근처에 있는 빌라였다. 꼭대기 층에 4평 정도 되는 물탱크 방에 전세 2000만 원으로 들어갔다. 옥상의 반은 물탱크가 차지하고 있었고, 남은 공간에 주방이랑 화장실을 만든 뒤 슬레이트로 외벽을 감싼 구조였다. 그래서 겨울이 되면 변기의 물과 샤워기가 얼어 아침 일찍 일어나 미아사거리역 근처 헬스장에서 씻은 뒤 출근하곤 했다. 이때 물이 얼면서 변기가 터졌는데, 이 수리비용 30만 원을 전부 나에게 내라고 했다. 지금 와서 생각해보면 임대인이 죄송해해야 할 상황이었다. 임대차 계약서대로 건물을 사용할 수 있는 환경 자체가 아니었기 때문이다. 시계를 걸기 위해 못 하나 박았다가 원상회복의무를 들먹이며 방의 벽지를 통째로 갈아달라고 해서 도배비용으로 150만 원을 준 적도 있었다.

이런 경험으로 인해 내가 임대인이 된다면 절대 저러지 말아야지 하고 다짐했고 10년 동안 많이 노력해왔다. 계약할 때 계약금이 모자라면 안 받고도 진행했고 형편이 안 좋은 분들에게는 보증금 내에서 무이자로 돈을 빌려주기도 했다. 임차인이 계속 살길 원하면 가능한 갱신해주었으며 계약 기간 안에는 매도하지 않았다.

이렇게 이야기하면 대개 전세금 증액이나 매도로 투자금을 회수하지 않으면 현금흐름에 차질이 생기지 않느냐고 묻기도 한다. 물론 틀린 말은 아니다. 그래서 나는 다른 방법으로 이를 돌파해왔다. 바로 주택 수를 늘리는 것이다. 그러면 일정한 확률로 2년 계약 기간이 끝나기도 전에 자녀 학교 문제나 회사 이전 혹은 전직, 신규 아파트 분양 등 각자의 사정으로 계약이 종료되는 경우가 생긴다.

그럼 계약이 종료되기 전이나 종료되었을 시점에, 앞서 언급한 다양한 이유로 갱신청구권을 사용하지 않고 이사를 나갈 확률은 얼마나 될까? 이건 수도권과 지방을 나눠서 살펴볼 필요가 있다.

먼저 수도권의 경우 전세금이 꾸준히 오르기에 가능하면 이사를 가지 않으려고 한다. 보통 기존 전세금이 현 전세금의 시세보다 훨씬 저렴하다고 판단하면 갱신청구권을 사용한다. 세입자 입장에서도 이사를 하면서 발생하는 부대비용이나 정신적인 스트레스를 감안하여, 전세금이 조금 오르더라도 전세금 증액분에 대한 대출을 받는 등의 수단이 있으니 가능하면 한집에 오래 살려고 한다. 수도권에서 기존 전세금으로 이사를 가려면 집을 줄이거나 사는 지역의 급지를 낮춰야 하기 때문이다. 서울 부동산가격의 상승으로 인해 경기 및 인천의 인구가 늘어나고 있다는 기사를 본 적이 있을 것이다. 대부분 위와 같은 이유다.

하지만 지방의 경우 수도권과는 달리 전세금 상승률이 높지 않기에 상대적으로 이사를 나갈 확률이 높다. 이 확률을 정확하게 추산하긴 어렵지만 보통 20% 정도로 잡는다. 내가 세를 주고 있는 집이 5채는 되어야 1채 정도가 확률상 움직이는 것이다. 그래서 3~4채를 보유하고 있다면 임차인이 순환되지 않으므로 현금흐름이 막히기 쉽다.

그럼 이 확률을 나의 경우에 대입해보자. 내가 임대를 주고 있는 약 50채에서 20%를 잡으면 10채가 2년마다 변동 가능성이 있다는 계산이 나온다. 이를 1년으로 보면 5채 정도는 매도하거나 전세금을 시세에 맞춰 올려서 목돈을 얻을 수 있다. 그렇다고 나머지 40채는 놀고 있을까? 2년 주기로 5%의 전세금 갱신이 가능하니 1년으로 잡으면 20채에서 현금이 나올 수 있다. 여기서 내가 전세금을 올리느냐 그대로 두느냐만 결정하면 되는 것이다.

그렇다고 빠르게 많은 주택을 사야 하는 건가 하고 걱정할 필요는 없다. 나도 위와 같은 숫자의 임대주택을 만드는 데 10년의 세월이 걸렸다. 회사를 다니면서 모은 게 30채 정도였으니, 현재 직장을 다니고 있다면 1년에 한두 채 정도 매수하는 걸 목표로 하면 된다.

앞서 살펴본 바와 같이 3~4채를 갖고 있는 임대인이라면 임차인과 구조적으로 적이 될 수밖에 없으나, 20채 이상의 임대주택을 보유하게 되면 여유로운 임대인이 될 수 있다. 그리고 이러한 방식이 집을 운영하는 데 있어서 스트레스를 적게 받는다. 어차피 임차인이 계약 종료나 해지로 인해 이사를 나가는 건 대략적인 확률이 정해져 있기에, 그에 대한 모수를 늘려놓으면 자연스럽게 공실이 발생한다. 그것으로 매도나 전세 재계약을 통해 자금을 순환시키면 된다.

MONEY POINT 17

임대사업은 많은 부동산을 소유할수록 현금흐름이 좋아지는 구조다. 1년에 한두 채씩 꾸준히 매수하되 초기에 3~4채를 보유할 때 현금흐름이 막힐 수 있음을 주의하자.

3장

시장흐름만 잘 읽어도 최적의 매수 타이밍을 찾을 수 있다

전국 8도별 시의 상승 순서와 시별 대장 아파트 BEST 3

강원

원주시		춘천시		강릉시
원주더샵센트럴파크 중흥S클래스프라디움 원주롯데캐슬골드파크	=	온의롯데캐슬스카이클래스 e편한세상춘천한숲시티 춘천센트럴타워푸르지오	=	강릉롯데캐슬시그니처 유천유승한내들더퍼스트 강릉아이파크

충북

청주시		충주시
신영지웰시티1차 청주가경아이파크 한신더휴센트럴파크	→	충주호암힐데스하임 우미린에듀시티 충주센트럴푸르지오

충남

천안시		아산시	
천안불당호반써밋플레이스 천안불당지웰시티푸르지오1단지 천안불당지웰더샵	→	탕정삼성트라팰리스 요진와이시티 한들물빛도시지웰시티센트럴푸르지오	→

서산시		당진시
예천한성필하우스 e편한세상서산예천 서산푸르지오더센트럴	→	당진아이파크 당진대덕수청지구중흥S클래스파크힐 당진센트레빌르네블루

경북

포항시		구미시	
포항자이 장성푸르지오 효자풍림아이원	→	구미중흥S클래스에코시티 도량롯데캐슬골드파크 구미아이파크더샵	→

경주시		안동시
경주황성베스티움프레스티지 경주뉴센트로에일린의뜰 경주두산위브트레지움	→	안동강변펠리시아 안동센트럴자이 e편한세상안동강변

경남

창원시 성산구·의창구	→	창원시 진해구	→	창원시 마산회원구 · 마산합포구
용지더샵레이크파크 용지아이파크 창원중동유니시티3단지		창원자은에일린의뜰 창원마린푸르지오 자은중흥S클래스		메트로시티2단지 창원롯데캐슬프리미어 e편한세상창원파크센트럴

진주시	→	사천시
엠코타운더프라하 진주혁신도시대방노블랜드더캐슬 더샵진주피에르테		사천KCC스위첸 삼천포예미지 사천용강동서희스타힐스

전북

전주시	→	군산시	→	익산시
전주효천대방노블랜드에코파크 에코시티더샵 서부신시가지아이파크		군산디오션시티푸르지오 e편한세상군산디오션시티 군산호수공원아이파크		포레나익산부송 e편한세상어양 익산자이그랜드파크

전남

목포시	→	무안군
하당지구중흥S클래스센텀뷰 하당제일풍경채센트럴퍼스트 목포백련지구천년가		호반써밋남악오룡 오룡에듀포레푸르지오 근화베아체비올레

여수시	→	순천시	→	광양시
여수웅천포레나2단지 여수웅천지웰2차 여수문수대성베르힐		중흥에코시티8단지 중흥S클래스에듀하이10단지 중흥에듀힐스9단지		광양센트럴자이 광양동문디이스트 광양중마2차진아리채

제주

제주시	→	서귀포시
노형e편한세상 대림e편한세상1차 아라아이파크		제주강정유승한내들퍼스트오션 서귀포시중흥S클래스 한화포레나제주중문

나무를 보기 전에 숲부터 보는 톱다운 투자법

부린이가 가장 많이 하는 실수는 다른 사람이 특정 단지에 투자해서 수익을 얻었다는 얘기를 듣고 해당 단지만 분석하는 것이다. 물론 이런 돈 버는 정보를 선의의 인맥을 통해 얻는 경우도 있겠지만, 왜 이런 정보가 나에게 들어왔을지 생각해봐야 한다. 내가 이런 정보를 얻을 만한 인맥을 만들었거나 다른 노력을 했는지 되돌아보자. 이에 해당하지 않는다면 그리 좋지 않은 정보일 확률이 높다. 나에게 오는 정보가 쓸 만한지 파악할 수 있는 것은 매우 중요한 능력이다. 이미 발빠른 투자자 몇 명이 수익을 내고 나간 물건을 받아줄 다음 타자로 끌어들이려는 것일 수도 있기 때문이다.

그러니 특정 단지에 대한 투자 정보를 들었을 때는 시각을 좀 더 넓게 가지고 주위 단지들을 살펴보자. 아직 덜 오른 곳을 발견할 가능성이 있다. 정보가 떠도는 단지는 이미 올랐을 가능성이 크다. 주변에 아직 동조화하지 않은 좋은 물건을 찾는 게 정보를 효율적으로 이용하는 방법이다.

그래서 나는 투자처를 고를 때 보텀업Bottom Up이 아닌 톱다운Top Down 방식으로 구체화한다.

MONEY POINT 18

특정 아파트 단지에 대한 투자 정보를 들었을 때, 먼저 살펴볼 것은 그 아파트가 아닌 지역이다. 그리고 그 아파트 주변의 아직 오르지 않은 아파트를 찾는 것이 정보를 효율적으로 이용하는 방법이다.

절대 실패하지 않는 상승할 아파트 고르는 법

톱다운 투자법은 가장 거시적인 데이터를 먼저 보고 상황이 괜찮다고 판단된다면 점차 미시적인 데이터를 분석하면서 가장 안정적이고 저평가된 투자처를 찾는 투자법이다. 쉽게 말하면 가장 큰 단위인 선진국과 한국의 부동산 경기 → '도' 단위 흐름 → '시' 단위 흐름 → 구체적인 아파트 단지로 내려가며 투자처를 찾는 것이다.

해외 선진국(미국 및 유럽)과 한국 부동산 경기가 가장 큰 범위다. 수도권 시세는 거시적 흐름과 연관성이 크므로 함께 움직이지만 지방은 그렇지 않을 수도 있다. 우리나라에서도 부동산 경기가 안 좋을 때 전부 조정을 받는 것이 아니다. 조정받는 지역이 있으면 다른 지역은 오히려 상승하기도 한다.

| 톱다운 투자법의 투자처 분석 단계 |

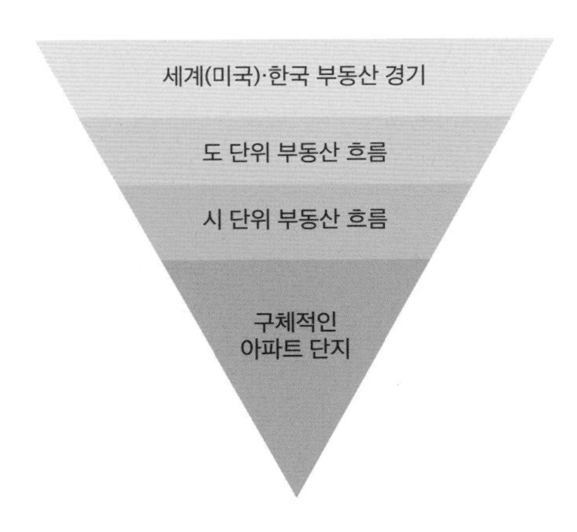

도 단위 흐름부터 굉장히 중요한데, 도 단위로 상승장이 오면 그 도에서 가장 먼저 치고 올라가는 시가 있다. 이 장의 초반에 보여준 도별 시의 상승흐름 순서와 대장 아파트들을 참고하면 좋겠다. 그렇다고 시의 흐름 순서를 외울 필요는 없다. 각 도에서 인구수가 많은 순서부터 투자자들이 들어가기 시작한다는 간단한 규칙만 알고 있으면 된다. 그리고 이를 지켜보는 다음 투자자들은 늦었더라도 인구수가 가장 많은 시에 뒤따라 들어가서 아직 오르지 않은 준신축과 구축에 투자하느냐, 아니면 아직 오르지 않았지만 그다음 인구가 많은 시에 분양권과 대장 아파트에 들어가느냐를 결정한다. 즉, 인구수 순으로 상승 순서가 결

 **MONEY POINT 19**

지역 내에서는 아파트 종류에 따라 상승 순서가 정해진다. 분양권 및 신축 대장 아파트 → 준신축 아파트(10년 이하 연식) → 32평 이상 계단식 구축 아파트 → 25평 계단식 구축 아파트 → 21평 이하 복도식 구축 아파트 순이다.

정되는 것이다.

시내에서는 분양권과 신축 대장 아파트 → 준신축 아파트 → 32평 이상 계단식 구축 아파트 →25평 계단식 구축 아파트 →21평 이하 복도식 구축 아파트 순서대로 상승한다.

부동산 투자는 감이 아니라 데이터 분석

도 단위로 상승흐름을 살핀 후 자신의 투자 타이밍에 맞는 시를 선택했다면 시장에서 소외된 아파트 단지가 아닌 한 대부분이 상승세에 올라타는 것을 확인할 수 있다. 즉 아파트의 가치가 상승하는 것은 주변 인프라가 달라져서가 아니라, 아파트가 속한 시의 시세가 상승하니 딸려 올라가는 것이라고 보면 된다.

부동산 투자 관련 데이터를 알려주는 여러 애플리케이션(줄여서 '앱')이 나오기 전이라면 감으로 특정 아파트 단지에 투자했다가 오르면 잘 찍었다고 할 테지만, 사실 그 단지만이 아니라 해당 시기의 같은 지역에서는 웬만하면 뭘 찍었어도 올랐을 것이다. 물론 상승률에는 어느 정도 차이가 있겠지만 말이다.

그래서 부동산 투자를 할 때는 감이 아닌 정확한 수치에 맞춰 매수할 필요가 있다. 지금처럼 다양한 부동산 관련 앱이 없었던 시절에는 일일이 발품을 팔아가며 익힌 감으로 투자해도 성공할 수 있었다. 하지만 이제는 모두가 부동산 관련 데이터를 볼 수 있는 시대가 됐다. 부동산 빅데이터는 개인이 알아낼 수 있는 정보의 한계를 뛰어넘는다. 이를 활용해 투자하는 전문가들이 우후죽순 생겨나고 있는 지금, 감으로만 투자해서는 성공하기가 힘들다.

이제 부동산 투자에는 수학이 필요하다. 고차원적인 방정식을 풀라는 것이 아니다. 단순한 사칙연산과 통계만 이해할 수 있으면 된다. 통계를 언급한 이유는 부동산 데이터의 상당수가 현재 투자자들이 어디를 매수하고 있는지 그 흐름을 파악하는 것을 일순위로 삼고 있기 때문이다.

이를 통해 현재 시점에 특정 '도'와 '시'가 어느 사이클에 와 있는지 대략적으로 판단할 수 있다. 가격 하락이 끝나는 불황기 후반이 언제인지를 항상 체크하고 회복기의 시작에 투자한다면 백전백승할 수 있다. 이런 사이클을 알지 못하면 아무리 조건이 좋은 물건이더라도 호황기 끝자락에 들어가 한없이 길고 긴 하락기를 인내해야 할지도 모른다. 부동산 투자자에게 넓은 시야가 중요한 이유다.

실거주 수요만으로는 집값은 오르지 않는다

실거주 수요만 있는 아파트 단지들은 쉽게 오르지 않는다. 사용가치뿐만 아니라 투자 수요가 높아야 아파트가격은 오른다. 부동산 앱이 없던 시절에는 이것을 파악하기가 쉽지 않아서 감에 의존한 투자를 했지만 이제는 그럴 필요가 없다.

아파트 실거래가(줄여서 '아실')에서 '많이 산 아파트'(실거래)와 '매물증감', '갭 투자 증가지역' 등의 섹션을 보면 투자 힌트를 얻을 수 있다. 자세한 설명은 이후에 하겠지만 중요한 부분이라서 먼저 이야기하자면, 실거래가가 많고 매물은 감소하며 갭 투자가 증가한다면 투자 수요가 발생하고 있다는 시그널이다.

MONEY POINT 20

실거주 수요만 있는 아파트 단지들은 쉽게 오르지 않는다. 사용가치뿐만 아니라 투자가치가 높아야 아파트가격은 오른다. 거래가 늘고 매물은 감소하며 갭 투자가 증가한다면 이는 투자 수요가 발생한다는 시그널이다.

아실 앱의 또 다른 장점은 사람들이 많이 쓰는 만큼 축적되어 있는 데이터도 많다는 것이다. 이 데이터를 활용한 좋은 기능이 '인기도'로, 최근 두 달간 시 단위 이용자가 조회한 단지의 순위를 확인할 수 있다. 투자 결정을 내리기 전에 아실 앱 '인기도'를 통해 매수하려는 아파트의 조회 수가 해당 시내에서 얼마나 높은지 체크해보면 나의 판단이 다른 투자자와 같은지 쉽게 알 수 있다.

주식에서 우량주가 무겁더라도 꾸준하게 우상향하듯, 많은 사람의 관심을 지속적으로 받는 단지가 결국 상승할 수밖에 없다. 각 단지들은 입지, 브랜드, 연식, 생활환경, 학교, 교통편의 등에 따라 서열이 매겨진다. 부동산은 철저히 나에게 예쁘면 남에게도 예쁜 법이라는 말을 따른다. 그런 점에서 인기 없는 단지는 주의해야 한다. 내 눈에만 예쁘면 나중에 엑시트도 힘들다.

이렇게 확인한 데이터를 근거로 지금 투자자가 들어가고 있는 지역 혹은 단지가 어디인지를 체크해 부동산중개소에 전화해보자.

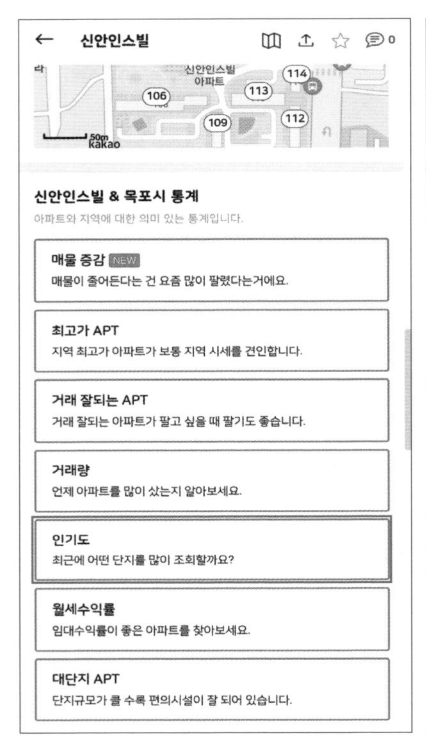

인기도

목포시 조회수

최근 두달(1월4일 ~ 3월5일) 사이 목포시 사용자가 조회한 단지순위를 확인해 보세요.

위치	아파트	읍면동	조회인원	보기
1	하당지구중흥S클래스센텀뷰	상동	876명	단지보기
2	근화옥암베아채	옥암동	664명	단지보기
3	목포한양립스더포레	석현동	575명	단지보기
4	한라비발디	옥암동	561명	단지보기
5	우미파렌하이트	옥암동	548명	단지보기
6	모아엘가	옥암동	543명	단지보기
7	목포백련지구천년가	연산동	441명	단지보기
8	연산주공3단지	연산동	384명	단지보기
9	목포서희스타힐스	석현동	384명	단지보기
10	코아루천년가	옥암동	380명	단지보기
11	푸르지오	옥암동	360명	단지보기
12	골드클래스	옥암동	353명	단지보기
13	하당제일풍경채센트럴퍼스트	석현동	348명	단지보기
14	신안인스빌	용해동	347명	단지보기
15	목포한국아델리움	옥암동	336명	단지보기
16	목포평화광장에메랄드퀸	상동	325명	단지보기
17	주공2	상동	316명	단지보기
18	우성	상동	287명	단지보기
19	연산골드클래스8차에코시티	연산동	260명	단지보기

아실 앱의 인기도 메뉴에서 해당 아파트 단지의 조회수를 확인할 수 있다. (출처: 아실)

"사장님, 혹시 이 단지에 호재가 있나요?"

"사장님, 최근 거래가 많이 되는데 투자자들이 왜 들어오는 걸까요?"

이런 질문을 던지며 무엇이 트리거가 되어 투자자들을 움직이게 했는지 연구해보라. 이 연구의 목적은 투자자들이 몰려들기 직전에 내가 먼저 지역을 찾고 선진입해서 수익을 얻는 실력을 갖는 것이다. 이 정도에 이른다면 이제 투자로 돈을 버는 것은 식은 죽 먹기다.

부동산 사이클로 알아보는 투자 타이밍

부동산 투자를 적대시하는 사람 중에는 이미 투자 경험이 있는 경우도 많다. 주변 사람들이 너도나도 부동산으로 돈을 벌었다느니, 어디가 얼마나 올랐다느니 하는 말을 듣고 나서 모든 대출을 끌어모아 투자를 했지만, 곧 거래량이 꺾이고 전세가격도 떨어져 이자비용을 감당하기 힘든 나머지 눈물을 머금고 손절했을 것이다. 이는 부동산 사이클을 모른 채 투자를 했기 때문에 벌어지는 일이다. 투자한 지역의 사이클상 상승기 초입에 샀어야 했는데 상승기의 정점에서 하락기를 앞두고 사는 우를 범한 것이다.

그러니 부동산 투자를 하기 전에는 부동산 사이클에서 어느 시점에 매수 혹은 매도를 해야 하는지를 이해한 뒤, 지금 내가 투자하려는 지역

| 부동산 경기 사이클 |

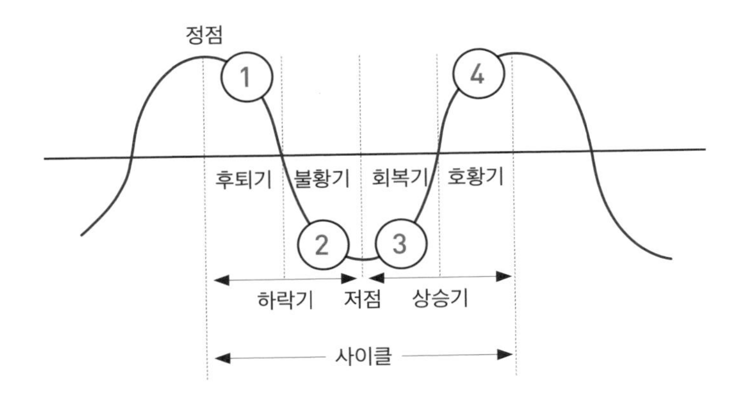

| 장 폴 로드리게스가 제시한 버블의 단계 |

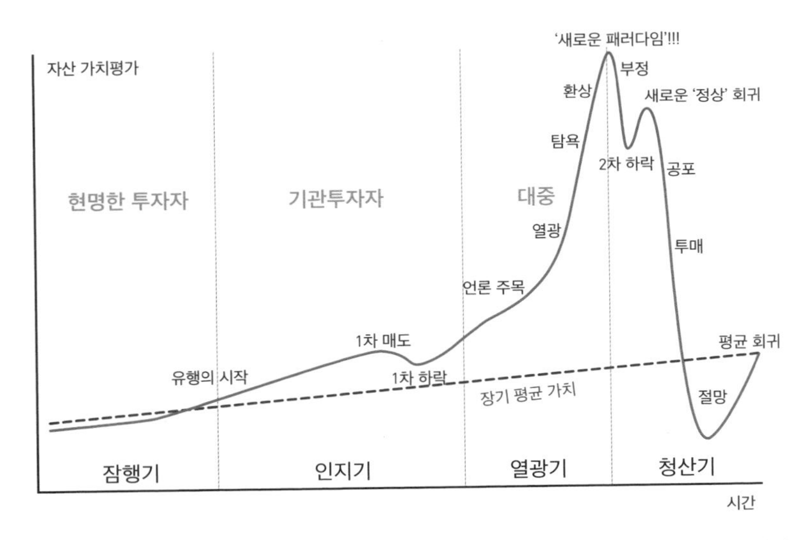

장 폴 로드리게스가 하이먼 민스키와 찰스 킨들버거의 버블에 관한 이론을 토대로 버블이 형성되고 이후 가치가 폭락하는 과정을 설명하는 모델이다. 우리나라에서는 '하이먼 민스키 모델'로 알려져 있다.

이 어느 시점에 있는지를 정확하게 알고 있어야 한다.

왼쪽 상단의 그림은 부동산 경기 사이클을 네 시기로 나눈 것이다. 어떠한가? 딱 봐도 저점에 산 뒤 정점에서 팔고 나와야 할 것 같지 않은가? 맞다. 모든 투자자가 저점매수 고점매도를 원하지만 전부 성공하지는 못한다. 자본주의가 원래 그렇다. 모두가 돈을 벌 수 있는 게임은 애초에 존재하지 않는다. 그럼 이 사이클을 시기별로 나누어 살펴보겠다.

후퇴기

부동산 사이클상 최고 정점을 찍은 후에 하락으로 반전되어 가격이 후퇴하는 시기다. 미국 경제학자 하이먼 민스키가 금융 불안정성 가설을 기반으로 제시한 이론에서 '순간 폭락'을 보이는 시점은 과도한 부채로 인해 경기 호황이 끝나고 채무자가 부채 상환 능력이 악화되어 건전한 자산까지 팔기 시작하면서부터다. 이로 인해 자산가치가 폭락하면 금융 시스템이 붕괴되고 최종적으로 금융위기가 일어나는 것이다.

왼쪽 하단의 그림은 민스키의 이론을 기반으로 장 폴 로드리게스가 '버블의 단계Phase of Bubble'를 상세히 나누어 설명한 것이다. 탐욕과 환상으로 부풀어진 가격이 끝을 모르고 치솟다가 폭락하는 과정이다. 자본주의 경제에서 어떻게 버블이 시작되고 어떻게 폭등과 폭락의 과정을 거치는지를 보여준다.

후퇴기에 들어서면 거래량이 크게 감소한다. 매도인은 가격이 떨어지기 전에 조금이라도 빨리 팔려고 하지만 매수인은 시간이 지날수록 가격이 떨어질 것이니 성급하게 사려고 하지 않기 때문이다. 결국 이는 철저히 매수인 위주의 시장이 된다는 뜻이다. 또한 과거의 거래금액이 새로운 거래의 기준 가격 혹은 상한선이 된다. 하락기이므로 이전보다 높은 가격에 살 사람이 없을 것이기 때문이다.

시장에는 부동산 투자에 대한 부정적 인식이 팽배해지므로 현금이 필요하거나 성급한 매도인이 내놓은 급매물들만 간혹 거래되곤 한다. 하루에도 수십 통의 전화를 받으며 바쁘게 돌아다니던 부동산중개소 사장님이 한가로워 보인다거나 친절해졌다면 후퇴기에 들어간 것이 아닌가 하고 생각해볼 수 있다.

불황기

투자가 더욱 심하게 위축되고 아파트가격이 내려가는 시기다. 아파트가격은 본질적인 가치인 사용가치와 투자 수요로 올라간 미래 프리미엄이 더해져서 형성된다. 여기서 투자 수요가 빠지면 매매가는 사용가치인 전세가까지 떨어지는 것이다. 만약 불황기 전부터 미분양이 많은 지역이라면 매매가와 전세가가 동반 하락하지만, 미분양이 없는 지역이라면 매매가는 하락하되 전세가는 어느 정도 방어되거나 혹은 오히려 상승할 수도 있다. 실거주자들이 매수하기보다 전세로 살면서 추이를 살펴보려고 하기 때문이다.

'떨어지는 칼날을 잡지 말라'는 주식 투자의 격언처럼 안정화가 될 때까지 관망하는 게 좋을 시기다. 불황기가 끝날 때쯤에는 거품이 다 걷힌 착한 매물들만 시장에 존재할 테니, 이때 들어가면 손해 보지 않는 투자를 할 수 있다. 저점에서 매수한 만큼 앞으로 이어질 상승 사이클의 수익을 온전히 다 먹을 수 있기 때문이다.

2013년의 서울 부동산시장이 딱 그랬다. 2006년 최고점을 찍은 버블세븐(부동산시장의 가격 상승을 이끌었던 강남, 서초, 송파, 양천, 분당, 평촌, 용인 등 7개 지역)이 2008년부터 리먼 사태로 인해 몰락한 후 가격 하락이 계속되어 가장 저렴하게 매수할 수 있었다.

회복기

불황기에 하락한 가격이 저점을 찍은 후 상승으로 전환되는 시기다. 불황기에는 정부가 부동산시장을 활성화시키기 위해 금리를 낮추거나 부동산 거래를 장려하는 정책을 펼치기도 한다. 낮은 금리와 부동산가격으로 인해 부동산 거래가 다시 활기를 띠기 시작한다.

투자자들은 그동안 거래되지 않았었던 미분양 아파트를 매수한다. 미분양 아파트란 신축 아파트를 뜻한다. 분양 시점에는 분양가가 너무 높았거나 입지가 좋지 않아서 외면받았지만, 가격이 떨어진 만큼 투자할 만한 가치가 커졌기 때문이다.

대중이 참여하기 전에 시장에 들어오는 스마트 머니는 단위가 크다.

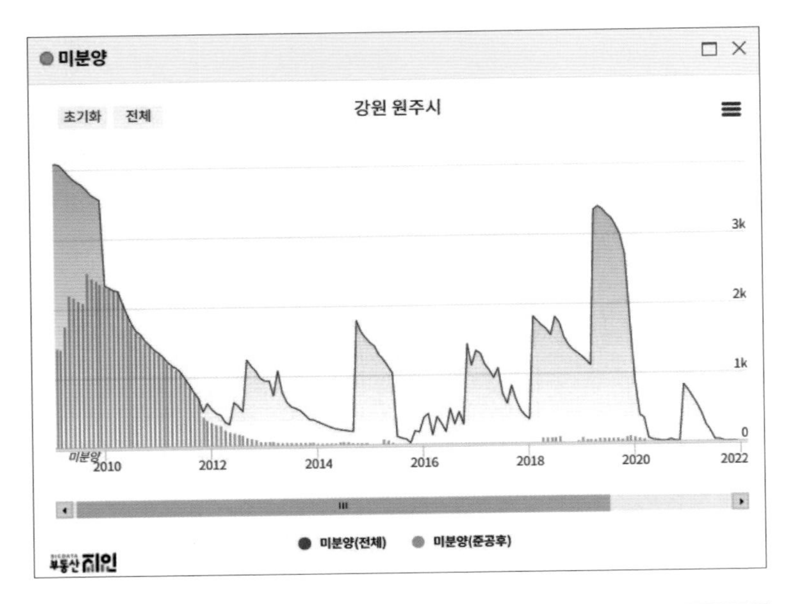

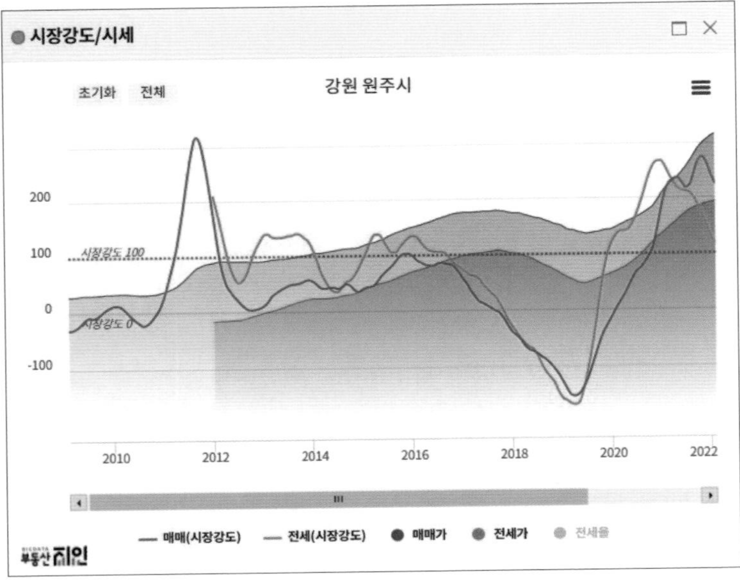

강원도 원주시 미분양 물량(위)과 시세(아래). (출처: 부동산 지인)

즉, 장 초반에는 돈이 어느 정도 있는 투자자들이 움직인다는 것이다. 그래서 미분양된 아파트뿐만 아니라 지역의 대장 아파트들부터 먼저 거래량이 오른다.

왼쪽의 그림을 보자. 강원도 원주의 미분양이 크게 줄어들기 시작한 건 2019년 말부터 2020년 초다. 미분양이 크게 줄어드는 시점에 맞춰서 원주의 시세 또한 상승세로 전환됐다. 미분양이 0이 된 2020년 하반기에는 시세가 더욱 크게 상승하는 것을 볼 수 있다.

2021년 말에 이르러서는 분양권 상태에 있는 아파트에 분양가 프리미엄이 붙고, 1군 투자자보다 자본력이 적은 2군 투자자들이 들어와 지은 지 얼마 되지 않은 준신축 단지들과 2급지에 위치한 아파트들을 매수하기 시작한다. 신축과 대장 아파트의 상승세를 따라 갭을 맞춰 어느 정도 오를 것이라고 예상하는 한편, 적은 종잣돈으로 갭 투자를 할 수 있다는 이점도 있기 때문이다. 이렇게 수요량이 오르고 회복기가 끝날 즈음이 되면 실거주자들도 눈앞에서 아파트가격이 오르는 것을 봤으니 이제 투자를 생각하기 시작한다.

이 단계에서 이미 투자를 해놓은 주체는 외지인 투자자와 상위입지로 갈아탄 그 지역 실수요자, 그리고 시장 분위기를 빠르게 캐치한 부동산중개소 사장님들이다. 뒤에서 살펴볼 마지막 단계인 호황기에서는 해당 지역 투자자 및 무주택 실수요자들이 매수에 동참하며 마지막 상승장에 올라탄다.

호황기

마지막으로 호황기는 한 주기의 사이클에서도 가장 마지막 시기다. 부동산시장에 투기성이 짙어지고 가격은 정점을 찍을 때까지 계속 상승한다.

회복기에서는 미분양 아파트의 분양권 매수가와 진행되고 있는 아파트 분양권의 프리미엄이 오르지만, 호황기에는 오히려 분양권 투자 때문에 수요가 더 붙지 않는다. 분양권에 이미 몇 억대의 프리미엄(앞글자만 따서 '피P'라고 줄여서 부른다)이 붙어 있으니 당첨된다면야 좋겠으나, 무주택자가 아니거나 청약 점수가 높지 않은 투자자에게는 피를 더 올려서 사자니 이미 가격이 너무 올라 큰 수익을 기대하기 힘들기 때문이다. 그래서 분양 전에 입주권을 받을 수 있는 재개발·재건축 시장의 붐이 생긴다.

호황기 때는 거의 모든 부동산이 대장 아파트에 키를 맞추어 오르는 모습을 보인다. 이제부터는 투자자뿐만 아니라 실거주자도 매수 행렬에 동참한다. 그리고 돈을 번 사람들은 물론 지금이라도 들어가야 하나 고민하고 있는 사람들 사이에서 하락에 대한 우려의 목소리가 커지기 시작한다. 반면 마지막 열차에 올라탄 투자자들은 이 상승세를 이어가고 싶기에 아직도 상승 여력이 있다고 주장한다. 자신이 마지막 폭탄을 떠안는 게 아닐까 하는 두려움 때문이다. 이렇게 부동산의 큰 사이클이 지나간다.

부동산 사이클로 매수 타이밍 잡기

부동산의 거시적인 흐름은 마치 항공모함과 같다. 항공모함에 실린 수십 기의 비행기가 함께 움직이듯, 한번 흐름이 정해지면 사이클이 끝날 때까지 같은 지역의 부동산 시세는 함께 움직인다. 과거 기록에서 얻은 통계로 보면 부동산 사이클은 상승 5년에 하락 3년 정도의 주기를 보인다. 물극필반物極必反이라고, 고점을 찍으면 내려오는 건 당연한 수순이다. 하지만 사실 부동산시장에 실거주자 수요만 있었다면 이렇게 복잡한 사이클을 보이지 않고 물가등락률처럼 우상향하는 그래프를 그릴 것이다. 하지만 투자 수요가 끼어듦으로써 사인, 코사인과 같은 주기함수 그래프가 그려지는 것이다.

그럼 이런 사이클에서 어느 시기에 매수를 해야 할까? 당연히 하락기에는 떨어지는 것을 지켜봐야 한다. 그러고 나서 바닥을 치고 올라온다면 들어가도 될까? 조금만 더 기다리자. 상승세로 전환된 해에도 지켜본다. 물론 가만히 있어선 안 된다. 지역마다 시세가 어떤 움직임을 보이고 있는지 수시로 파악해두어야 하고, 싸게 나온 매물이 없는지도 계속 체크해야 한다.

그럼 언제 들어가야 하냐고? 바로 그다음 해다. 당연히 이미 반등은 했기에 안전마진은 줄어들겠지만 그래도 가장 안전하고 확실하게 수익을 얻을 수 있다. 이게 바로 부동산

MONEY POINT 21

부동산 사이클은 보통 상승 5년에 하락 3년의 주기를 반복한다. 여기서 매수 시기는 하락이 끝나 바닥을 치고 난 바로 다음 해다. 그래야 안전하게 상승기의 이익을 최대한 얻을 수 있다.

으로 100% 돈 버는 방법이다. 물론 이때도 주의할 점이 있다. 주택 거래는 투자로만 이루어진 게 아니므로 실거주 측면을 고려해 조금씩 응용해야 한다.

또한 부동산 사이클은 지역마다 조금씩 다르게 발생한다. 서울 부동산의 상승장(회복기와 호황기)에 돈을 벌었다고 해서 하락장(후퇴기와 불황기)에서는 쉬는 게 아니다. 투자자들은 바로 다른 사이클로 움직이는 지역과 시장을 찾고, 회복기에 들어서는 시기에 맞춰 다시 투자를 시작한다.

그래서 부동산 투자의 기회는 항상 있다고 말하는 것이다. 지역의 사이클뿐만 아니라 경매, 갭 투자, 분양권, 재개발·재건축 등 투자 방법에 따라서도 제각기 다른 사이클이 존재한다. 주거용 부동산과 상가용 부동산의 시장도 별도로 움직이는 경우가 많다. 시장의 흐름을 읽어낼 수 있는 능력만 기른다면 부동산으로 돈 벌 기회는 무궁무진하다.

부동산 투자를 하기 전 미국을 먼저 보라

부동산시장의 흐름을 살피기 위해 가장 먼저 해야 할 일은 우리나라뿐만 아니라 미국을 비롯한 OECD 국가들의 전반적인 부동산시장 동향을 파악하는 것이다. 자본주의 시대에는 전 세계가 밀접하게 연결되어 있어 경제 흐름이 동조화되는 경향을 보이기 때문이다. 그중에서도 가장 중요한 나라는 달러라는 수출품을 통해 세계 경제를 마음대로 주무르고 있는 미국이다.

미국의 중앙은행인 연방준비은행FED에서 제공하는 경제지표 데이터 사이트에서 미국 전역의 주택 가격을 나타낸 135쪽 상단의 그래프를 보자. 그래프에서 회색으로 표시된 2020년 2~4월의 경기침체기 이후 집값 상승의 기울기가 굉장히 가팔라진 것을 확인할 수 있다. 2021년

12월까지도 상승세가 꺾이지 않고 있으며, 오히려 최근 20년 중 가장 매물이 부족한 상태라고 하니 더 많이 오를 것이라고 예상할 수 있다. 2020년 코로나19로 인한 경제위기 때문에 각국에서 금리를 크게 낮추었다. 일본 같은 곳에서는 마이너스까지 내렸다. 이로 인해 시장에 풀린 막대한 유동성이 부동산과 주식시장에 대거 유입된 결과가 이것이다.

사실 미국 집값 추이만 봐도 우리나라의 집값과 비슷한 움직임을 보이고 있음을 알 수 있다. 하지만 좀 더 꼼꼼하게 파악하고 싶다면 IMF에서 제공하는 전 세계 주택 가격의 데이터도 확인해보자.

전 세계 집값 추이도 미국과 크게 다르지 않다. 그만큼 미국이 세계시장에 큰 영향을 주고 있다는 것이다. 앞에서도 몇 번 언급했지만 2008년부터 2013년까지 서울을 중심으로 부동산시장이 크게 하락했는데 이 역시 원인은 미국의 리먼 사태였다. 따라서 부동산 투자를 잘하

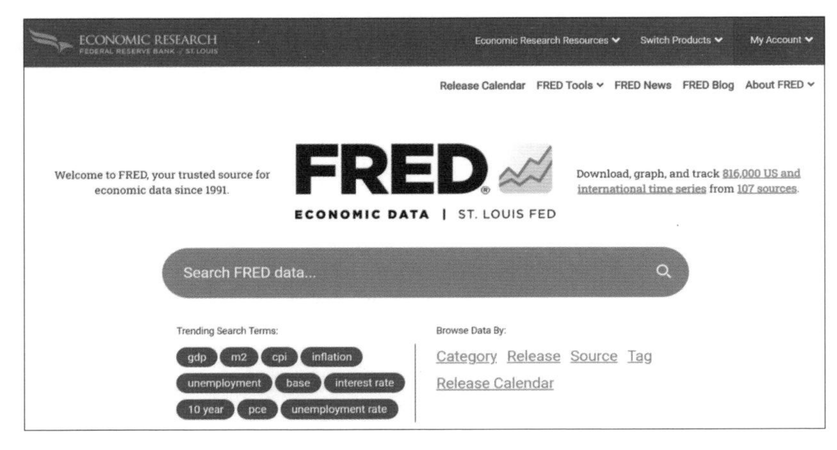

연방준비은행 중 하나인 세인트루이스 연방준비은행에서 제공하는 경제지표 데이터 사이트(fred.stlouisfed.org)의 메인화면. (출처: FRED)

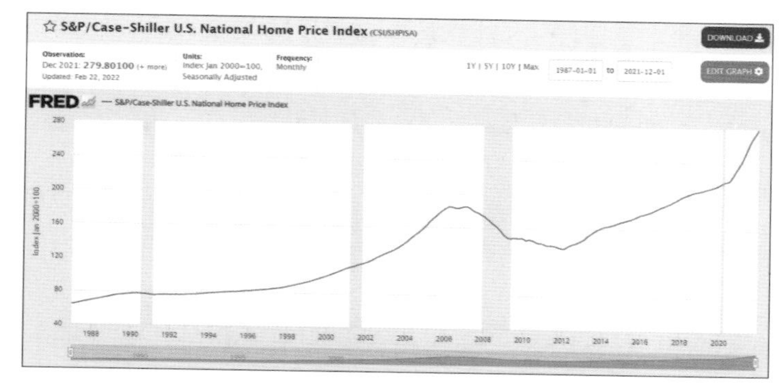

'S&P/Case-Shiller U.S. National Home Price Index'를 검색하면 S&P 코어로직 케이스실러 전국주택가격지수 그래프를 볼 수 있다. (출처: FRED)

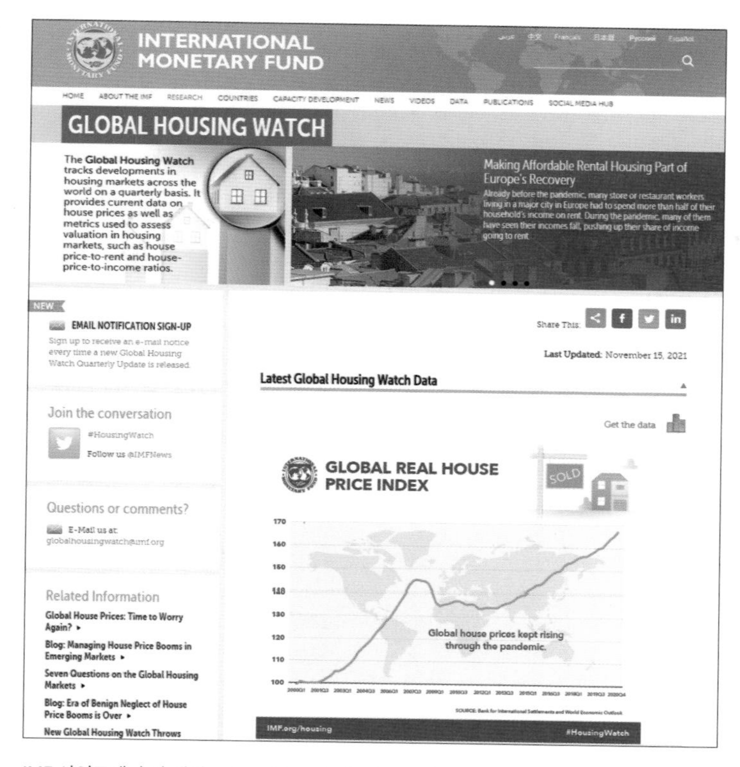

IMF 사이트에서 전 세계 주택 가격지수를 확인할 수 있다(www.imf.org/external/research/housing/). (출처: IMF)

고 싶다면 미국 부동산시장의 흐름을 읽어두는 것도 매우 중요하다.

우리나라 전국 부동산 데이터 흐름 읽기

'도 단위 흐름'은 가장 중요한 사항이기 때문에 이어서 자세하게 설명하겠다. 그와 함께 여러 거시적 빅데이터를 분석해 특정 시점에 투자하기 좋은 '도'를 고르는 방법 또한 알려주려 한다.

이것까지 했으면 이제 '시 단위 흐름'을 파악하는 것인데, 사실 시 단위 흐름은 따로 읽을 필요가 없다.

MONEY POINT 22

'도' 내에서 상위입지를 결정하는 기준은 인구수다. 인구수가 많은 '시'부터 도의 상승흐름을 타기 시작한다. 다섯 가지 데이터를 통해 투자할 도를 정한 뒤 투자 시점에 어떤 시가 상승했고 상승하지 않았는지를 파악하면 된다.

각 도마다 서울의 강남과 강북처럼 상위입지는 이미 결정되어 있는데, 이 기준은 바로 인구수다. 인구수가 높은 '시'를 기준으로 해서 선先진입 투자자라면 인구가 많은 상위 시를 택하면 되고, 후後진입 투자자라면 인구가 적지만 아직 가격 상승이 나오지 않은 하위 시를 택하면 된다.

예를 들어 경북에 투자할 때는 흐름이 포항 남구부터 시작될 것이고 이후 포항 북구로 이어질 것이다. 이렇게 포항이 상승하고 나면 그다음으로는 경주, 구미, 안동으로 투자흐름이 이어진다. 전라북도는 어떨까? 가장 먼저 전주가 상승할 것이고 후속 투자자들이 전주는 이미 갭이 벌어져서 들어가기 늦었다고 판단하면 다음으로 군산과 익산에 들어갈 것이다.

이렇게 투자할 '시'까지 정했다면 5장에서 알려줄 임장지도를 만들고 직접 현장을 보면서 그 지역의 아파트 단지 중 현재 어디가 가장 저평가되어 있는지를 찾으면 된다.

자, 그럼 이제부터 '도 단위 흐름'을 살피기 위해 분석해야 할 다섯 가지 데이터를 자세히 알아보자.

지역 분석을 위해 꼭 봐야 할 다섯 가지 데이터

부동산 투자를 하지 않더라도 뉴스나 신문 기사를 보면 부동산 관련 그래프를 접할 기회가 많다. 이때 그래프가 나타내는 숫자를 이해하기보단 먼저 그래프가 만들어진 의도를 생각하는 비판적인 사고를 하길 바란다. 왜냐하면 어떤 메시지를 전하려고 하느냐에 따라 데이터값의 설정이 달라지고, 그에 따라 도출되는 숫자도 바뀔 수 있기 때문이다. 데이터의 시각적인 메시지와 직관적인 수치는 보는 사람의 판단에 큰 영향을 미칠 수 있으므로 내가 데이터를 만든 사람의 의도대로 판단하고 있는 것은 아닌지 따져볼 필요가 있는 것이다.

그래서 나는 그래프나 표를 보면 이 데이터의 출처는 어디이며 어떻게 가공했는지를 먼저 본다. 원본 데이터를 가지고 내가 알고 싶은 대로 그래프를 다시 만들어보기도 한다. 이렇게 스스로 데이터를 가공하고 투자 근거로 삼는 연습을 해보면 어느새 투자 전문가로 거듭난 자신을 발견할 수 있을 것이다. 앞에서도 말했듯 부동산 투자는 데이터를 기반으로 한 간단한 통계와 사칙연산을 통해 결론을 도출하는 수학의 영역이기 때문이다.

다섯 가지 데이터로 투자 지역 선정하기

이제부터 다양한 부동산 빅데이터 중에 가장 중요하게 생각하는 다섯 가지를 수도권, 광역시, 지방 8도 이렇게 세 분류로 나누어 살펴볼 것이다. 가장 중요한 다섯 가지란 바로 매매·전세가격 추이, 주택구입부담지수, 입주·미분양 물량, 매매·전세 매물량, 초기분양률(청약경쟁률) 등이다. 초보 투자자라면 이 정도만 봐도 큰 리스크를 제거할 수 있다.

매매·전세가격 추이로 전반적인 상승·하락 구간을 파악하면 넓은 시각으로 투자 시점을 계산할 수 있고 주택구입부담지수를 통해 투자 시점에 아직 상승 여력이 남아 있는 지역을 알아낼 수 있다. 또한 입주·미분양 물량으로는 가격에 가장 큰 영향을 미치는 공급량을 파악해 내가 매도할 시점의 분위기를 예측해 투자 판단의 근거를 만든다. 예를 들어 양도세 기본세율 적용을 위해 2년 보유 후 매도를 계획했다면 2년 뒤 공급량을 확인할 필요가 있다. 2년 뒤에 공급이 많다면 좋은 가격으로 매도하기가 어렵거나 매도 자체가 안 될 수 있으니 그에 대비해야 한다. 그러니 매수할 때부터 2년 뒤에 공급량이 부족한 지역에 투자하는 편이 더욱 좋다.

투자 시점의 매매·전세 매물량을 파악하면 이후 시장의 방향성을 예측할 수 있다. 매매 매물량이 적다면 매수 직후 매매가가 상승할 것을 예측할 수 있고, 전세 매물량이 적다면 매수 직후 전세입자를 좋은 가격에 들일 수 있다는 것을 의미한다. 그리고 전세가격은 매매가격에 선행한다. 가장 좋은 투자 시점은 투자할 지역에 전세 매물이 없을 때다. 이후 전세가격이 올라가면 그 올라간 전세가격이 매매가격을 밀어 올리는 것을 예측할 수 있기 때문이다. 마지막으로 초기분양률로 시장 심리가 살아 있는지를 체크하면 된다.

하지만 다섯 가지 자료만 가지고는 다양한 관점의 분석이 힘들기 때문에 한 개 지역을 골라 여러 빅데이터를 이용해 다각적으로 분석하고 해설했다. 물론 내가 제시한 방법뿐 아니라 스스로 부동산 공부를 하면서 투자의 필승법이 될 만한 자료라고 판단되면 직접 데이터를 가공해 분석해보길 바란다. 이렇게 스스로 판단할 수 있으면 다른 전문가의 의견은 참고만 하면 된다. 소신이 있는 상태에서 전문가들의 이야기를 들어야지, 나만의 투자 원칙이 없다면 결국 다른 사람에게 휘둘리는 불안하고 수익 낮은 투자를 하게 될 것이다.

결국 공급이 집값을 결정한다

빅데이터 분석으로 들어가기 전에, 부동산가격을 결정하는 변수들 중에서도 그 값을 비교적 정확하게 구할 수 있는 공급량과 수요량에 대한 설명을 먼저 하겠다. 공급량은 앞에서 설명한 대로 입주 물량과 미분양 물량으로 구하고, 수요량은 일반적으로 인구수에 0.5%를 곱해서 구한다. 이런 점에서 부동산 투자는 답이 어느 정도 정해져 있는 수학 공식인 것이다. 더 정확하게 구하자면 현재는 인구수가 정체되어 있기에 결혼이나 1인 가구 독립 등으로 분화되는 세대수로 따지는 것이 맞지만, 아직까지 모든 앱이 인구수를 기준으로 수요량을 파악하고 있기에 '인구수 × 0.5%'가 매년 필요한 공급량이라고 알아두면 된다.

142쪽의 공급량 및 수요량 그래프를 보면 수요량인 빨간색 선은 거의 고정되어 있다. 현재 우리나라에 필요한 공급은 5200만 명에 0.5%를 곱한 26만 호 정도다. 이렇게 수요량은 고정된 상수와 마찬가지인 만큼 공급량으로 집값의 향방이 달라진다는 것을 이해할 수 있을 것이다.

적정 수요량보다 공급량이 적다면 안심하고 투자하면 된다. 물론 그 반대의 경우는 리스크가 있다고 생각해야 한다. 결국 부동산도 시장이기 때문에 수요·공급의 법칙을 절대적으로 따르는 것이다.

MONEY POINT 23

공급량과 수요량이 집값을 결정한다. 공급량은 입주·미분양 물량으로 구하고, 수요량은 인구수에 0.5%를 곱해서 구한다. 이를 통해 공급량이 수요량에 비해 많은지 적은지에 따라 집값이 달라진다.

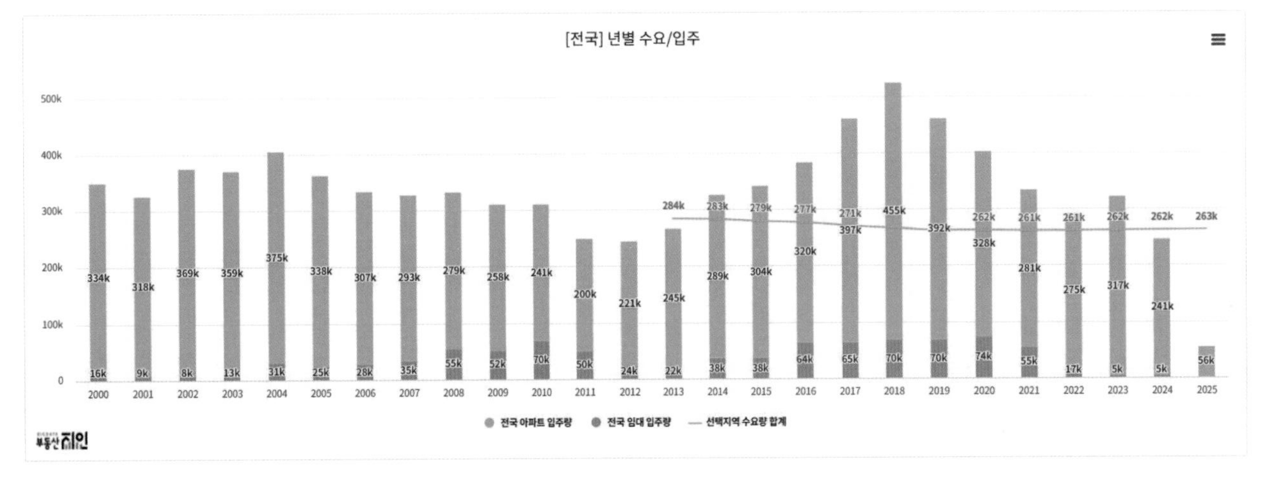
[전국] 년별 수요/입주
500k
400k
300k
200k
100k
0
2000
2001
2002
2003
2004
2005
2006
2007
2008
2009
2010
2011
2012
2013
2014
2015
2016
2017
2018
2019
2020
2021
2022
2023
2024
2025
334k
318k
369k
359k
375k
338k
307k
293k
279k
258k
241k
200k
221k
245k
289k
304k
320k
397k
455k
392k
328k
281k
275k
317k
241k
16k
9k
8k
13k
31k
25k
28k
35k
55k
52k
70k
50k
24k
22k
38k
38k
64k
65k
70k
70k
74k
55k
17k
5k
5k
56k
284k
283k
279k
277k
271k
262k
261k
261k
262k
262k
263k
전국 아파트 입주량
전국 임대 입주량
선택지역 수요량 합계
부동산 지인

(출처: 부동산 지인)

매매·전세가격 추이로 매수 타이밍 잡기

부동산시장을 지역별로 살펴볼 때는 서울·경기·인천을 포함한 수도권, 대전·광주·대구·울산·부산을 포함한 5대 광역시, 마지막으로 강원·충북·충남·전북·전남·경북·경남·제주 등 지방 8도, 이렇게 크게 세 분류로 나눈다.

서울·경기·인천을 하나의 구역으로 묶은 이유는 수치가 거의 비슷하게 움직이기 때문이다. 광역시는 각각의 특색이 뚜렷하지만 어느 정도 비슷하게 움직이는 경우도 있기 때문에 데이터에 따라 한꺼번에 살펴보거나 광역시별로 나누어 살펴본다. 지방 8도의 경우에는 모든 지역을 하나하나 자세히 설명할 것이다. 그 이유는 이 책의 출간 시점에서 가장 상승 가능성이 높은 지역이 바로 지방 8도이기 때문이다. 당연히 도마다 상승 사이클이 다르고 예정되어 있는 공급도 상이하기에 하나씩 분석하면서 왜 상승 가능성이 높고 괜찮은 투자처인지 상세히 설명하고자 한다. 이제 본격적으로 지역별 매매·전세가격 추이를 살펴보겠다.

수도권: 서울, 경기, 인천

먼저 수도권 매매가와 전세가 추이를 보자. 매매가는 2013년 이후부터 2019년 상반기에 아주 조금 약세를 보이고는 지속적으로 우상향했다. 전세가 또한 2018년부터 2019년 초반까지 약간의 조정을 받은 것 외에는 계속 상승하는 모습을 보인다. 매매가와 전세가가 조정을 받았던 2018년에는 경기의 입주량이 약 18만 세대, 인천은 약 3만 세대, 마지막으로 서울이 약 5만 세대로 다 합쳐서 27만 세대가 공급되었기 때문이다. 수도권의 수요량 합계는 단 13만 세대면 충분한데 말이다. 이렇게 8년간 지속되던 상승장은 2022년 3월 첫째 주 들어 매매·전세가격 상승률이 0%까지 떨어져 보합세가 되었다.

수도권 전세가격 추이 그래프에서 중요한 부분이 있다. 그건 바로 2020년 11월로, 한 달에 전세 증감율이 2.5%나 되었다. 2020년 초만 하더라도 1~6월 수도권 평균 전세 상승률이 0.3%밖에 되지 않았다. 하지만 2020년 7월 임대차 3법의 갱신청구권이 발효되면서 시장 논리를 법으로 잡겠다고 한 게 오히려 큰 부작용을 낳았다. 이에 대한 피해는 임대인이 아닌 임차인에게 전가된다고 전문가들이 이야기했지만 그럼에

| 수도권 매매가격 추이 |

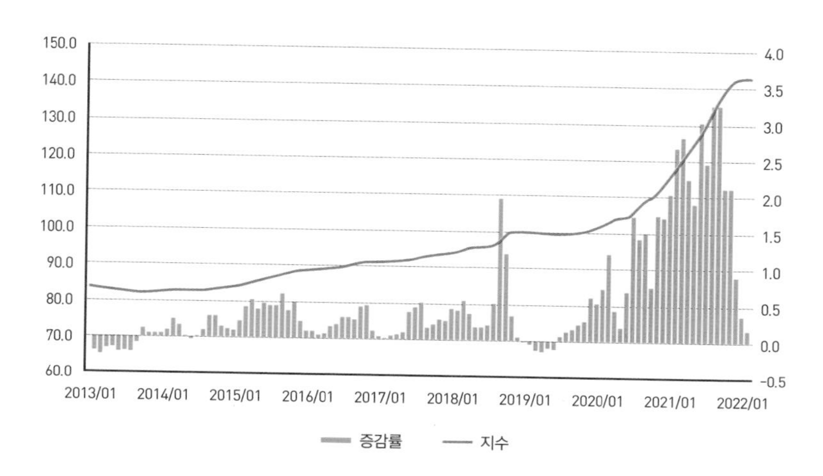

| 수도권 전세가격 추이 |

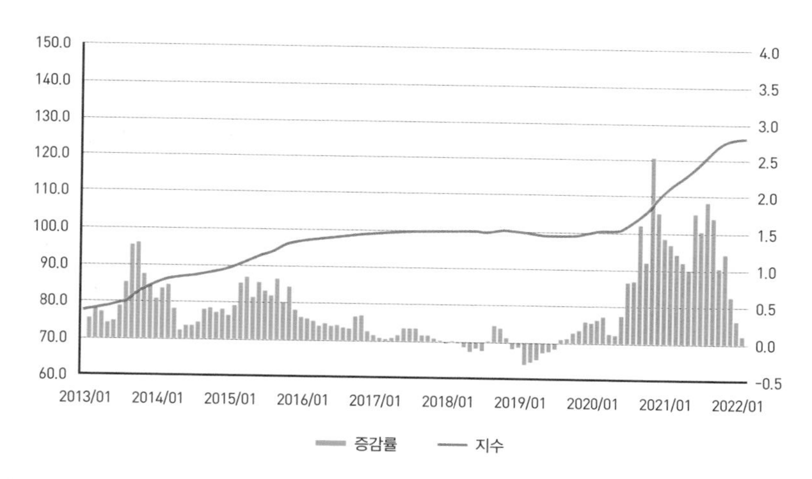

여기서 지수는 2019년 1월 가격을 100으로 기준 삼고 상대적인 지수를 만든 것으로 수치는 왼쪽 세로선에 해당한다.

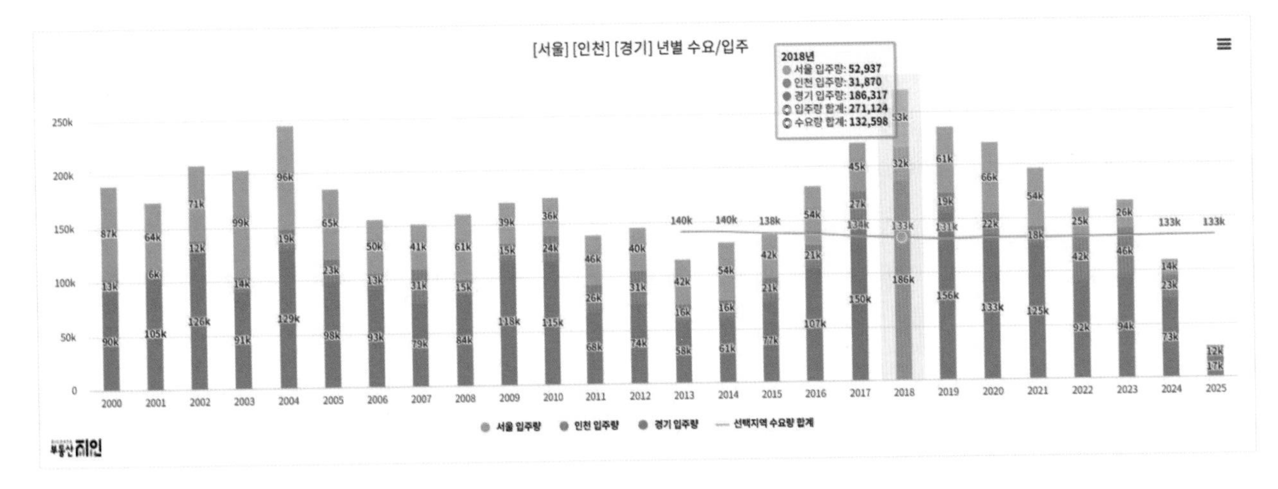
[서울] [인천] [경기] 년별 수요/입주
2018년
서울 입주량: 52,937
인천 입주량: 31,870
경기 입주량: 186,317
입주량 합계: 271,124
수요량 합계: 132,598
서울 입주량
인천 입주량
경기 입주량
선택지역 수요량 합계
부동산 지인

(출처: 부동산 지인)

도 불구하고 밀어붙인 것이 문재인 정권에서 부동산가격 잡기에 실패한 가장 큰 원인이라고 생각한다.

그렇게 임대차 3법 갱신구권 시행 이후 수도권에서는 매월 1%가 넘는 상승률이 지속되었고, 올라간 전세가격이 갭 투자를 불러일으켜 매매가도 동반 상승했다. 이제 윤석열 정부가 매매·전세 월간 상승률이 0인 시점에서 이어받아 이전 정부와 달리 부동산 규제 정책을 점차 풀 가능성이 높아졌다. 물론 시행까지는 우여곡절이 많겠지만 2022년 하반기에는 부동산 투자 심리가 다시 살아날 것으로 예상된다.

수도권 입주량 그래프를 보면 인천은 2022~2023년 공급 과다이지만, 서울과 경기는 입주량이 크게 줄어든다. 특히 서울은 현재 재개발과 재건축을 통해서만 공급이 가능하고 용적률(아파트 총대지면적 대비 각 가구의 바닥면적 합계의 비율)을 크게 높이지 않는다면 기존 멸실 주택을 고려해 큰 공급도 발생하지 않는다. 물론 여러 가지 빅데이터상 가격이 고점 부근까지 왔다는 경계 심리는 분명 있지만 서울의 부동산을 가지고 싶어 하는 전국의 투자자들은 많다. 이렇게 공급량이 없는 것을 다 알고 있으니 어느 정도 하락 후에는 반등할 것이라고 보는데, 그 시점도 위에서 말한 2022년 말쯤으로 예상하고 있다.

하지만 이때는 윤석열 대통령의 공약이었던 '다주택자 양도세 중과세 2년 한시적 배제' 역시 고려해야 한다. 이 공약은 어느 정도 국민적 공감대가 형성되어 있어서 현실화될 가능성이 높기 때문이다. 실제로 시행된다면 다주택자의 매도 물량이 쌓일 것이므로 매수를 진행하면 좋을 거라고 생각한다. 그전에는 다소 리스크가 있다.

5대 광역시: 대전, 광주, 대구, 울산, 부산

대전은 2008년 이후 2012년 한 해 약 2% 하락을 제외하고는 14년째 상승 중이다. 대전의 경우 바로 붙어 있는 세종시와의 흐름이 연계되므로 같이 파악하면 좋다. 세종시가 2020년 한 해 동안 약 38% 상승할 때 대전도 약 13% 상승했다. 그 후 2021년 전국적인 불장에도 영향을 받았다. 그때 전국 평균 상승률이 약 18%였는데 비슷한 수준으로 상승했다. 그렇게 보면 최근 2년간 약 30%가 넘게 상승한 것이기에 조정을 받는 것은 당연한 수순이다. 세종시의 하락에도 영향을 받을 것이다.

따라서 대전은 추후 세종시가 상승으로 돌아서는 타이밍을 본 뒤 매수를 고민해도 늦지 않다. 앞서 말했던 다주택자 양도세 중과 한시적 배제의 영향도 크게 받을 지역이기 때문이다. 지금과 같은 하락국면에 시행된다면 하락세가 더 가속화될 가능성이 있으니 주의해야 한다. 다른 빅데이터와 함께 보면 5대 광역시 중에서는 대전이 고평가되어 있다고 볼 수 있다.

광주의 인구는 약 144만 명으로 전라도 지역에서는 가장 인구수가 많지만, 전국적으로 보면 점차 힘이 약해지고 있다. 수도권에 지속적으로 인구가 유출되고 있는데 윤석열 대통령이 대선 유세 당시 광주에서 연설할 때 쇼핑몰을 유치해주겠다고 해서 논란이 된 바가 있다. 실제로 전라도에는 이마트 트레이더스(스타필드)나 코스트코 같은 창고형 할인 마트나 대기업 복합쇼핑몰이 없다. 역으로 생각하면 이런 점들이 반영

| 대전 매매가격 추이 |

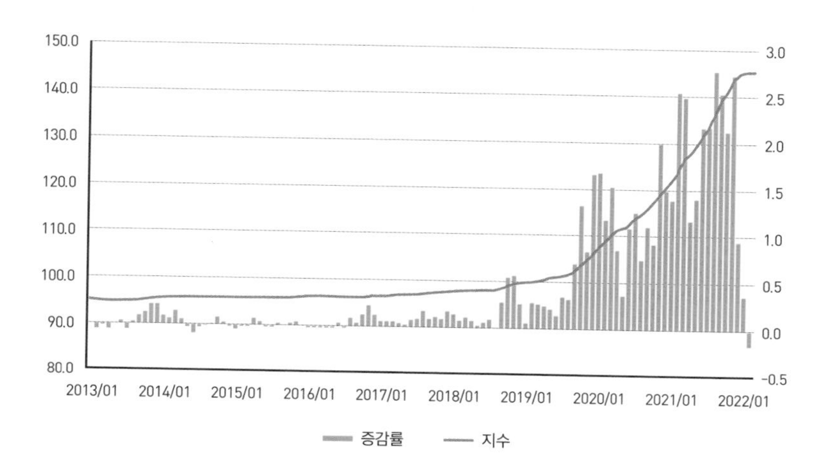

| 대전 전세가격 추이 |

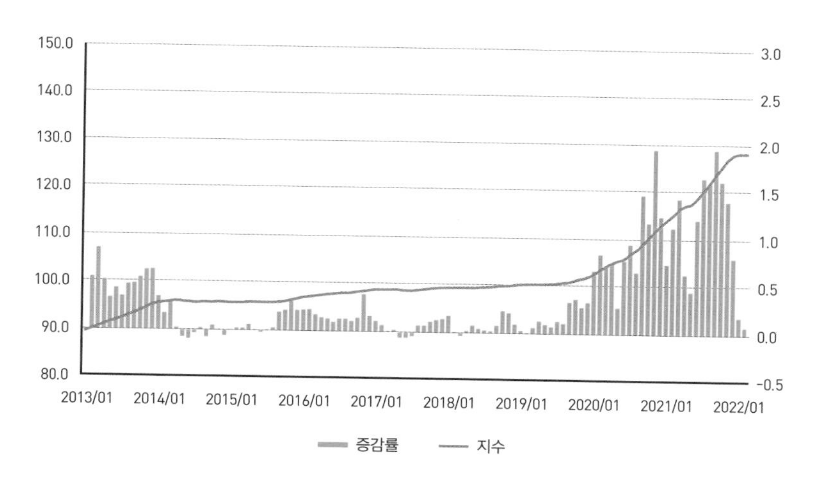

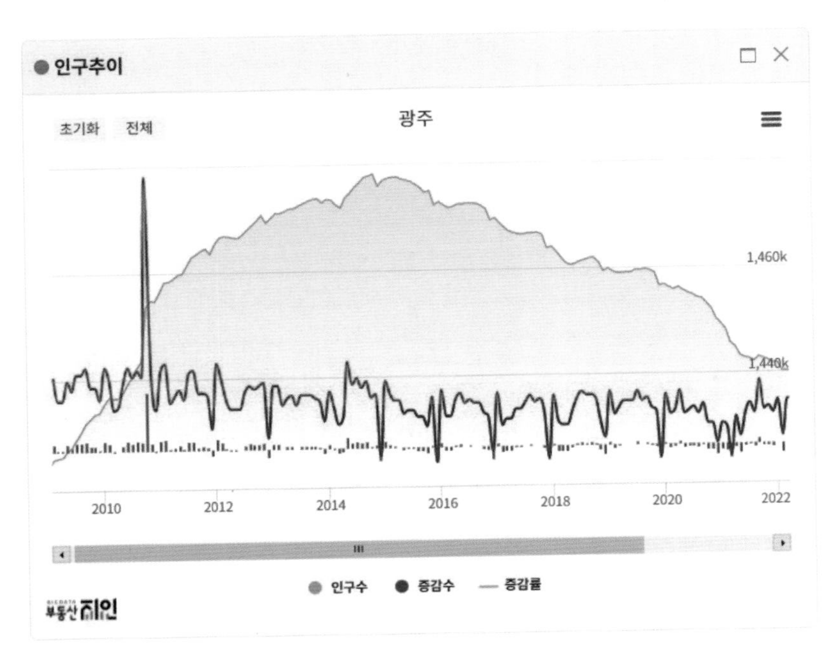

(출처: 부동산 지인)

되어 5대 광역시 중 평당 가격이 1000만 원 선으로 집값이 가장 저렴하다는 것이 장점이라 할 수 있다.

광주에 임장을 다녀보면 외지인 투자자에게 굉장히 배타적인 지역임을 느낄 수 있다. 그래서 외지인 투자보다는 실거주 거래가 많아 부동산가격의 상승·하락 폭이 크지 않다. 그 말은 드라마틱한 상승을 보여주지 않기에 투자처로서는 재미가 없는 곳이라는 뜻이다. 또한 전세가격과 매매가격의 추이는 거의 동일하게 움직이고 투자 수요가 크지 않기에 매전갭도 다른 도시에 비해 적은 편이다. 2001년 이후 약 20년 동안 큰 하락 없이 상승했지만 다른 광역시와 비교해 매매가가 상대적

| 광주 매매가격 추이 |

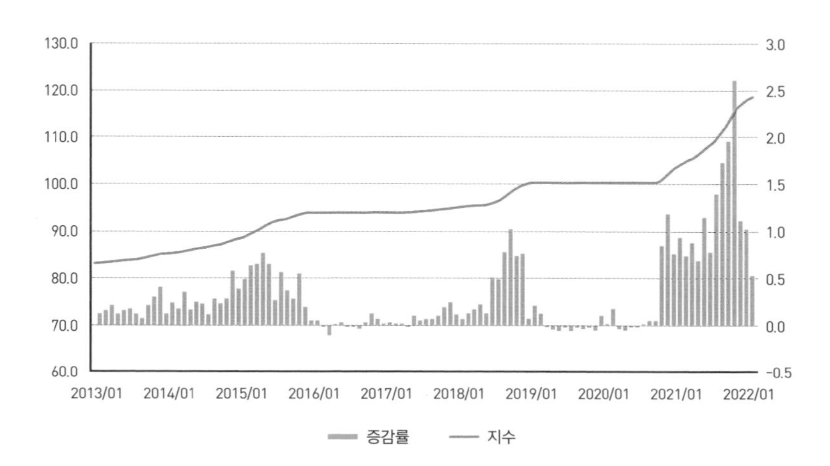

| 광주 전세가격 추이 |

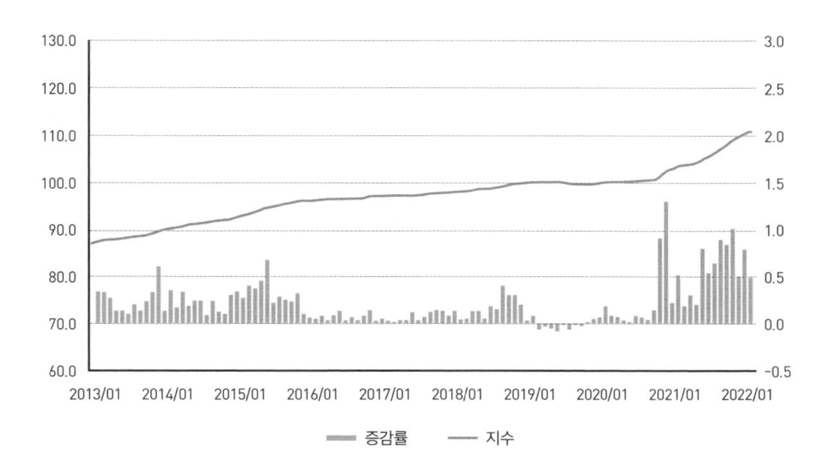

으로 저렴해 투자자들이 지속적으로 눈여겨보고 있는 곳이기도 하다. 다만 하락장이 없었다는 것은, 즉 지금의 가격이 고평가됐다는 것을 의미한다.

2022년에는 서구, 북구, 광산구의 구축 아파트 중에서 25평 매매가가 1억 원 중반대로 공시가격 1억 원 이하의 취득세 1%로 매수할 수 있는 단지들은 지속적으로 매수세가 있을 것이다. 그렇게 큰 수익을 노리는 게 아니라면 적은 갭으로 안전하게 투자할 수 있는 지역이다.

이 책이 출간되는 시점에서 가장 안 좋은 지역은 대구일 것이다. 결과부터 말하자면 내년부터 진입 타이밍을 체크하는 것도 나쁘지 않다. 대구에 임장을 가보면 도시 전체가 공사판인 듯한 느낌이 든다. 그만큼 도시 전역에 공급이 넘쳐나고 있다. 나중에 공급량은 따로 체크하겠지만, 2022년부터 3년간 적정공급량에 2배씩 시장에 풀릴 예정이다. 2015년부터 누적 공급량도 굉장히 많았기에 2021년 말 전세가격 추이를 보면 그래프가 꺾인 것을 볼 수 있는데, 여기서부터 마이너스가 지속될 것이라 본다. 이렇게 전세가격이 하락하면 투자자가 입장에서는 매전갭, 즉 실투자금이 올라가는 상황이라서 매수세가 사라진다. 추후 하락세가 지속되면 조정대상지역에서 해제된다는 기대감이 생길 것이고, 조정받은 집값을 생각하면 오히려 경북 포항, 구미보다도 저렴하기에 다시 투자자들이 진입할 것이니 이때를 노리기 바란다.

울산부터는 매매·전세의 시세 추이가 대전·광주·대구와 확연히 다

| 대구 매매가격 추이 |

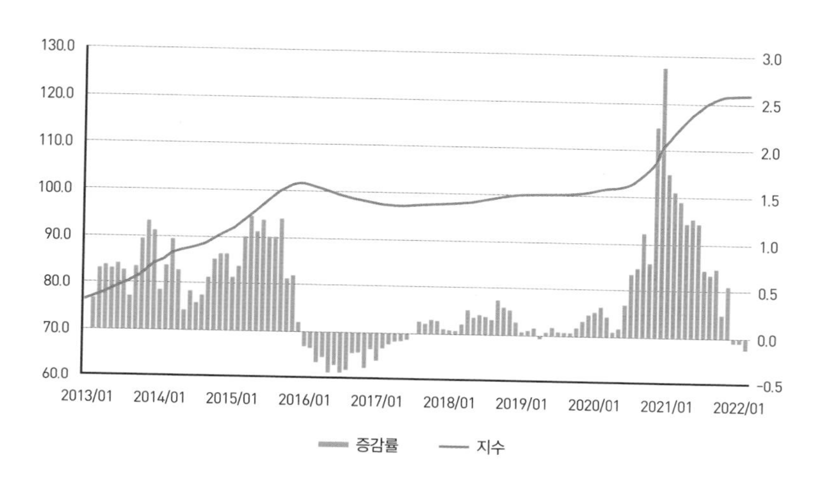

| 대구 전세가격 추이 |

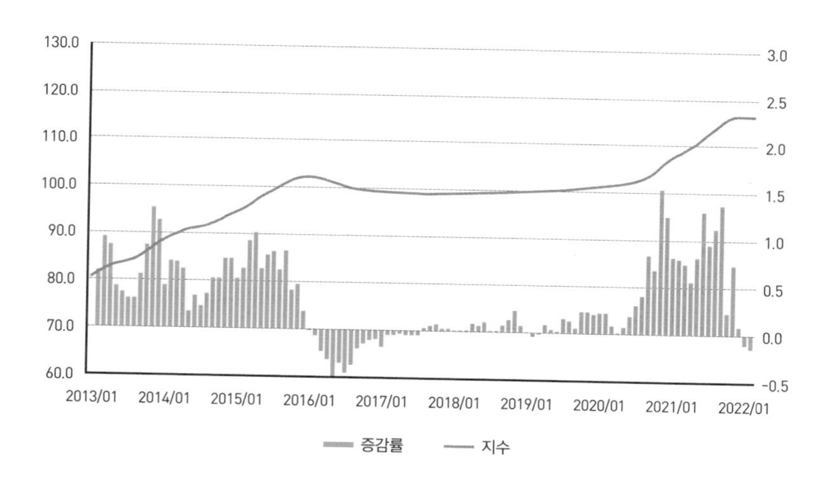

르다. 앞선 세 도시가 최근 10년간 큰 하락 없이(2007~2009년 대구 제외) 움직였다면, 울산과 부산은 2020년의 대폭등 이전에 2017~2019년간 조정기를 거쳤다. 이 시기에는 조선, 자동차, 화학 등 주력 산업의 부진으로 경남권 전체가 좋지 않았다. 그중에서도 울산은 현대중공업, 현대미포조선, 현대삼호 등 현대 3사의 조선업경기에 부동산경기가 연동되어 있다.

2016년에는 제조업경기가 마이너스가 되면서 조선업경기도 안 좋아졌지만, 전 세계 조선 발주량 중 우리나라의 수주 비중이 2019년 31.2%, 2020년 34.1%, 2021년 37.1%로 늘어나며 호조를 보이고 있다. 특히 2021년 한 해 동안에만 1744만 CGT(표준선 환산 톤수)를 수주해 2013년 1845만 CGT 이후 8년 만에 최대 실적을 달성했는데, 이 중 현대 3사의 실적이 가장 좋다. 거제에 위치한 삼성중공업과 대우조선해양이 목표 수주액 대비 30~40% 초과한 수주 실적을 달성한 데 반해 현대 3사는 LNG선 255만 CGT, 컨테이너선 251만 CGT, LPG선 121만 CGT, 탱커 124만 CGT 등을 수주해 목표 수주액인 149억 달러 대비 53%를 초과한 228억 달러의 수주 실적을 달성했다.

수주가 많다고 해도 신조선가(선박을 신조하는 경우 구입하는 가격)지수가 낮으면 의미가 없지만, 클락슨리서치에 따르면 신조선가지수 역시 2021년 1월 127포인트에서 2021년 11월 153포인트로 12개월 연속 상승했다고 한다. 참고로 신조선가지수가 150포인트를 넘은 것은 조선 호황기였던 2009년 6월 이후 12년 만이다.

울산의 부동산시장이 오랜 기간 하락장세였던 것까지 감안하면 조

| 울산 매매가격 추이 |

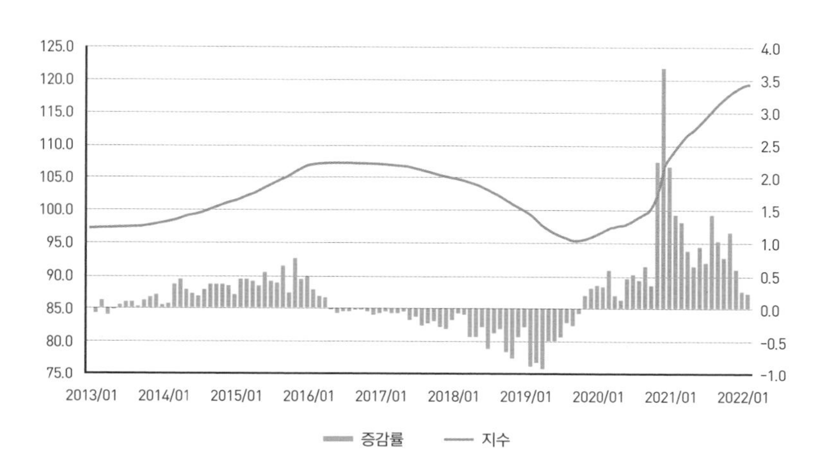

| 울산 전세가격 추이 |

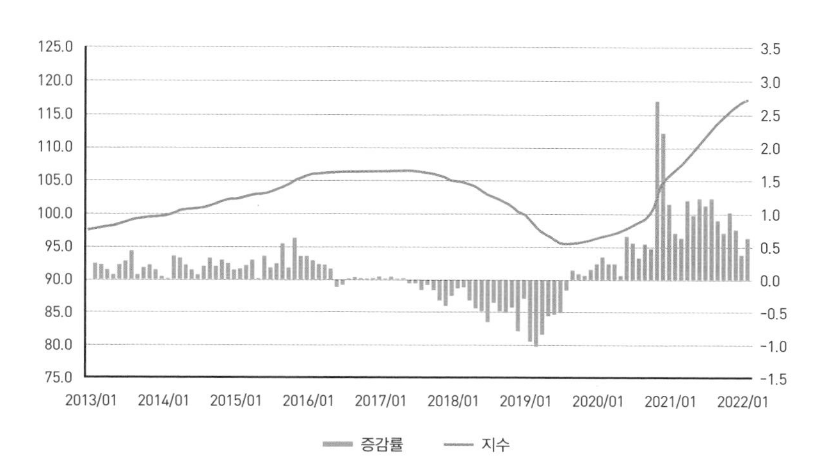

 MONEY POINT 24

울산은 2017~2019년의 조정기를 거쳐 2020년에 상승기가 시작된 점, 매매가와 전세가의 움직임이 비슷해 투자가치가 반영되지 않은 점, 2021년 이후 조선업경기의 호황이 부동산경기에도 영향을 미칠 점 등으로 인해 상승 여력이 높다고 본다.

선업경기가 살아나는 것에 영향을 받아 상승 여력이 높다고 생각한다. 울산에 투자한다면 전세가격 추이를 살피는 게 우선이다.

5대 광역시의 매매가격 그래프와 전세가격 그래프를 비교해보면 울산이 가장 두 그래프의 모양이 비슷하다. 이 말은 울산의 매매가는 전세가와 거의 동일하게 움직인다는 것이다. 즉 집값이 사용가치에 따라 움직이는 만큼 '매매가-전세가=투자 수요'가 없기에 산업이 받쳐주는 한 안정적인 투자처가 될 수 있다. 매전갭이 작기에 진입할 기회도 많을 것이다.

광역시 중 마지막으로 부산을 보자. 전세가격 추이를 보면 2017년 중반부터 하락세를 이어가다가 임대차 3법이 시행된 2020년 7월 직후 급등한다. 하지만 수영구, 해운대구 등 실거주 및 투자로 선호되는 지역과 그렇지 않은 중구, 사상구, 사하구, 영도구 등의 가격 차이가 크게 벌어지면서 양극화가 발생했다.

부산의 미분양은 최고치였던 2018~2019년의 약 5000세대 이후로 2014년부터 현재까지 거의 없는 편이다. 2014년부터 2023년까지 매년 적정 공급량의 두 배 가까이 공급되는 것에 비해 미분양이 많지 않다는 것은 우리나라 제2의 도시로서 잠재력이 크다는 의미다. 2022년 하반기 혹은 2023년 상반기까지는 과다 공급량으로 인해 약세가 예상

| 부산 매매가격 추이 |

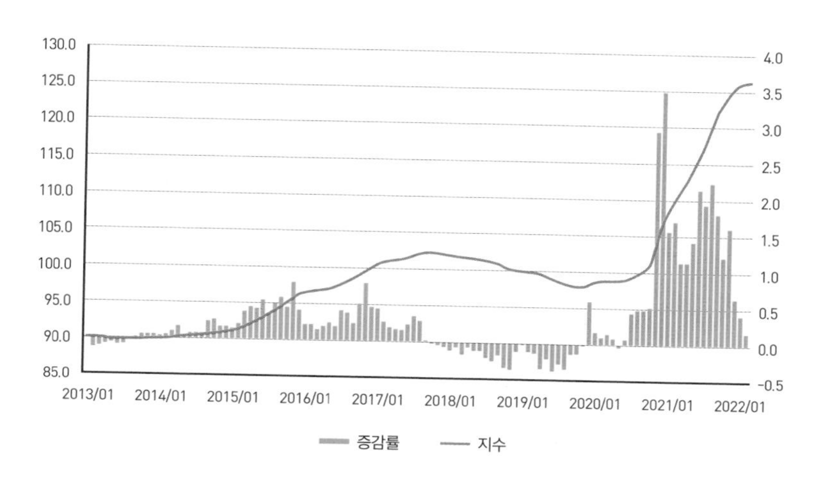

| 부산 전세가격 추이 |

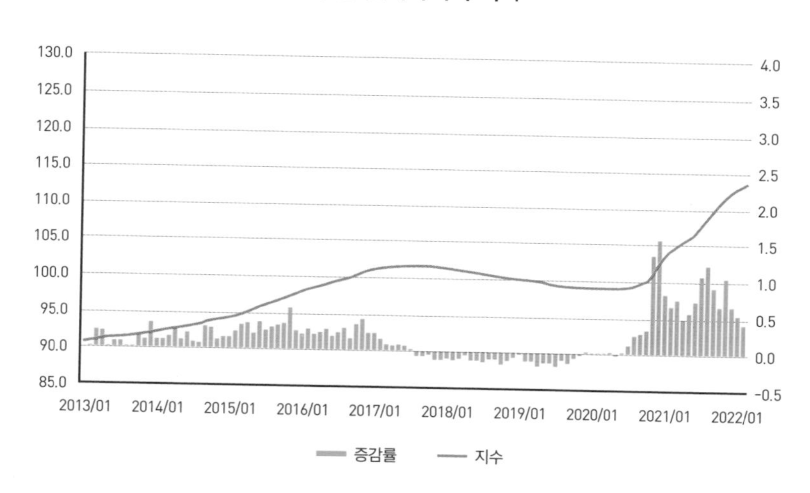

되지만, 2019년부터 부산의 인허가 물량이 크게 감소해 2023년부터는 공급량이 적어질 테니 눈여겨보면 좋겠다.

지방 8도
: 강원, 충북, 충남, 전북, 전남, 경북, 경남, 제주

강원은 2018년 초부터 2020년 초까지 큰 하락장을 보냈다. 같은 기간 수요량이 8000세대 수준이었는데 2만 세대 이상을 공급했기에 전세가격에 이어 매매가격이 하락한 것이다. 2020년 중반부터는 인구가 많은 원주, 춘천, 강릉이 각자 다른 패턴으로 큰 상승을 이루어냈는데 그 과정에서 공시가격 1억 원 이하 매수세가 컸다. 강원 평당 평균가가 약 700만 원이었기에 25평이면 전체 매매가는 1억 7500만 원이고, 공시가격으로 따지면 1억 원 이하가 된다. 이것이 평균 금액인 만큼 간단하게 생각하면 전체 아파트 단지 중에 반 정도는 취득세 1%로 살 수 있는 저가 주택인 셈이다.

2021년 한국부동산원의 매입자 거주지별 아파트 거래량 분석 결과 강원 지역의 월별 아파트 거래량 3만 508건 중 외지인의 거래량은 1만 2112건으로 39.7%에 달했다. 처음 조사한 2006년 이래 2008년 43%에 이어 역대 두 번째로 높은 수치다. 이는 앞에서도 설명한 취득세와 양도세 세제 혜택을 얻을 수 있는 다주택자와 법인, 외지인이 저가 아파트를 매집했기 때문이다.

| 강원 매매가격 추이 |

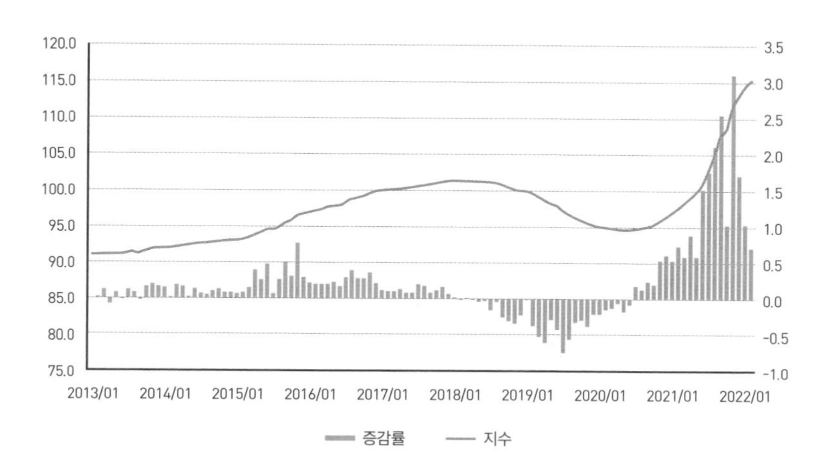

| 강원 전세가격 추이 |

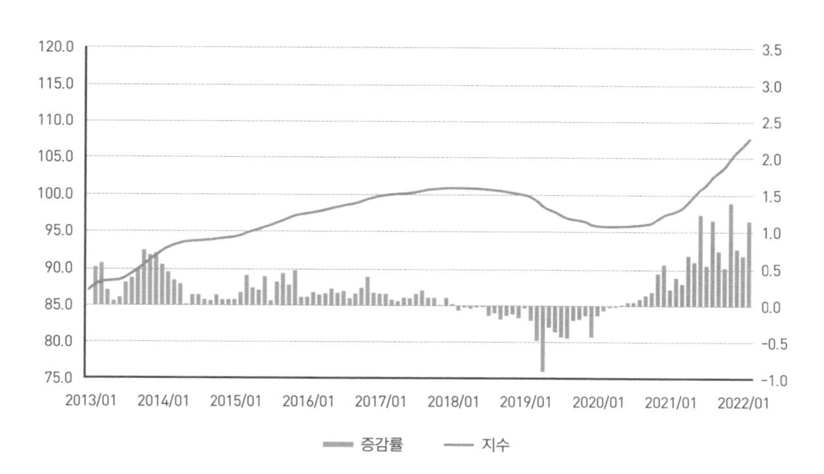

이 책이 나온 뒤인 2022년 4월 기준으로 보아도 이 투자법은 여전히 유효할 것이다. 다주택자와 법인 입장에서는 취득세 중과로 12%씩 내고 투자를 하려면 20% 이상은 올라줘야 손익분기점을 넘는다. 게다가 수도권과 광역시는 다주택자 양도세 중과 배제 지역이 아니다. 결국 지방 8도를 대상으로 1000만 원 투자해서 2000만~5000만 원 수익을 볼 수 있는 취득세 1%인 물건을 찾는 투자는 계속될 것이다.

강원은 2022년 2월 전세가격지수가 1.2% 상승했으며 아직도 상승세가 지속되고 있다. 물론 2021년 10월 발표한 총부채원리금상환비율 DSR 규제 이후 외지인 거래량이 급감했지만, 전체적인 상승흐름이 아직 살아 있는 지역이기 때문에 새로운 정권 이후 심리가 다시 살아난다면 완만한 상승세를 그릴 것이다.

충북의 부동산은 인근 대전과 세종을 함께 생각해야 한다. 청주시청과 대전광역시청이 차로 1시간 거리이며 중간에 있는 세종시청까지 40분 정도밖에 안 걸리기 때문이다. 2022년 3월 현재 대전과 세종이 약세임은 분명하기 때문에 청주의 1급지 물건일 경우에는 동일하게 조정받을 수 있다. 대전과 세종이 2016년부터 2019년까지 소폭의 상승세를 이어올 때 반대로 충북은 큰 급락세가 있었다. 2016년 약 2.1%, 2017년 약 2.4%, 2018년 약 5.7%, 2019년 약 3.4%로 4년간 하락 폭이 컸기에, 이때 청주에 갭 투자로 들어갔던 투자자들은 역전세를 맞아서 크게 고생했다.

하지만 역전세는 이후에 들어온 투자자 입장에서는 매수 기회이기

| 충북 매매가격 추이 |

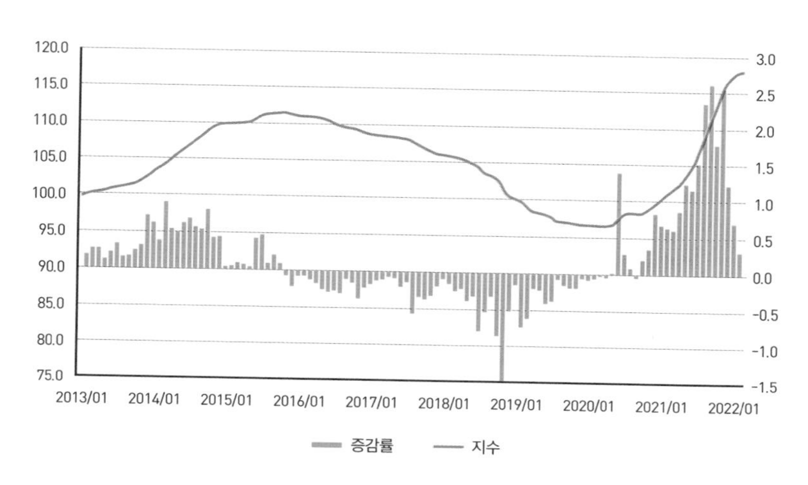

| 충북 전세가격 추이 |

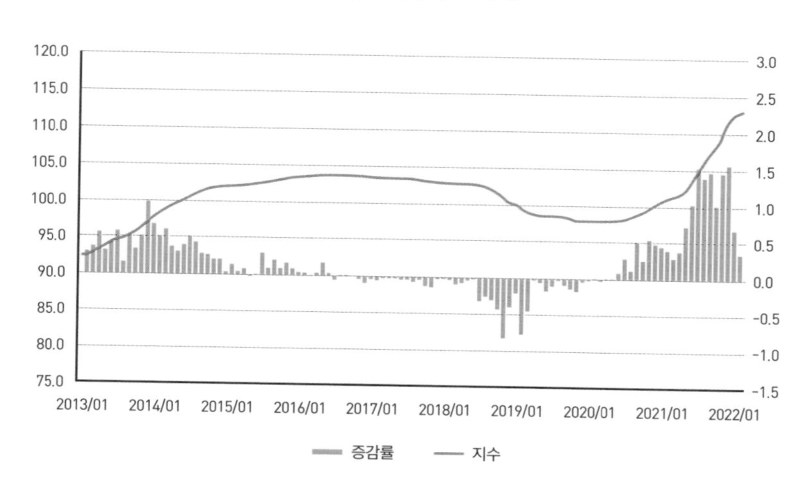

에 저점을 찍은 2020년 하반기부터 아주 큰 상승률을 보여준 원인이 되었다. 나 또한 청주와 충주에 많은 물건을 보유하고 있기도 하다. 다만 한국부동산원에서 시행한 공시가격 1억 원 이하 저가 아파트 실거래 조사에서 개인투자자가 가장 많이 매수한 지역이 천안, 아산, 창원, 청주 순서였기에 이미 공시가격 1억 원 이하 아파트는 고평가되었다고 생각한다. 따라서 앞으로는 공시가격 1억~3억 원인 아파트 단지가 상승할 것이다. 공시가격 1억 원 이하 아파트 상승률에 비해 저평가되었고, 지방 저가 주택이기에 청주가 조정대상지역이지만 양도세가 중과되지 않기 때문이다.

청주는 세종과 대전이 하락을 멈추고 상승으로 반전된 후에 체크하면 무난하다. 충주는 공급이 부족해서 2023년까지는 안정적으로 상승할 것이다. 2022년, 2024년, 2025년 공급량이 0이고 2023년에 1000세대 정도 예정되어 있어 공급은 거의 없으나, 충주에 신규 회사 및 공장 등이 유치되면서 세대수가 늘고 있기에 수요는 지속적으로 생겨나고 있다.

충남의 매매가격 및 전세가격 추이는 앞서 살펴봤던 충북과 거의 유사하다. 2016~2019년 충북만큼은 아니었지만 매년 2% 내외로 하락했지만 2020년 상승장으로 전환된 후 3.4%, 2021년 폭등장에서는 14%나 상승했다. 충남에서 투자처로 1, 2위를 다투는 천안·아산뿐만 아니라 인구 10만 명의 소도시인 당진·서산까지 투자자가 유입됐으며, 공주·논산·계룡은 세종과 대전의 상승에 편승해 좋은 투자처로 인식되었다.

| 충남 매매가격 추이 |

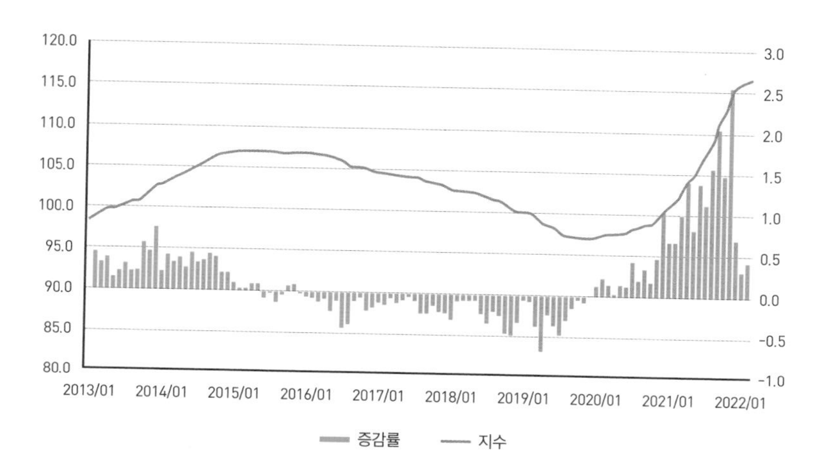

| 충남 전세가격 추이 |

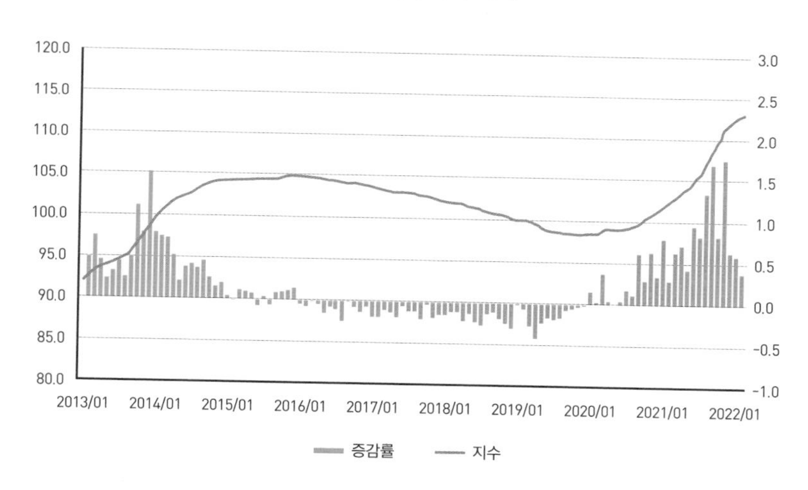

그리고 충남도청이 위치한 내포신도시가 속해 있는 예산군과 홍성군까지 상승했다.

2020년 7월부터 2021년 9월까지 시행된 한국부동산원 조사에 따르면 법인, 외지인 매수가 가장 많았던 지역이 바로 천안, 아산으로 총 8000건에 달한다. 천안이 지방이긴 하지만 지하철 1호선과 KTX역으로 연결되어 있어 사실상 수도권의 생활권에 속한다는 점에서 처음 갭 투자를 시작하는 부린이가 많이 덤비는 곳이기도 하다. 특히 두정역 서쪽의 두정동, 쌍용역 북쪽의 쌍용동, 남쪽의 신방동에 25평 계단식에 공시가격 1억 원 이하인 20년쯤 된 구축 아파트들이 많아 주 타깃이 되었다.

그러므로 현시점에서 천안, 아산에 신규 투자를 하는 것은 다소 위험하다고 볼 수 있다. 충남 지역에 꼭 들어가고 싶다면 서산시가 인구수는 좀 적지만 추후 입주 물량과 현재 전세 물량도 부족하므로 상승 여력이 있다고 볼 수 있다.

전북은 전주가 제1의 투자처이고 그다음이 군산과 익산이다. 매매가격은 2013년부터 큰 상승 없이 지속적으로 하락했고 2019년에는 하락률이 -3.5%로 매우 컸다. 2020년 중반에 들어서야 매매가가 상승했기에 아직 상승 여력이 더 남았다고 생각한다. 매매가의 상승을 뒷받침해주는 전세지수도 상당히 높게 나타나고 있기 때문이다. 2022년 2월 KB월간지수로 강원(1.2%)을 제외하고는 전국에서 가장 높은 0.8%의 상승을 보였기에 정권이 바뀐 이후 부동산 심리가 살아난다면 가장 먼저 달려갈 지역이기도 하다.

| 전북 매매가격 추이 |

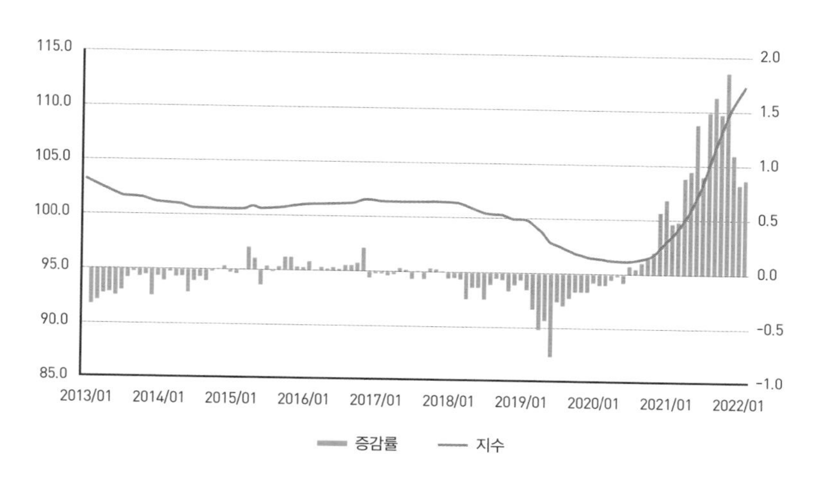

| 전북 전세가격 추이 |

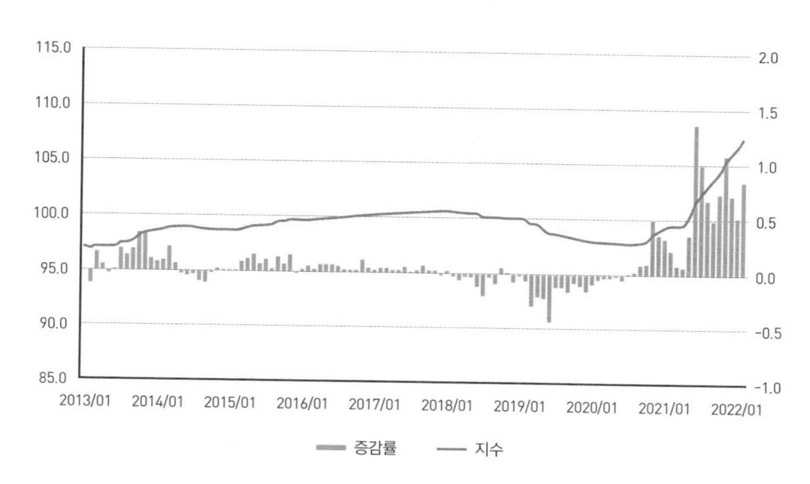

 MONEY POINT 25

전북은 2020년 중반에 들어서야 매매가가 상승했기에 아직 상승 여력이 더 남았다고 본다. 정권이 바뀐 이후 부동산 심리가 살아난다면 가장 먼저 달려갈 지역이기도 하다. 전주가 제1의 투자처이고 그다음이 군산과 익산이다.

전주는 2022년의 공급량이 적정 수준이지만 후반기부터는 공급이 거의 없어 부족해지고 미분양 또한 0이므로 양호한 상승흐름이 이어질 전망이다. 사실 2021년 전국이 18% 상승할 때 전북은 그동안 하락장세가 있었음에도 12%밖에 상승하지 못했다. 익산은 도시공원 민간특례사업으로 마동공원 부지에 지어지는 마동자이그랜드파크가 경쟁률 36:1로 33평에 4억 원대 초라는 결과가 나왔기에, 주변에 피가 적은 분양권이나 준신축 단지들은 키 맞추기를 할 것이다. 익산의 전체 세대수는 약 13만 세대 정도이나 2024~2025년 공급량이 2배 이상으로 과잉 상태라서 상승이 가로막힐 수 있다.

군산은 앞서 살펴본 익산과 인구수와 세대수 측면에서 거의 동일하지만 상대적으로 공급 물량은 적다. 현 상태에서의 미분양도 0 수준이라 1급지 조촌동의 상승에 따라 2급지 수송동, 미장동, 지곡동 등으로 키 맞추기 상승이 이어질 것이다.

전북은 전주에서 군산과 익산으로 이어지는 입지별 흐름이 확연하게 드러나는 곳이다. 그러니 먼저 전주의 전세 매물이 부족한 단지나 지역을 선택해 매매가 상승을 기다려보는 전략도 괜찮고, 너무 오른 전주의 부동산가격이 부담스럽거나 투자할 타이밍을 놓쳤다면 군산이나 익산으로 가서 동일한 패턴으로 투자를 하는 것도 괜찮다.

전남은 매우 특이한 곳이다. 매매가격과 전세가격 추이를 보면 다른 지방 8도처럼 올랐구나 싶다가도, 왼쪽 세로축을 보면 고점이 110 아래인 것을 알 수 있다. 전남은 전국적인 상승기였던 2019~2021년간 지수가 10도 안 오른 것이다. 정확하게 말하면 2022년 2월 기준 매매가격지수는 107.3이고 전세가격지수는 106.2이다.

그렇다면 아직 다른 지역에 비해 많이 오르지 않은 만큼 저평가된 지역이니 투자해도 괜찮지 않을까? 하지만 전남은 다른 지방 8도와 사이클을 달리한다. 전남을 제외한 나머지 7도는 2020년 상승장으로 돌입하기 전까지 최소 3~4년간의 하락장이 있었지만, 전남은 2016년부터 현재까지 하락한 적이 거의 없다.

미분양에 대해서는 뒤에서 다시 살펴보겠지만 전남 지역의 미분양은 2020년 9월 약 700세대에서 2022년 1월 약 2200세대로 점차 늘어나고 있다. 이 수치는 2015년 이후 최대치라서 시장에서 공급을 받아줄 여력이 없어 보인다. 전남은 두 방향으로 시세가 동조화해 움직이는데 첫 번째는 여수, 순천, 광양(줄여서 '여순광')이고 두 번째는 목포에서 무안이다.

169쪽의 시장 강도 그래프(2022년 3월 기준)를 보면 세 지역 다 마이너스가 되었기 때문에 이후 반등하지 않는 한 실제 매매가도 하락할 것이고, 실제로 현재 하락 중이다. 여순광 자체가 공급이 많은데 매매가격도 근 10년간 크게 상승했기 때문이다. 특히 2012년 1월 여수 평당 평균가가 367만 원이었으나 2022년 3월 783만 원으로 두 배 이상 상승했다. 오랜 기간 여수의 시세는 순천보다 밑에서 움직였으나 현재는 넘어

| 전남 매매가격 추이 |

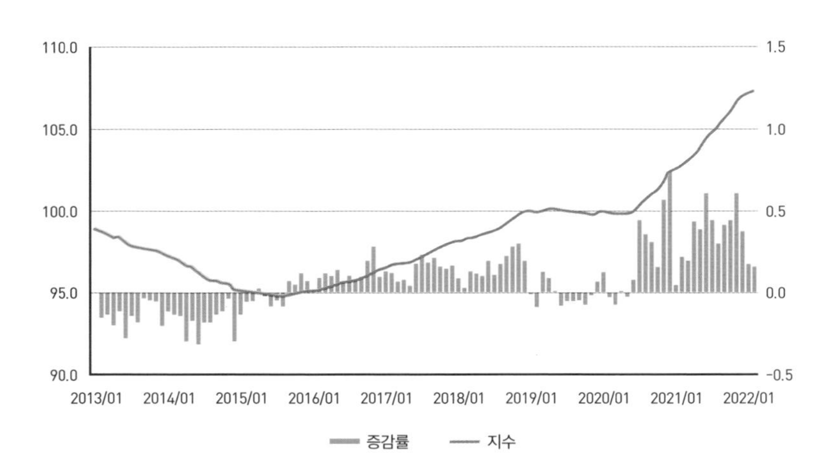

| 전남 전세가격 추이 |

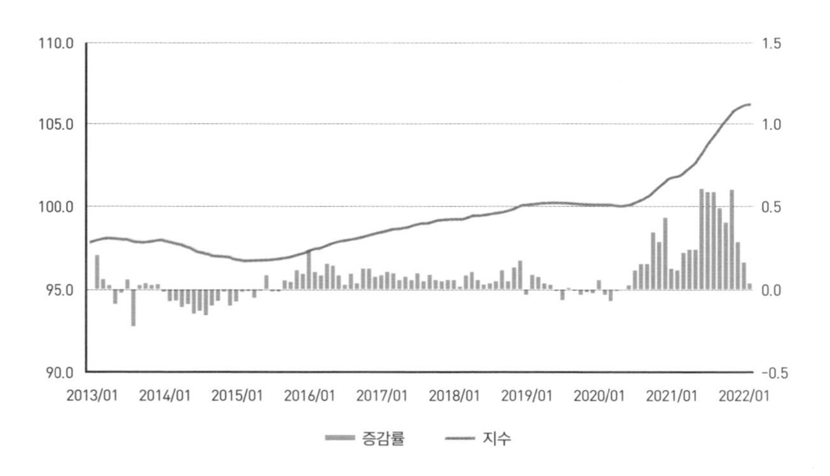

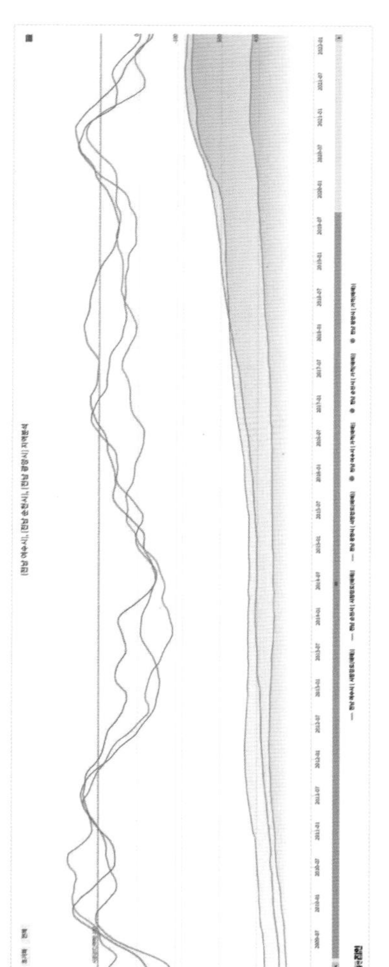

전남 여순광(여수, 순천, 광양)의 시장 강도 비교. (출처: 부동산 지인)

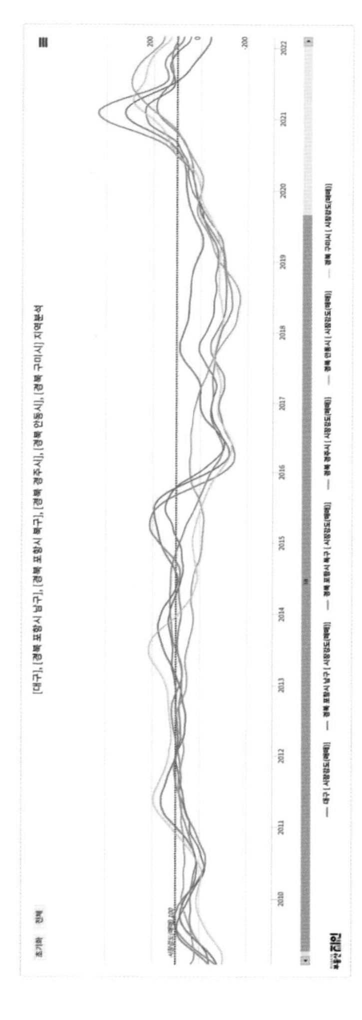

경북 도시들의 시장 강도. (출처: 부동산 지인)

섰다. 또한 여수와 순천이 두 배 정도 오를 때 광양의 경우 30%밖에 상승하지 못하고 두 도시와의 갭이 상당히 벌어졌다. 게다가 광양은 평균 수요량이 700세대밖에 되지 않으나 앞으로 3년간 3배 이상의 공급이 예정되어 있어서 심리가 좋지 않다.

두 번째로 목포를 볼 때는 전라남도청이 위치한 무안군 삼향읍(남악신도시)과 남창천 오른편의 신도시인 무안군 일로읍(오룡지구)을 같이 봐야 한다. 특히 오룡지구는 신축 대단지 브랜드 아파트들이 들어서면서 가장 상급지가 되었다. 목포의 평당 평균가는 500만 원 수준으로 그동안 여수나 순천에 비해서는 크게 오르지 않았다. 2023년 공급량은 적정 수준이고 2024년부터는 공급이 없으므로 상승이 예상된다. 그러나 앞서 이야기했듯 전남 지역은 상승 에너지가 큰 도시가 아니라서 큰 수익을 기대하고 들어가면 실망할 수 있다.

경북은 도시별 위계질서가 잘 잡혀 있는 곳 중 하나다. 포항을 필두로 구미, 경주, 안동 순서로 투자흐름이 이동하며 인접한 대구와 영향을 주고받는다. 부동산은 한 지역만 별개로 움직이지 않는다. 169쪽의 시장 강도 그래프를 보면 가까운 지역들이 서로 영향을 끼치며 비슷한 패턴으로 움직인다는 것을 이해할 것이다. 경북의 시세를 예측하려면 대구도 살펴야 하는 이유다.

경북 지역은 2015년 말부터 2020년 중순까지 하락기가 아주 길었는데, 이때 가격이 3분의 1이나 떨어진 단지가 있을 정도다. 안타까운 일이지만 2016년 경주 지진과 2017년 포항 지진으로 인해 더 하락폭이

켰다. 하락에 대한 반등은 경주에서 시작해 포항으로 이어졌고 2020년 중반에 구미에서 가장 늦게 시작되었다. 경주, 포항, 구미 모두 2015년 전 고점까지 시세가 올라간 단지가 많지만 아직 상승흐름이 더 남았다고 판단할 수 있다.

다만 투자를 한다면 가능한 빨리 들어가서 2024년 전에는 털고 나와야 한다. 법인투자자라면 기회가 많으나 개인투자자라면 기본세율 2년을 고려했을 때 사실상 약간 늦은 감이 없지 않다. 왜냐하면 2024년 포항의 입주량이 1만 세대가 넘는데, 적정 수요량은 2500세대에 불과해 공급 과다 상태가 예상되기 때문이다. 그러면 엑시트에 문제가 생길 수 있다.

경남은 상승세가 살아 있는 지역 중 하나다. 울산과 부산에서 설명한 것처럼 2016~2019년에 큰 하락이 있었다. 2016년 약 1%, 2017년 약 3.2%, 2018년 약 6%, 2019년 약 4.2%가 하락한 반면, 상승장이었던 2020년에는 약 3%, 2021년에는 11%밖에 오르지 않았기에 다른 도시들보다는 상승 여력이 더 크다고 볼 수 있다.

MONEY POINT 26

경남은 2016~2019년에 큰 하락이 있었고, 다른 지역보다 상승이 적었기에 상승 여력이 더 크다. 부산·울산과 함께 메가시티로 묶여 있기에 동반 상승할 여지도 있다.

창원의 평당 평균가는 약 1200만 원으로 울산보다 높고 지방 도시 중에서는 최고 수준이다. 이 말은 대지가격 자체가 높다는 뜻인데, 윤석열 정권이 시작되면 수도권 재건축·재개발·리모델링 붐이 일면서 창원 리모델링 단지들이 다시 관심을 받게 될 것이다.

| 경북 매매가격 추이 |

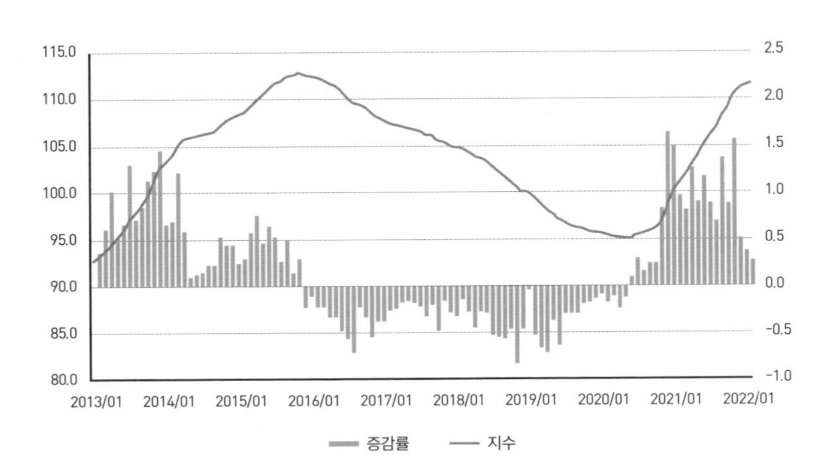

| 경북 전세가격 추이 |

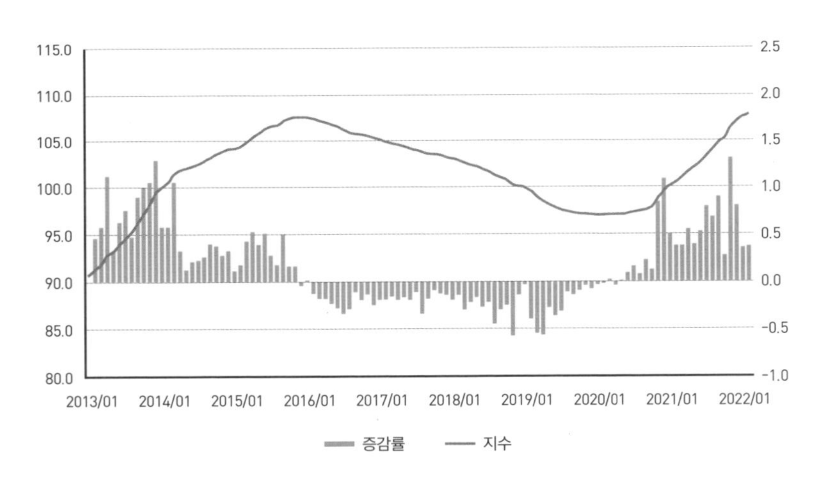

| 경남 매매가격 추이 |

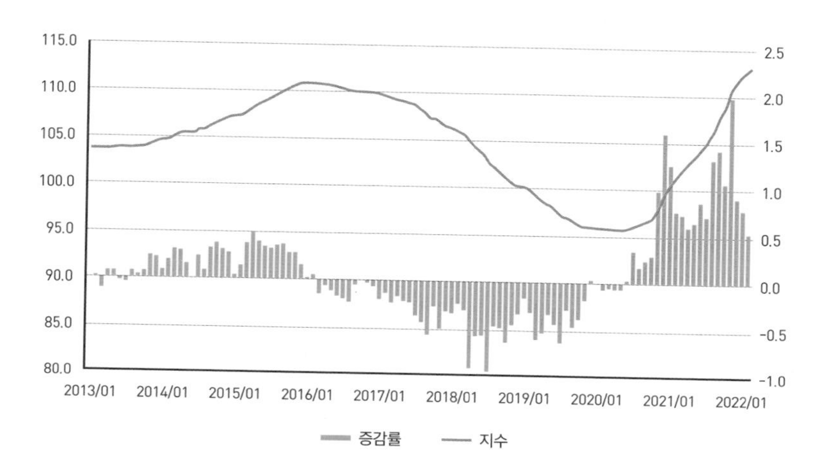

| 경남 전세가격 추이 |

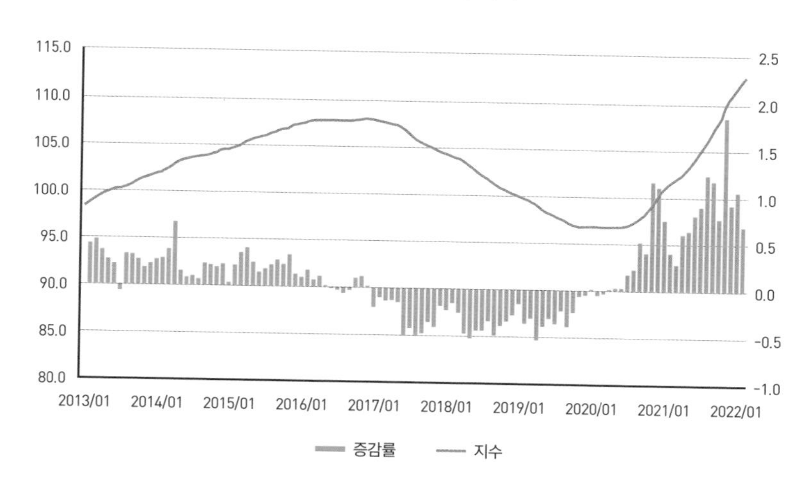

| 부산·울산·경남(부울경) 메가시티 |

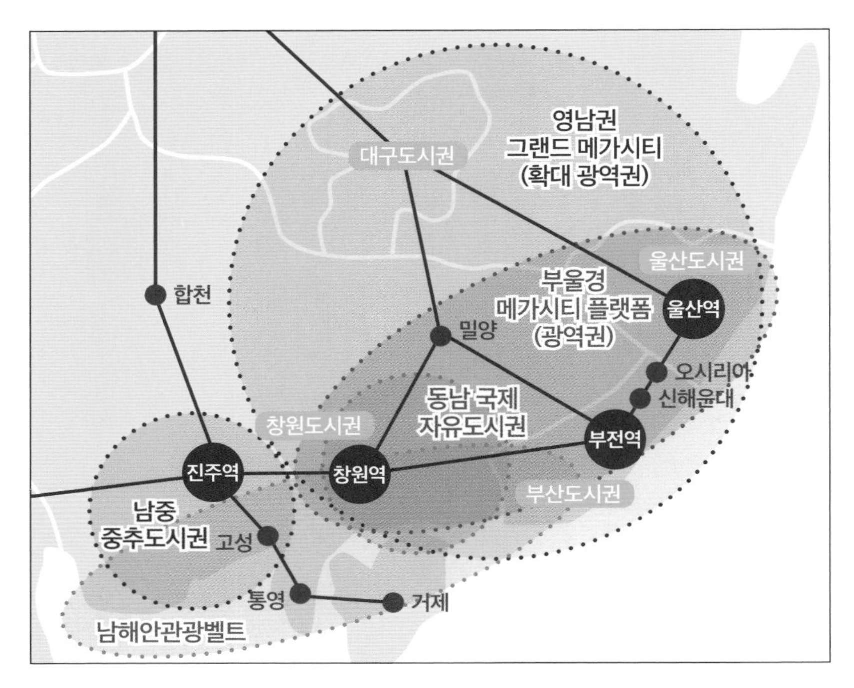

(출처: 경남도청)

삼토시의 저서《앞으로 5년, 집을 사고팔 타이밍은 정해져 있다》에서는 2023년 수도권의 하락과 맞물려 부산의 상승을 예측했다. 울산과 경남이 함께 메가시티로 묶여서 동반 상승이 될지 지켜보는 것도 재미있을 것 같다.

제주는 2017~2020년간 긴 하락장세였다. 이유는 2015~2019년에 공급량이 수요량에 비해 두 배가량 많았기 때문이다. 이때 쌓인 미분양

| 제주 매매가격 추이

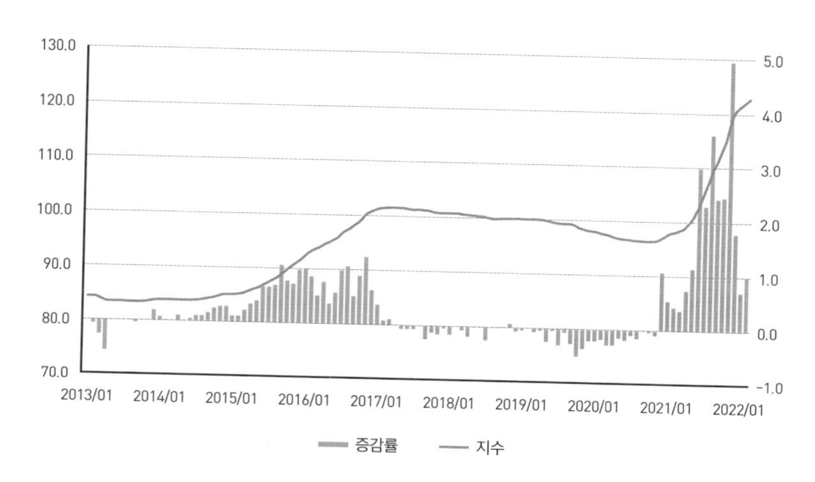

| 제주 전세가격 추이 |

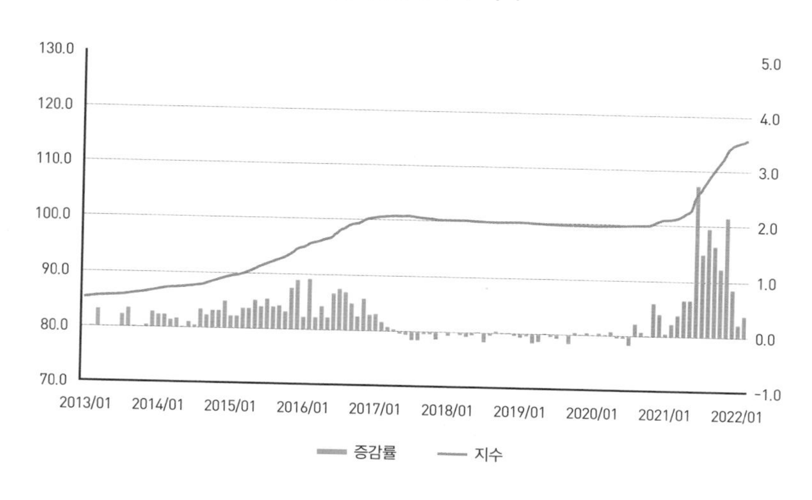

이 지금도 1000세대 가까이 있다. 하지만 평당 평균가가 2011년 530만 원에서 2022년 3월 현재 1810만 원으로 올랐다. 서귀포시를 제외한 제주시만 보면 거의 2000만 원에 육박한다. 지역 특성상 전세가가 상대적으로 낮아 갭 투자를 하기에는 투자금이 너무 커진다. 최근 정비사업 이슈가 있는 단지로 투자금을 줄여 투자하는 것이 좋겠다. 현재 제주의 호재는 이후 공급이 크지 않다는 것이다.

주택구입부담지수로 상승 여력 파악하기

지역 분석을 할 때 일반적으로 가구소득 대비 주택가격 비율PIR, Price to income ratio을 많이 사용하지만 사실 주택구입부담지수K-HAI, Korea-Housing Affordability Index가 더 정확하다. PIR은 단순하게 주택가격을 소득으로 나눈 값이라면 K-HAI는 대출을 받아 중간 가격의 주택을 구입하는 경우 상환하는 데 드는 부담을 나타내기 때문이다. 좀 더 자세히 말하면 주택구입부담지수는 중간 정도의 소득을 가진 가구가 대출을 받아서 중간 가격 정도의 주택을 구입한다고 가정했을 때 현재의 소득으로 대출원리금 상환에 필요한 금액을 부담할 수 있는 능력을 나타낸다. 해당 시점의 주택담보대출금리를 적용하기에 우리나라 중간 소득 가구가 주택 구입 능력이 어느 정도 되는지를 알 수 있다.

No	자료시점	전국			서울			부산		
		원자료	전기대비증감	전기대비증감률	원자료	전기대비증감	전기대비증감률	원자료	전기대비증감	전기대비증감률
1	2019/2Q	52.4	-2.2	-4	124.6	-5.3	-4.1	58.3	-3	-4.9
2	2019/3Q	51.1	-1.3	-2.5	123.6	-1	-0.8	57.2	-1.1	-1.9
3	2019/4Q	50.5	-0.6	-1.2	126.6	3	2.4	56.4	-0.8	-1.4
4	2020/1Q	49.7	-0.8	-1.6	132.2	5.6	4.4	53.9	-2.5	-4.4
5	2020/2Q	52.1	2.4	4.8	142.8	10.6	8	55.5	1.6	3
6	2020/3Q	52.3	0.2	0.4	144.5	1.7	1.2	54.2	-1.3	-2.3
7	2020/4Q	57.4	5.1	9.8	153.4	8.9	6.2	61.3	7.1	13.1
8	2021/1Q	63.6	6.2	10.8	166.2	12.8	8.3	66.1	4.8	7.8
9	2021/2Q	68.3	4.7	7.4	172.9	6.7	4	68.6	2.5	3.8
10	2021/3Q	73.5	5.2	7.6	182	9.1	5.3	71.2	2.6	3.8

주택금융통계시스템 사이트(hf.go.kr/research/portal/main/indexPage.do)에서 '주택구입부담지수'를 클릭하면 분기별, 수도권·5대 광역시·8도별로 나누어 지수를 보여준다. (출처: HOUSTAT)

주택구입부담지수는 한국주택금융공사에서 운영하는 주택금융통계시스템에서 확인할 수 있다. 예를 들어 서울이 180이라는 수치가 나왔다면 서울의 중간 소득 가구가 서울 지역의 중간 가격 주택을 구입할 경우 적정부담액(소득액의 약 25%)에 1.8배(소득액의 약 45%)를 주택담보대출 원리금 상환으로 부담한다는 의미다. 이는 매우 높은 수치로 집값의 하락 가능성이 매우 크다는 것을 뜻한다.

다소 어렵게 느껴질 수 있는 개념이지만 뒤에 나오는 그래프를 보면 비교적 쉽게 이해할 수 있다. 간단하게 말하면 낮을수록 좋은 것이다. 집을 살 여력이 충분하다는 뜻이기 때문이다. 그러니 지수가 낮은 지역을 투자 대상으로 삼아야 한다. 반대로 주택구입부담지수가 과거의 평균치를 넘고 전 고점 이상 올랐다면 소득 대비 너무 많은 대출을 부담하고 있다는 것이므로 집값이 상투일 확률이 크며 이는 곧 조정을 받을 수 있다는 걸 염두에 두어야 한다.

MONEY POINT 27

K-HAI가 낮을수록 집을 살 여력이 충분하다는 뜻이다. 그러니 지수가 낮은 지역을 투자 대상으로 삼아야 한다. 지방 8도 중에는 경남, 경북, 전북, 충북은 지수가 낮기에 앞으로 집값이 더 상승할 여지가 있다.

수도권: 서울, 경기, 인천

주택구입부담지수 그래프에는 평균치를 함께 넣었다. 파란색 선으로 표시된 지수가 빨간색 직선인 평균치 위에 자리 잡고 있다면 해당

지역에서 중간 소득가구가 대출을 받아 중간 가격의 주택을 구입하는 데 드는 부담이 역대 기간의 평균보다 높다고 생각하면 된다. 이와 반대로 파란색 선이 빨간색 선 밑에 자리하고 있으면 아직 주택을 구입하는 데 부담이 크지 않은 상태라고 판단할 수 있다.

서울, 경기, 인천의 주택구입부담지수 그래프는 진폭의 차이가 있을 뿐 모양은 매우 유사하다. 서울의 상승 이후 경기와 인천으로 상승흐름이 이어진 것을 확인할 수 있다.

서울은 과거 최고점이었던 2008년 리먼 사태 바로 직전의 수치를 훌쩍 넘었다. 2021년 2분기 기준 서울의 지수는 180으로, 100일 때 총부채상환비율DTI이 25%(원리금 상환액은 주택담보대출비율LTV 50%, 만기 20년 원리금균등 상환 대출의 매월 상환액)이니 현재 소득의 거의 반 가까이(45%)를 원리금 상환에 내고 있어 주택 구입 부담이 매우 큰 상황이다. 참고

| 서울 주택구입부담지수 |

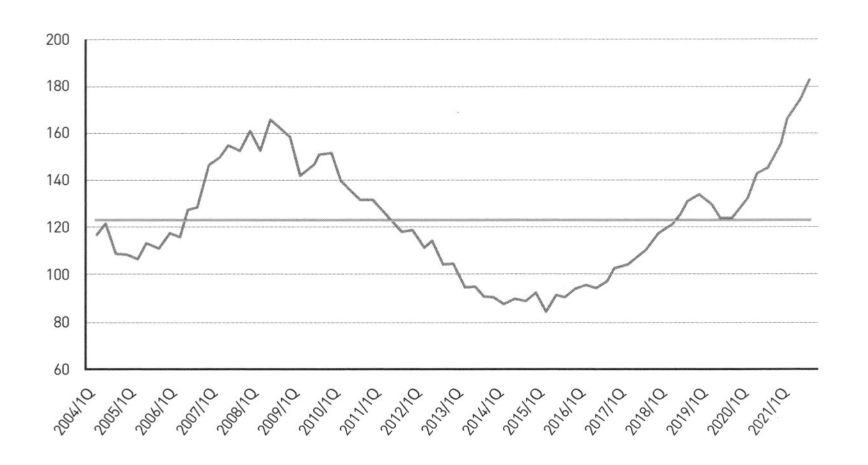

| 경기 주택구입부담지수 |

| 인천 주택구입부담지수 |

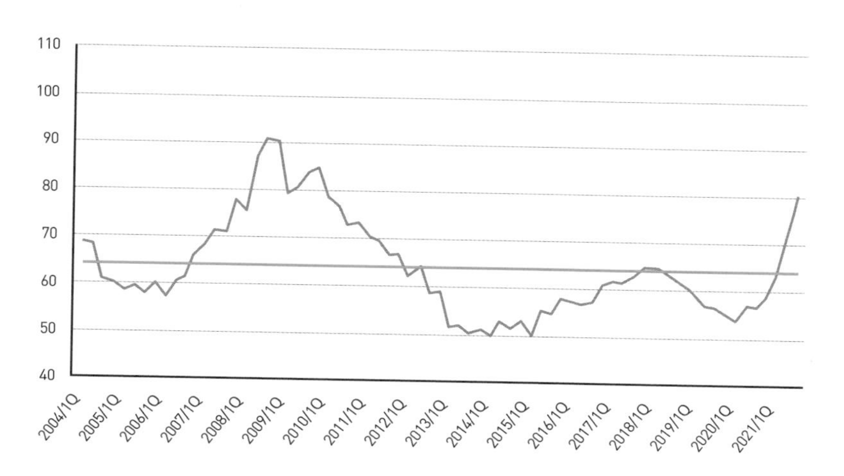

로 서울의 과거 17년간 평균치는 120을 살짝 웃도는 정도였다.

경기 또한 과거 고점에 다다랐고 평균치인 76에 비해 현재 100으로 매우 높다. 인천은 평균 64에서 현재 80으로 평균치보다는 높은 상황이지만 과거의 고점이었던 90에 비해서는 아직 여유가 있는 편이다.

5대 광역시: 대전, 광주, 대구, 울산, 부산

2021년 2분기 기준 5개 광역시 모두 주택구입부담지수가 이전 고점에 다다랐다. 그중에서도 대전은 2019년부터 2021년 상반기까지 50에서 75로 급상승했다.

주택구입부담지수의 지표가 낮아지려면 세 가지 조건이 필요하다. 첫째 주택가격이 저렴하거나, 둘째 수입이 높아져 주택 구입에 충분한 여력이 생기거나, 마지막으로 주택가격이나 수입이 변하지 않았지만 금리가 낮아져 대출금을 갚기가 용이해지는 것이다. 하지만 현재 상황을 보면 더 이상 주택가격이 저렴하지 않고, 코로나로 인해 소득 증가도 기대하기 힘드며, 금리도 높아지고 있기에 대출금 갚기가 더욱 어려워질 전망이다. 이에 각 도시별 주택구입부담지수는 다음 분기에 더 상승할 거라고 예상할 수 있다.

그래프상으로는 5대 광역시 중에 주택 구입 부담이 적은 지역은 찾아보기 어렵다. 최근 몇 년간 지속적으로 매매가가 상승했기 때문이다. 이번에는 지방 8도를 살펴보자.

| 대전 주택구입부담지수 |

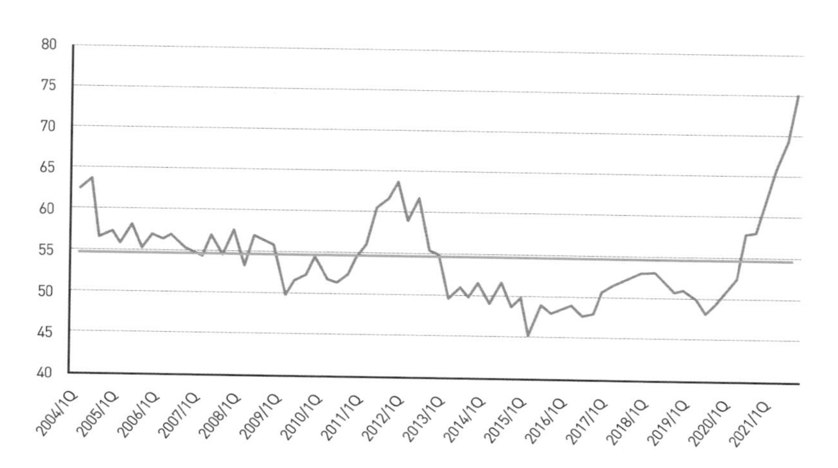

| 광주 주택구입부담지수 |

| 대구 주택구입부담지수 |

| 울산 주택구입부담지수 |

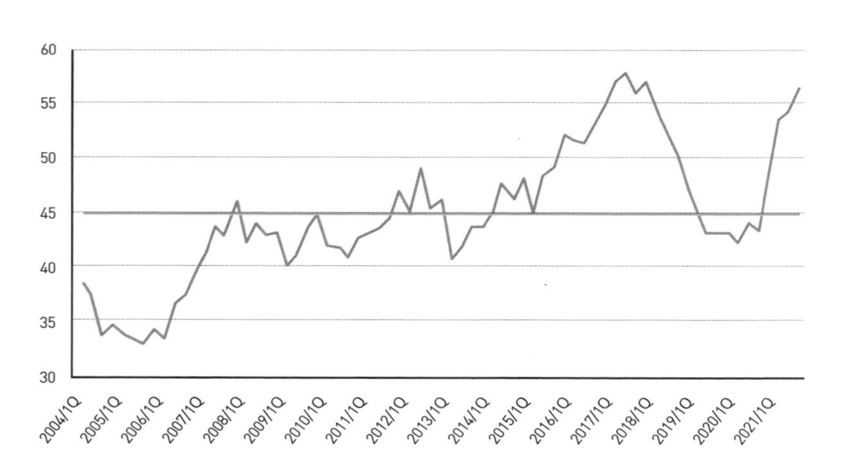

| 부산 주택구입부담지수 |

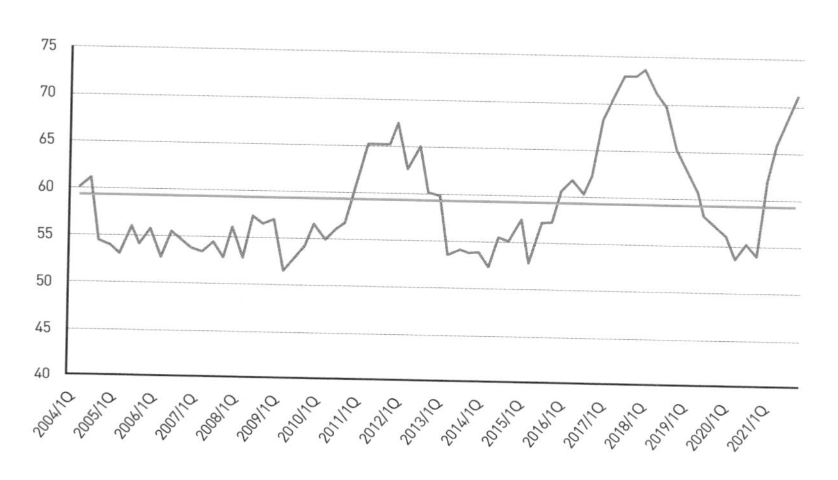

지방 8도
: 강원, 충북, 충남, 전북, 전남, 경북, 경남, 제주

전 고점 지수와 평균치를 2021년 3분기 현재 지수와 비교한 표도 함께 살펴보자(190쪽 참조). 먼저 전 고점 대비 현 지수 비율을 보면 경남이 71.93%로 가장 낮고, 제주 76.17%, 전북 76.21%, 충북 78%, 경북 80.17% 순서다. 17년간의 평균치 대비 현 지수 비율을 비교해보면 전국에서 경남이 91.59%로 제일 낮고, 그다음 경북 92.28%, 전북 93.18%, 충북 94.86% 순이다.

주택구입부담지수로 평가해보면 지방 8도 중에는 경남, 경북, 전북, 충북이 지수가 낮기에 앞으로 집값이 더 상승할 여지가 있다.

| 강원 주택구입부담지수 |

| 제주 주택구입부담지수 |

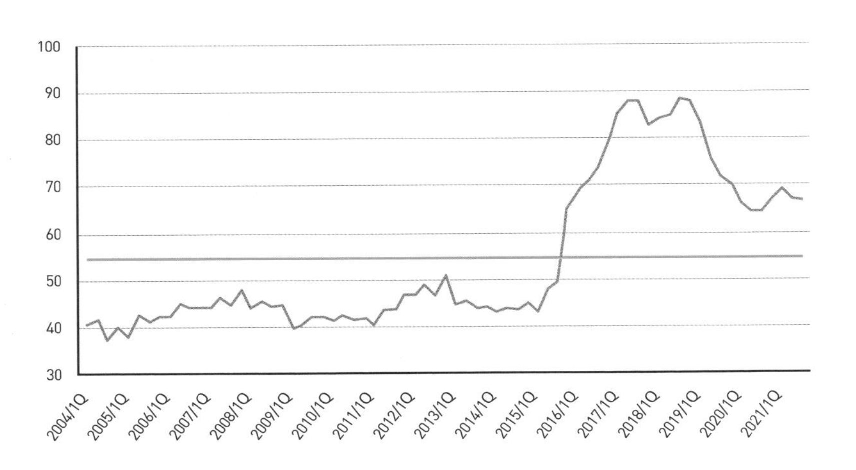

| 충북 주택구입부담지수 |

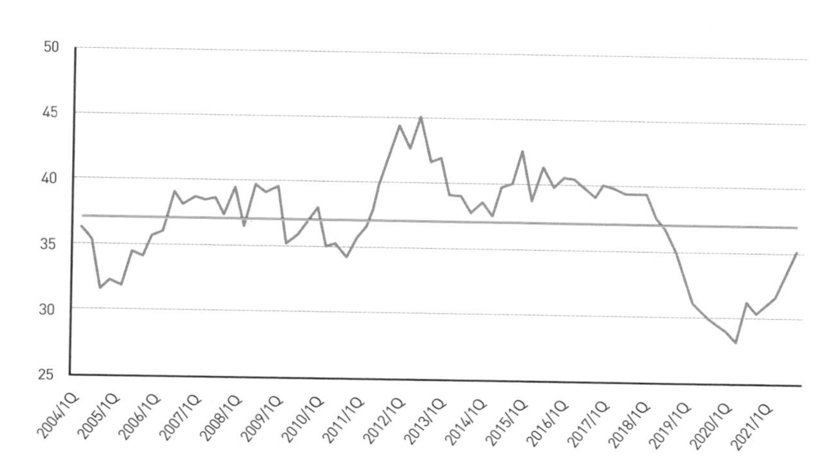

| 충남 주택구입부담지수 |

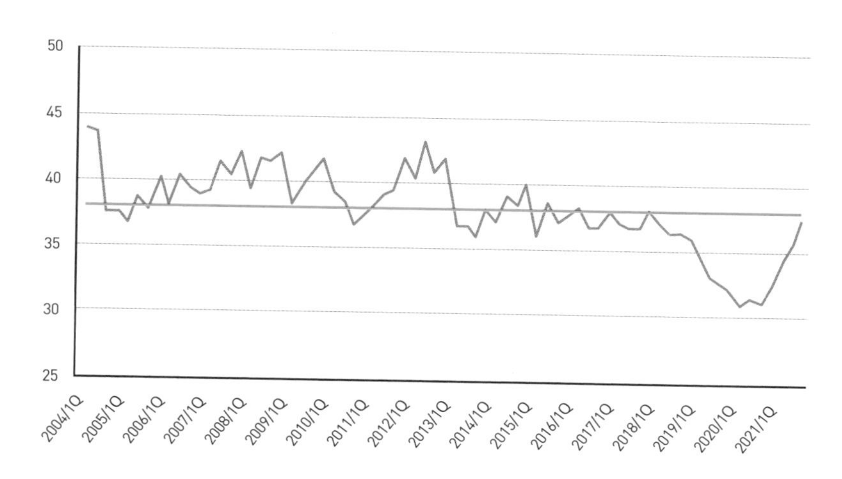

| 전북 주택구입부담지수 |

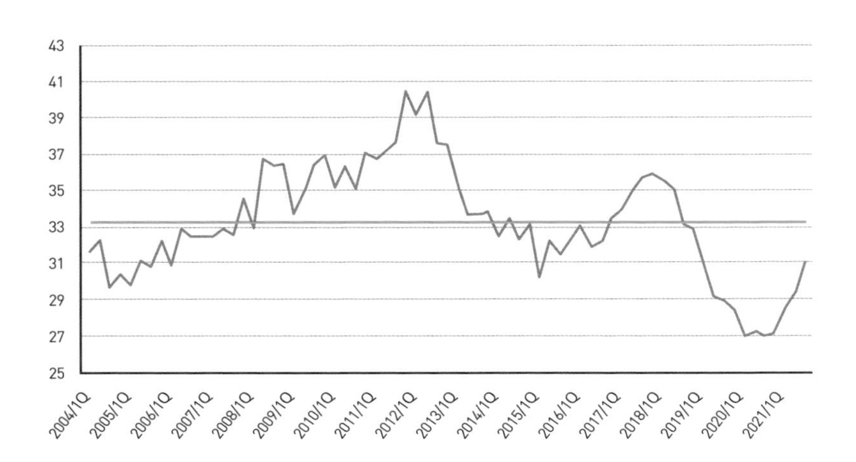

| 전남 주택구입부담지수 |

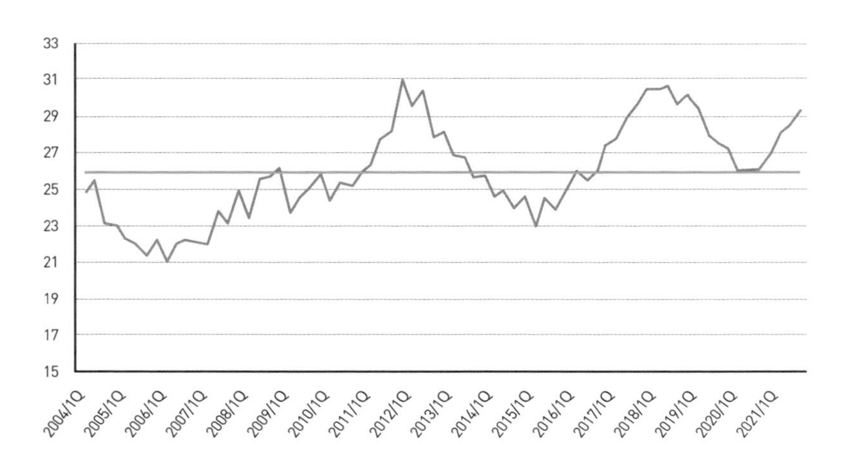

| 경북 주택구입부담지수 |

| 경남 주택구입부담지수 |

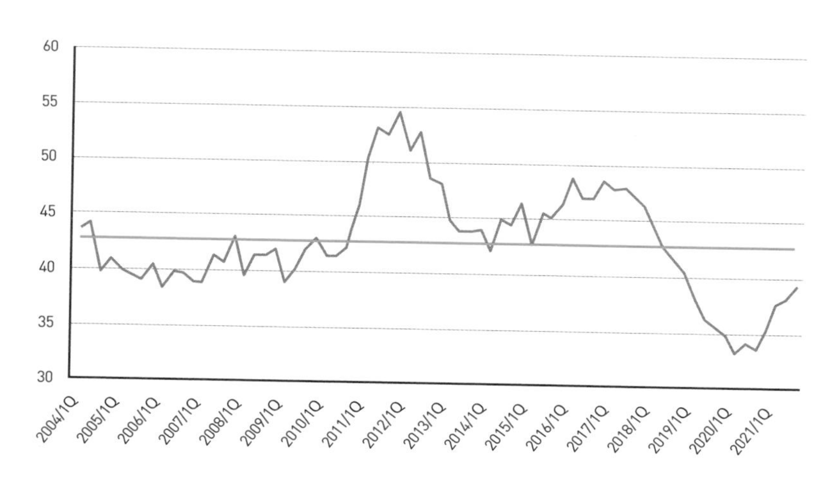

| 전국 8도 주택구입부담지수 비교 |

	2021년 3분기(현재) 지수	전 고점 지수	전 고점 대비 현재 지수 비율	17년간 평균치	평균치 대비 현재 지수 비율
강원	33.4	39.9	83.71%	33.3	100.30%
충북	35.1	45	78.00%	37	94.86%
충남	37.4	43.1	86.77%	38	98.42%
전북	31.4	41.2	76.21%	33.7	93.18%
전남	30.1	31.3	96.17%	26.5	113.58%
경북	28.7	35.8	80.17%	31.1	92.28%
경남	39.2	54.5	71.93%	42.8	91.59%
제주	66.8	87.7	76.17%	54.6	122.34%

현재·미래 공급량으로 엑시트 전략 짜기

앞서 말했듯 부동산 사이클은 크게 수요·공급의 차이로 결정된다. 수요는 인구수를 기준으로 구하며, 공급은 입주 물량과 미분양 물량을 합해서 구한다. 미분양 물량도 원래 신축으로 분양을 했으나 가격이 높아서, 입지가 좋지 않아서, 주변 환경이 별로라서 등의 이유로 팔리지 않은 공급이기 때문이다. 이런 점에서 입주 물량과 미분양 물량은 부동산의 하락 시점을 점칠 수 있는 대표적인 데이터다.

그러니 내가 매수할 지역에 대량의 입주 물량이 예정되어 있거나 미분양이 점차 쌓이고 있다면, 당연히 투자를 재고하고 다시 분석해봐야 한다. 만약 투자할 지역이 앞으로 입주 물량이 많지 않고 현재 미분양도 거의 없는 수준이라면 수요보다 공급이 부족하니 당연히 가격이 상승할 확률이 크다.

어느 지역이나 1인 가구의 증가와 결혼 등으로 세대 분리는 지속될 테니 그럼 필연적으로 주택이 필요해진다. 이때 가장 이상적인 방법은 청약 등을 통해서 아파트를 분양받는 것이다. 하지만 입주 물량이 적어 웬만한 청약 점수로는 당첨이 쉽지 않다. 입주 물량이 적으면 미분양도 없을 확률이 높으니 신축 주택 대신 구축(재고 주택)이라도 매수에 나선다. 수요보다 공급이 적으면 이런 과정을 거쳐 실거주자까지 매수에 나서므로 가격이 상승하는 것이다.

그렇기에 앞으로의 입주 물량과 미분양의 추이를 살펴보는 것은 부동산시장의 방향성을 파악하는 가장 기본적인 단계다. 부동산가격을 결정하는 많은 변수를 거두고 나면 인구 증가와 세대 분리를 통한 주택 수요량과 앞으로 공급을 결정하는 입주 물량, 이렇게 두 가지가 남는다. 다른 변수들은 잘 모르겠고 복잡하게만 느껴진다면 입주 물량과 미분양 물량 정도는 반드시 체크하길 바란다.

추가로 투자 시점에 입주 물량과 미분양 물량뿐만 아니라 아직 공급이 확정되지 않은 대규모 택지가 조성되어 있는지를 파악해보는 것도 좋은 방법이다. LH가 택지개발촉진법을 통해 대규모 주거지를 조성할 수도 있고, 공공·민간·공동 등의 개발 주체가 도시개발법을 통해 아파트를 올릴 수도 있기 때문이다. 이런 잠재적인 공급 물량까지 파악하고 들어가면 시장 예측은 더욱 정밀해질 것이다.

수도권: 서울, 경기, 인천

현재까지도 서울 부동산시장의 상승과 하락에 대한 예측이 갈리고 있다. 하락론자는 기본적으로 2013년 이후 지금까지 상승해온 사이클이 너무 길었기에 현재 가격은 도저히 추가 상승을 기대하기 어려울 정도로 비싸다고 이야기한다. 또한 전세자금대출 규제로 인해 전세가가 조정되면 자연스럽게 매매가도 안정될 것이라고 예측한다.

반대편의 상승론자는 194쪽 그래프처럼 서울의 공급량이 앞으로 크게 줄어들 것이며 미분양 또한 거의 없기에 공급 부족으로 인한 상승을 예측한다. 나 역시 어느 정도 조정은 거치겠지만 공급이 해소되지 않는 이상 서울의 부동산시장은 상승할 거라고 본다. 그러니 서울은 들어갈 수 있을 때 들어가야 한다. 그렇지 않으면 가질 수 없다.

경기의 경우 미분양이 역대 최저 수준이기에 2022~2023년에 수요량 이상의 공급이 있다고 해도 충분히 시장에서 받아줄 만하다고 본다. 경기의 물량은 자체 수요뿐 아니라 서울과 인천의 수요도 흡수하기에 2018년처럼 15만 가구를 밀어내지 않는 한 큰 무리가 없다. 하지만 2020~2021년에 단기 상승률이 과했으므로 실거주가 아닌 투자를 위한 추격 매수는 위험하다.

윤석열 대통령의 공약이었던 '다주택자 양도세 중과 완화'가 시행된다면 그동안 많이 올랐던 수도권, 광역시에서는 일시적으로 물량이 저렴하게 나올 것이다. 만약 시행되지 않더라도 고점 대비 어느 정도 하락

| 서울 수요·공급량 |

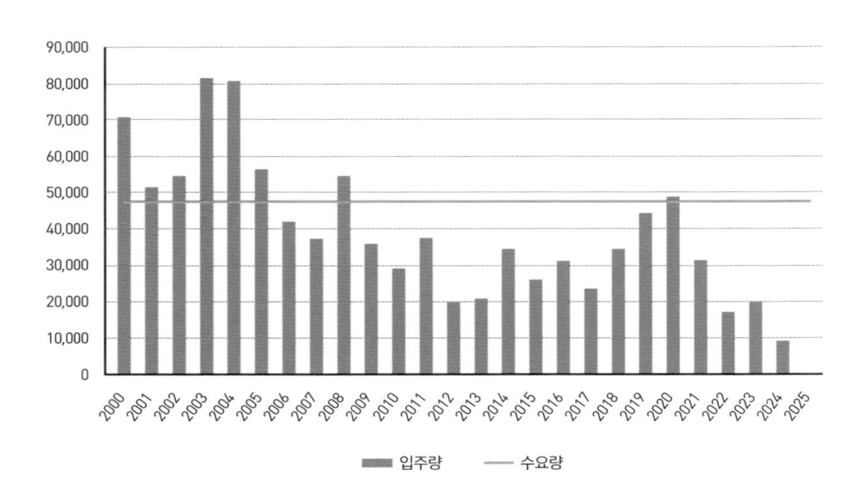

| 서울 미분양 물량 |

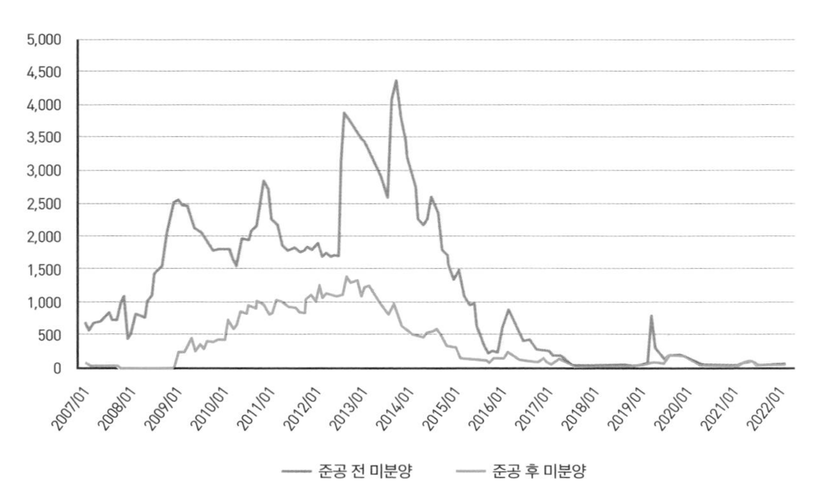

수요·공급 그래프에서 세로축인 물량에서 100 단위 이하는 생략했다. 미분양의 경우 본문에서 좀 더 자세한 수치를 알려줄 것이다.

| 경기 수요·공급량 |

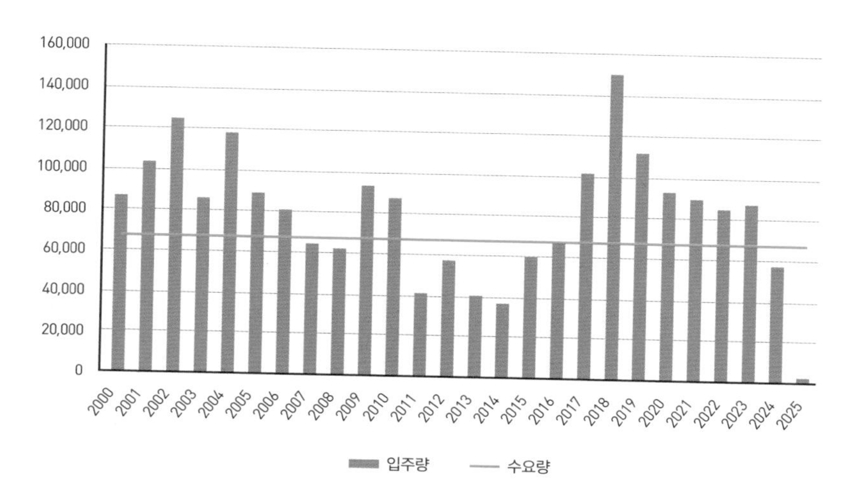

| 경기 미분양 물량 |

| 인천 수요·공급량 |

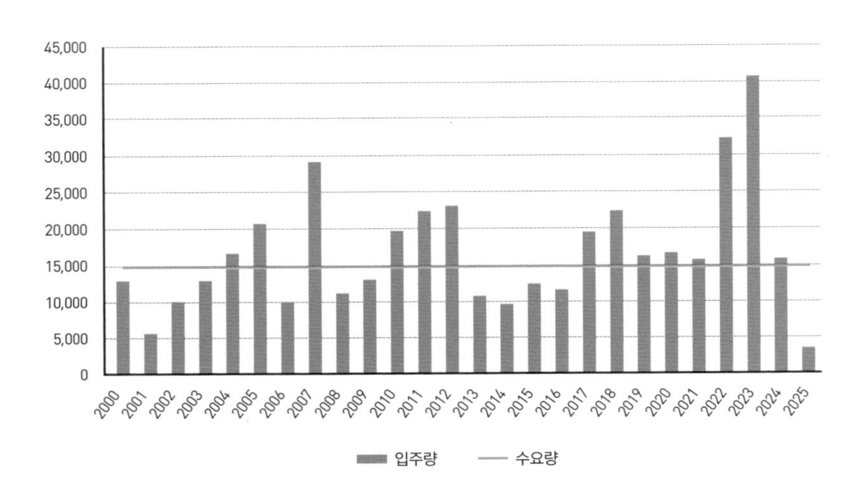

| 인천 미분양 물량 |

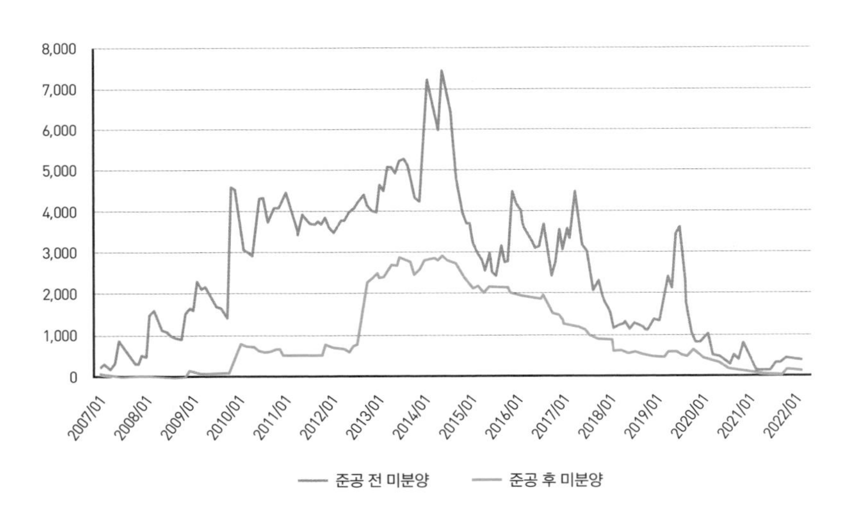

(조정)했다면 길게 봤을 때 들어가도 괜찮다고 생각한다. 전국을 기준으로 보면 수도권에 주택이 가장 부족하기 때문이다.

인천은 2021년 중순부터 한 달에 50가구씩 미분양이 조금씩 쌓이고 있었다. 거기에 2022년 4만 2000세대, 2023년 4만 4000세대, 2024년 2만 3000세대를 다 합치면 10만 가구 이상의 역대급 공급량이 준비되어 있다. 2020~2021년에 매수했다면 괜찮지만 그 이후의 매수는 리스크가 크다.

5대 광역시: 대전, 광주, 대구, 울산, 부산

대전의 수요량은 7200세대이고 2022년의 공급량이 8800세대로, 사실 올해만 지나면 공급이 크게 떨어진다. 하지만 대전의 입주 물량은 2019~2021년도 대비 2022~2024년이 30% 정도 많으니 주의해야 한다. 다만 준공 전 미분양이 약 400세대로, 2007년 데이터 집계 이래로 가장 최저여서 아직 시장 심리가 죽은 것은 아니다.

광주의 연간 수요량은 7200세대다. 대전과 수요량이 같은 건 두 도시의 인구가 144만 명으로 같아서다. 2022년 공급량이 1만 3300세대로 다음 해에는 공급이 크게 떨어진다. HDC현대산업개발의 화정아이파크 사고 여파로 인해 앞으로는 무리하게 공사 기간을 단축하려는 행위

| 대전 수요·공급량 |

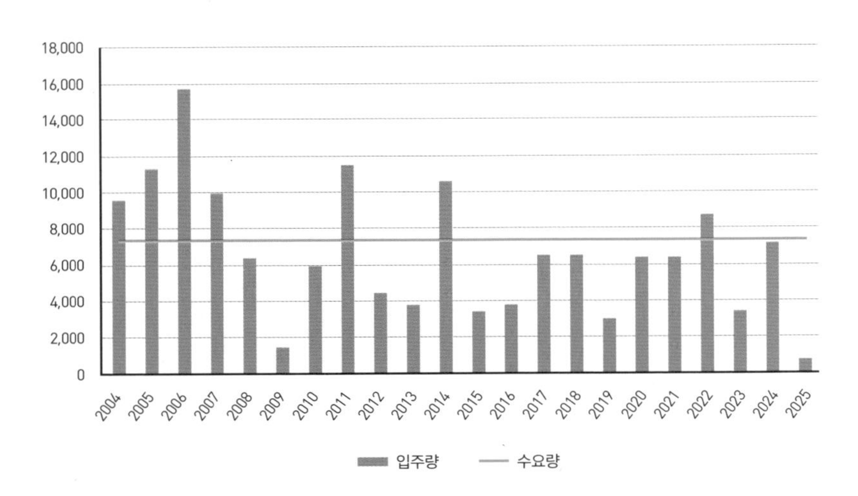

| 대전 미분양 물량 |

| 광주 수요·공급량 |

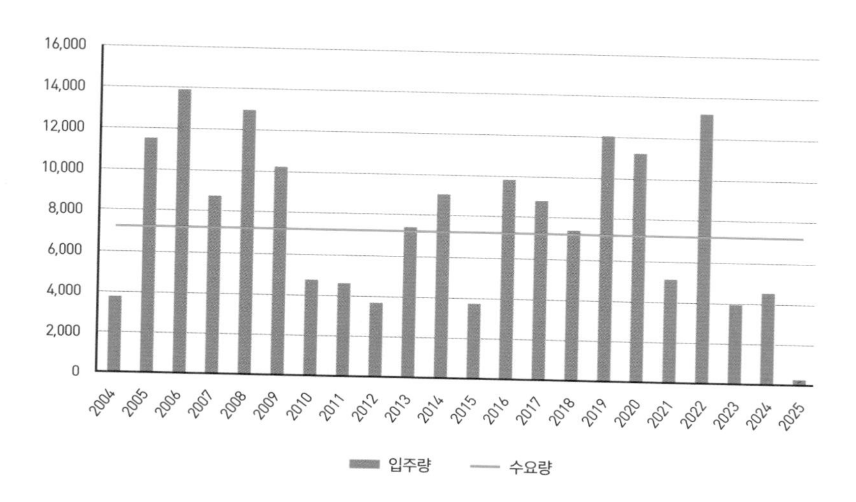

| 광주 미분양 물량 |

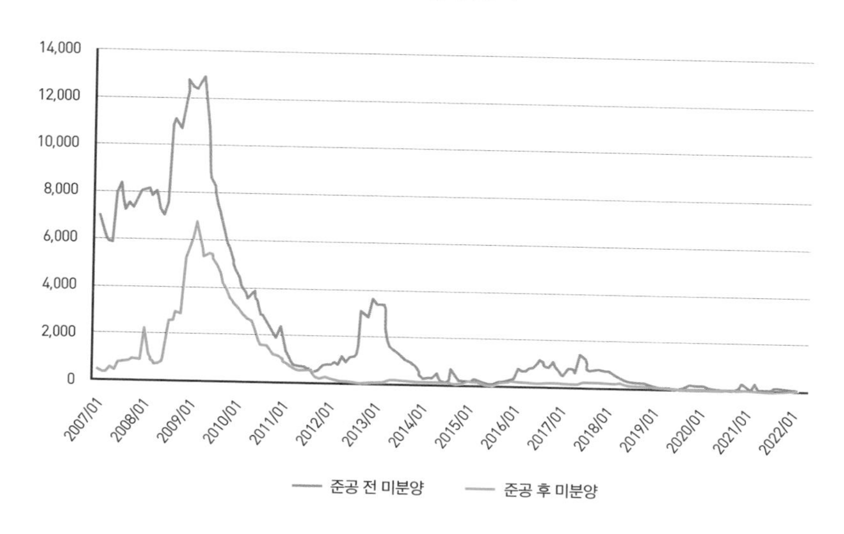

| 대구 수요·공급량 |

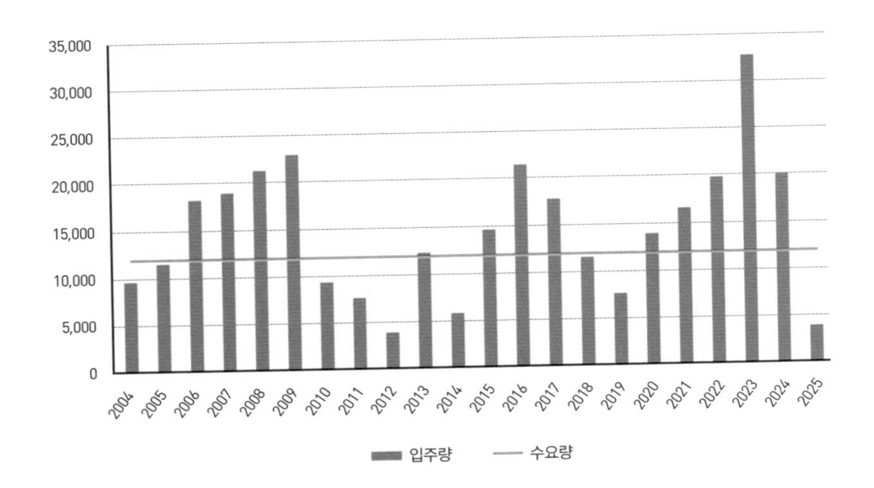

| 대구 미분양 물량 |

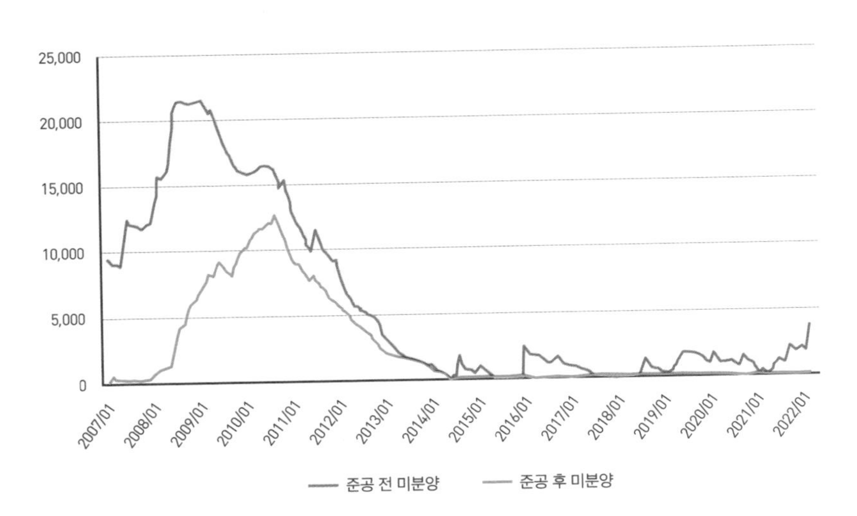

가 단속될 것이기에 공급량이 더 밀릴 가능성도 있다. 광주의 미분양은 단 6세대로 전국에서 가장 좋은 수치다. 그러니 공급량 부족으로 인한 상승을 점쳐볼 수 있다.

대구는 공급에 문제가 있다. 2019~2021년 연평균 입주 물량이 1만 2000세대이고 2022~2024년 연평균 입주 물량이 2만 4000세대여서 공급이 2배나 많아질 예정이다. 이전 공급이 적지 않았기에 미분양이 쌓이고 있다. 미분양 그래프를 보면 준공 전 미분양 그래프가 최근 들어 더욱 높아졌다. 정확한 수치로 보면 2021년 12월에는 준공 전 미분양이 약 2000세대가 있었는데, 한 달 만인 2022년 1월에 3600세대로 증가했다. 현재 대구는 하락장에 있으므로 이 수치가 점차 쌓인다면 구축 아파트의 가격 하락도 더 심해질 것이다.

울산은 광역시 중 인구가 가장 적어 연간 수요량이 5600세대다. 2023년에는 공급이 8600세대로 많지만 2022년과 2024년이 상대적으로 적기에 큰 부담은 없다. 2022년 1월 기준 미분양이 400세대 정도로 그리 많지 않고, 준공 후 미분양(악성 미분양)도 170세대 정도로 다른 광역시에 비해 매우 양호한 편이다.

부산은 2024년 이후 공급 초과 현상이 사라진다. 연간 수요량은 1만 6000세대인데, 2019~2021년 연평균 입주 물량이 2만 3000세대로 초과 공급되었으나 2022~2024년에는 연평균 입주 물량이 1만 7000세대

| 울산 수요·공급량 |

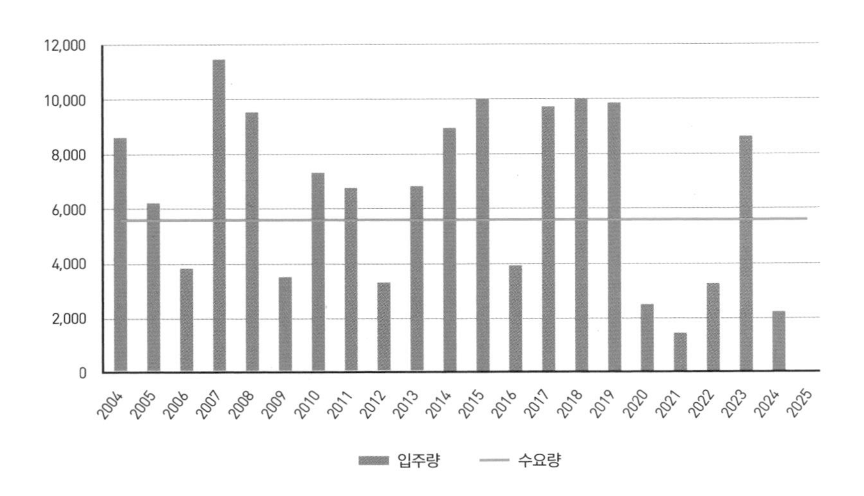

| 울산 미분양 물량 |

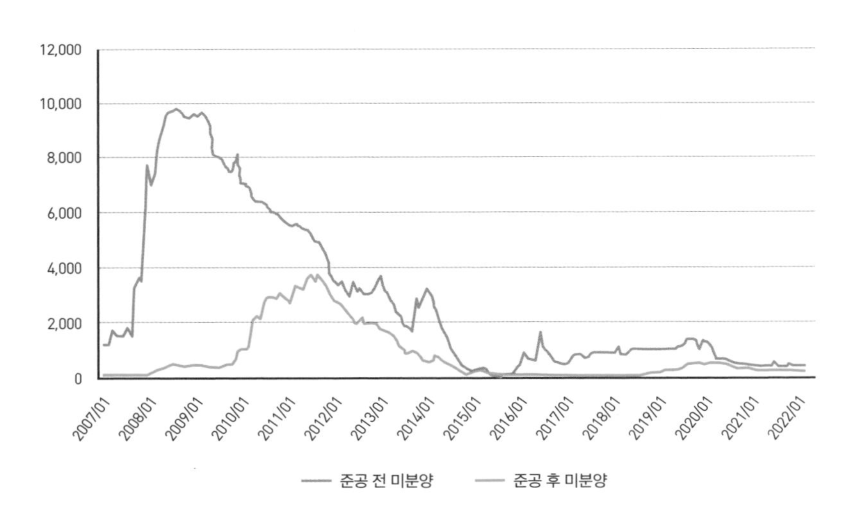

| 부산 수요·공급량 |

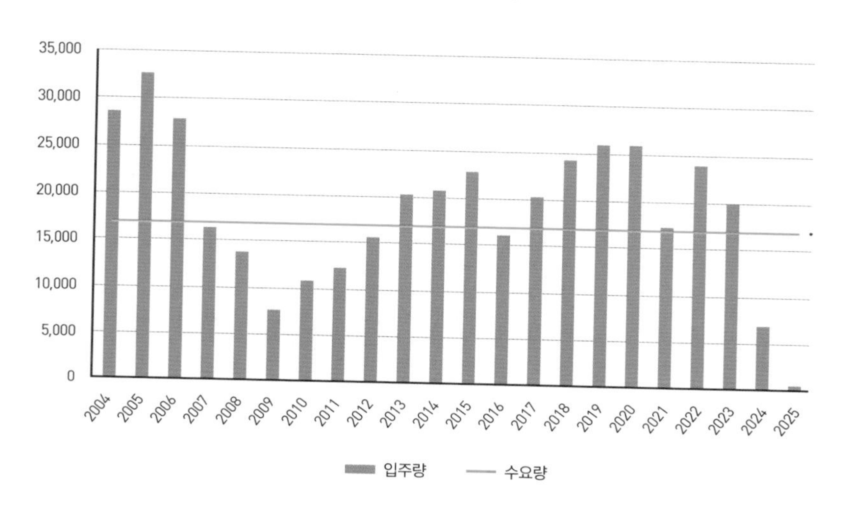

| 부산 미분양 물량 |

로 줄어들고 있다. 미분양은 약 900세대로 역대 최저치인 수준이다. 한창 미분양이 많았던 2009년에는 준공 전 미분양이 1만 5000세대였고 준공 후 미분양도 약 6000세대가 있었다.

지방 8도
: 강원, 충북, 충남, 전북, 전남, 경북, 경남, 제주

강원은 2019~2021년 연평균 입주 물량이 1만 2000세대였으나 2022~2024년 연평균 입주 물량은 약 6700세대로 크게 줄었다. 과공급으로 인한 리스크가 낮아진 것이다. 2024년 공급이 다소 많지만 강릉 3000세대의 영향이다. 강원은 2022년, 2023년, 2025년엔 공급이 부족하므로 충분히 시장에서 받아줄 수 있는 물량이다. 2022년 1월 미분양은 약 1500세대로 이전 데이터와 비교하면 최소치다.

충북 또한 입주 물량이 2019~2021년에 비해 2022~2024년에는 크게 줄어든다. 또한 2022년 이후 3년간의 필요 수요량이 2만 4000세대 정도이나 공급되는 건 1만 8000세대라서 흐름이 괜찮고, 2022년 1월 기준 미분양이 300세대가 되지 않는 역대 최저치여서 시장에서 감당할 수 있는 수준이다. 충북과 흐름을 주고받는 세종과 대전의 공급을 합하더라도 크게 걱정하지 않아도 될 정도의 수치다.

| 강원 수요·공급량 |

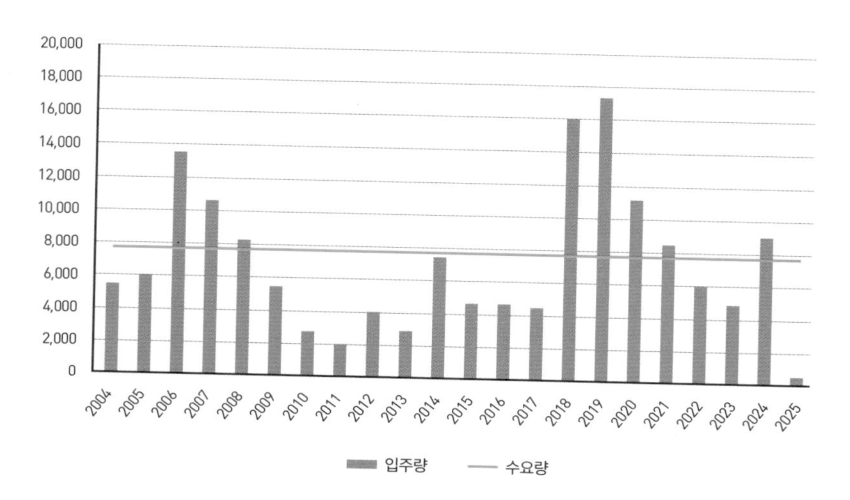

| 강원 미분양 물량 |

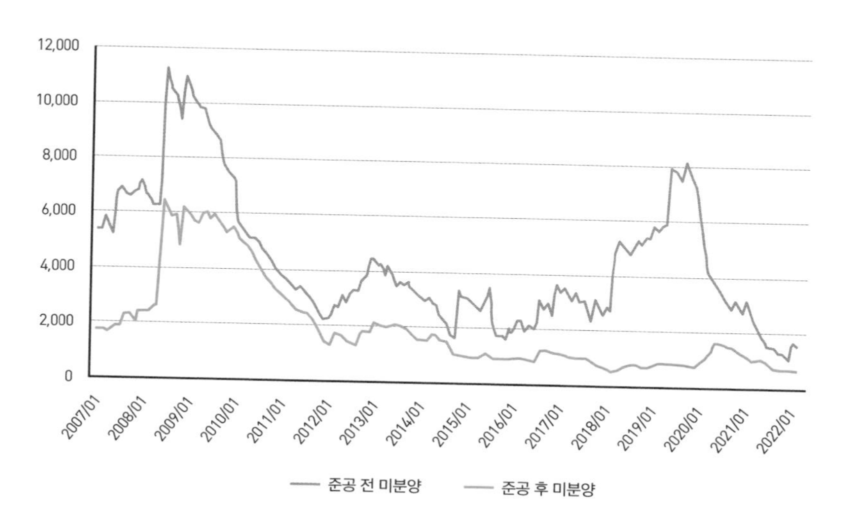

| 충북 수요·공급량 |

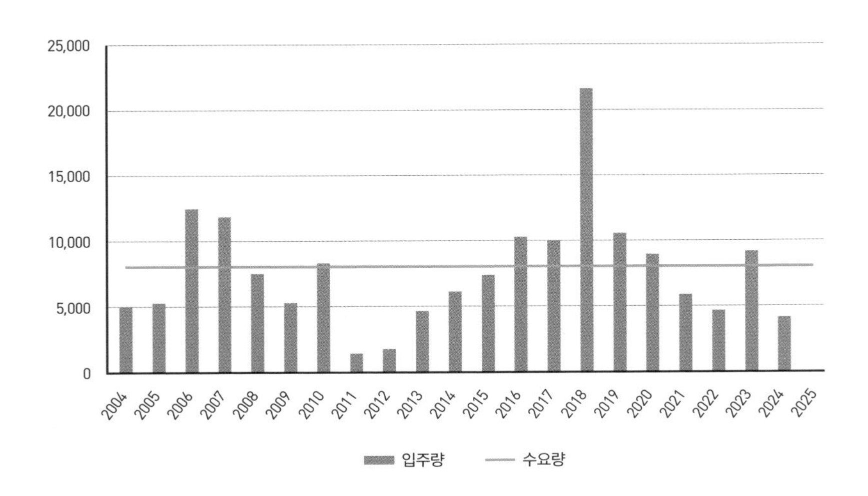

| 충북 미분양 물량 |

충남은 공급량이 많으니 매수 시점뿐만 아니라 매도 시점을 고려할 때도 주의할 필요가 있다. 2019~2021년 연평균 입주 물량은 8200세대이나 2022~2024년 연평균 입주 물량은 1만 7000세대로 두 배가량 늘어난다. 충남의 연간 수요량은 약 1만 세대여서 2022~2024년간의 적정 공급량은 3만 세대이나, 입주 물량에 따르면 총 5만 3000세대로 시장 요구량의 167%를 넘어선다. 충남의 공급량은 아산 약 2만 세대와 천안 약 1만 5000세대가 준비되어 있는데 이 두 지역은 시세흐름이 연동이 되기에 과공급은 시장에 무리를 줄 수 있다.

미분양은 2만 세대까지 올라간 적이 있으나 2022년 현재 1300세대로 줄어들었다. 그런데 2021년 10~12월에 1000세대에서 2022년 1월에 300세대 이상이 추가된 것이라 이후 미분양이 더 추가되지 않는지를 잘 살펴야 한다.

전북은 공급량 면에서 보면 매우 괜찮은 지역이다. 연간 수요량이 9000세대여서 2022~2024년간의 적정 수요량이 2만 7000세대가 되는데 예정되어 있는 공급량은 1만 7000세대에 불과하기 때문이다. 미분양 물량도 2022년 1월 기준 170세대 정도라 아주 양호하다.

법인투자자는 평균 보유 기간이 짧기에 공급량에 크게 예민하지 않아도 되나, 개인

MONEY POINT 28

입주 물량과 미분양 물량으로 파악할 수 있는 공급량은 매수 시점이 아닌 매도 시점을 염두에 두어야 한다. 개인투자자는 양도세 기본세율 적용을 위해 2년간 보유해야 하므로, 2년 뒤 공급량을 체크해 엑시트 전략을 세우는 게 좋다.

| 충남 수요·공급량 |

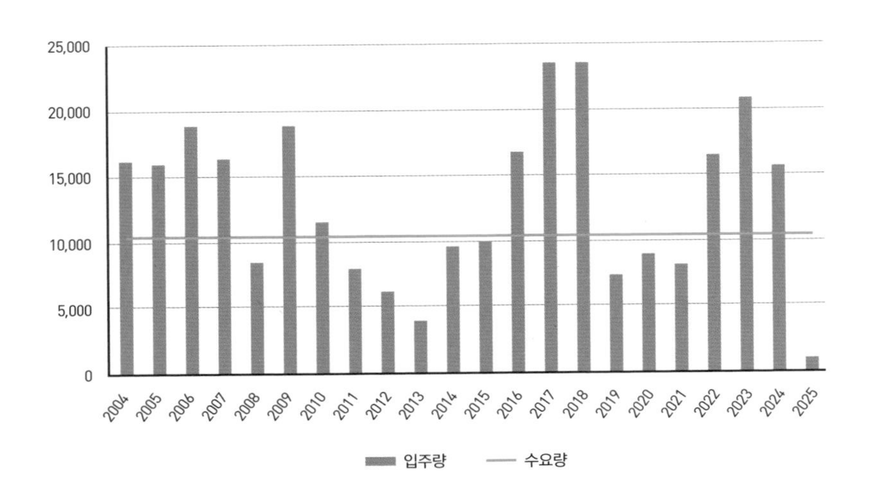

| 충남 미분양 물량 |

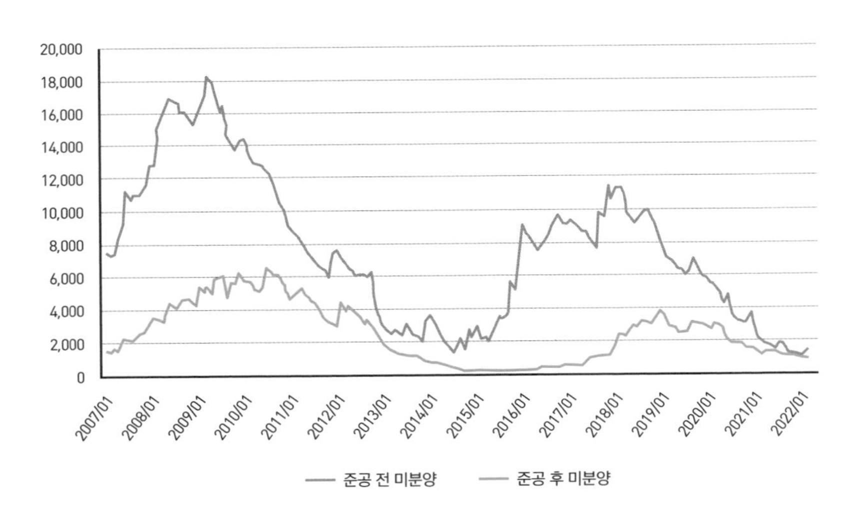

| 전북 수요·공급량 |

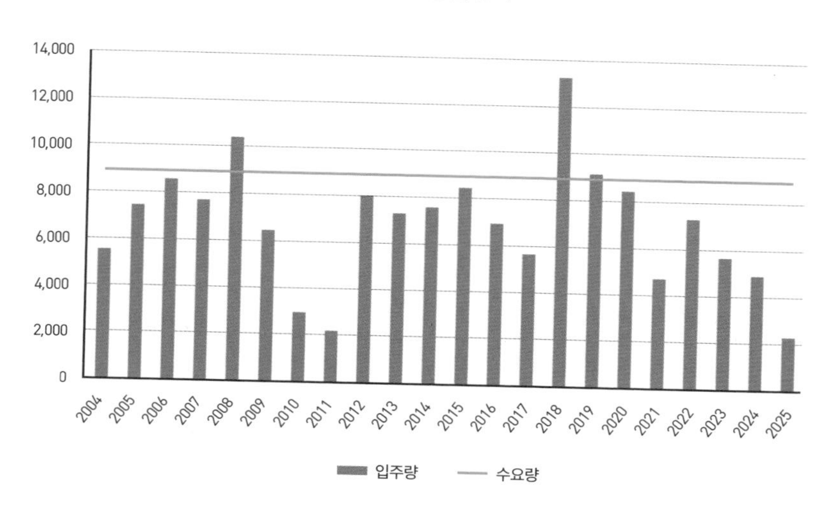

| 전북 미분양 물량 |

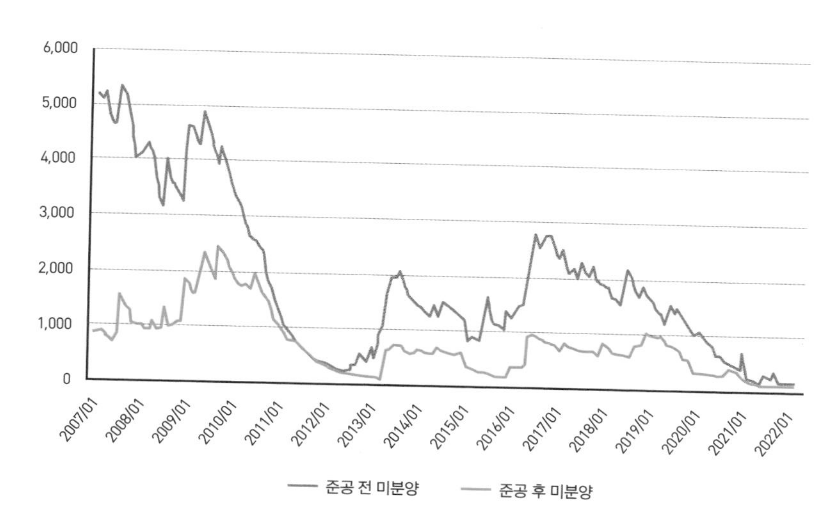

투자자는 매수할 때 2년 뒤 기본세율이 되었을 때 매도가 원활하게 가능한지를 꼭 살펴야 한다. 이런 지역이라면 2022년에 매수하고 2024년에 매도하는 경우 그 시기에 수요량보다 공급량이 적어 구축도 인기가 있을 것이다. 반대로 생각하면 신축이 많이 공급되어 입주장이 펼쳐졌을 때 구축을 팔기는 쉽지 않을 것이다. 왜냐하면 신축도 매력적인 가격으로 전세 또는 매매를 구할 수 있기 때문이다.

> **MONEY POINT 29**
>
> '도'의 미분양이 1000세대가 넘으면 어느 '시'의 미분양이 유독 많은지 살피자. 특정 시의 미분양 물량으로 전체 도의 수치가 높아지는 경우가 많기 때문이다. '도' 단위만 살피고 넘어가면 분석을 잘못할 수 있다.

전남도 수요량에 비해 입주 물량이 부족하지만, 미분양이 증가하고 있다는 점이 문제다. 입주 물량이 줄어드는데 미분양이 증가하는 것은 좋지 않다. 중요한 것은 '도'를 기준으로 미분양을 체크할 때 1000세대 이상이 발생했다면 그 지역에서 어떤 '시'가 문

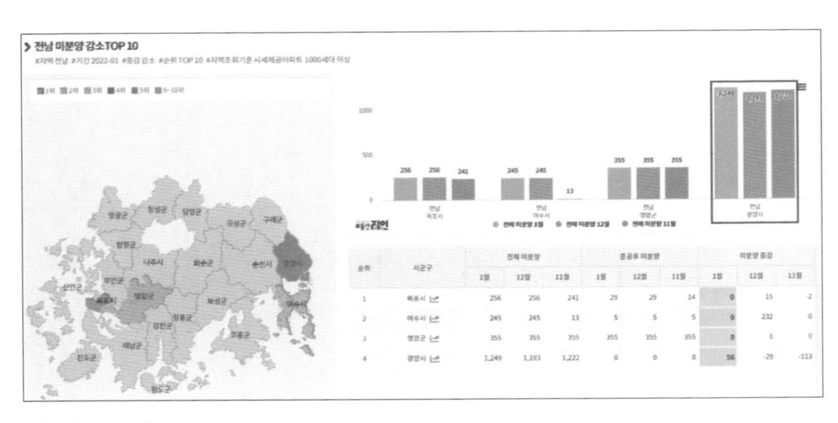

순위	시군구	전체 미분양 1월	전체 미분양 12월	전체 미분양 11월	준공후 미분양 1월	준공후 미분양 12월	준공후 미분양 11월	미분양 증감 1월	미분양 증감 12월	미분양 증감 11월
1	목포시	256	256	241	29	29	14	0	15	-2
2	여수시	245	245	13	5	5	5	0	232	0
3	영광군	355	355	355	355	355	355	0	0	0
4	광양시	1,249	1,193	1,222	0	0	0	56	-29	-113

(출처: 부동산 지인)

| 전남 수요·공급량 |

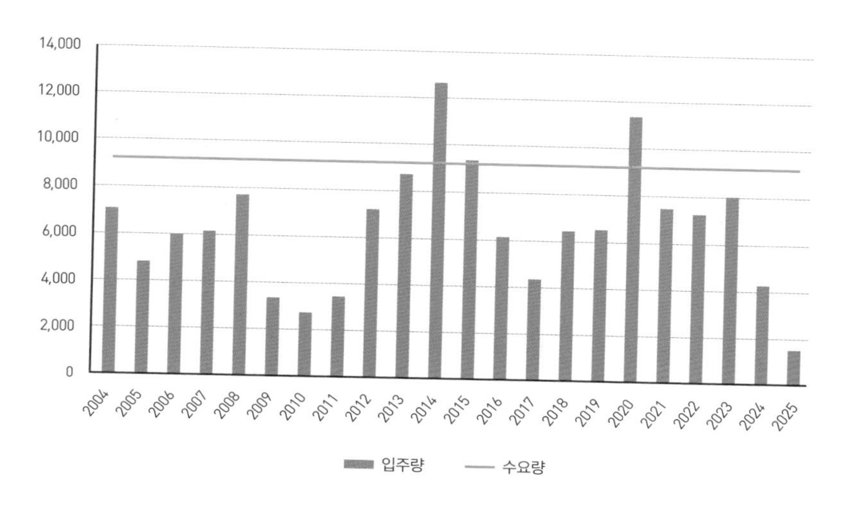

| 전남 미분양 물량 |

제인지를 살펴야 한다는 점이다. 도내에서도 시에 따라 흐름이 상이하기 때문이다.

부동산 지인 프리미엄의 '미분양 증감' 기능으로 전남을 살펴보니 광양에서 미분양이 늘어나고 있었다. 미분양이 많으면 구축 시세가 오르기 어렵다. 신축·분양권이 오른 이후에야 구축의 가격이 상승하기 때문이다. 그러니 미분양이 쌓여 있을 때는 구축에 투자하는 건 삼가야 한다. 구축은 신축의 상승에 대한 키 맞추기를 기대하는 투자인데, 미분양으로 신축의 가격이 올라가지 않으면 의미가 없다.

경북은 2022년에 공급량이 거의 없으나 2024년에 2만 1000세대로 크게 잡혀 있다. 이 중 1만 1000세대가 포항에서, 5000세대가 구미에서, 2600세대가 경주에서의 공급이다. 따라서 경북에 투자하려는 개인투자자에게는 시간이 없다. 2024년 대규모 물량이 들어오기 전에 매도해야 하므로 하루라도 빨리 매수에 나서야 한다. 그래도 불가능한 것은 아닌 게, 2022년 2분기에 매수하고 2년 기본세율을 채운 후 2024년 2분기에 매도(소유권 이전)를 할 텐데, 실제 매매 계

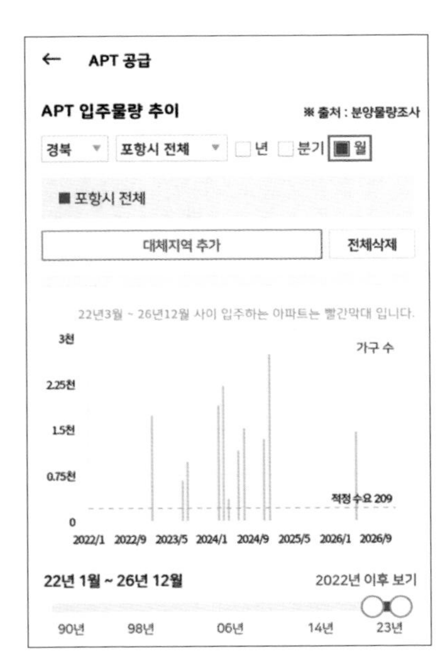

아실 앱에서는 지역별 입주 물량을 '월'로 설정할 수 있다. (출처: 아실)

| 경북 수요·공급량 |

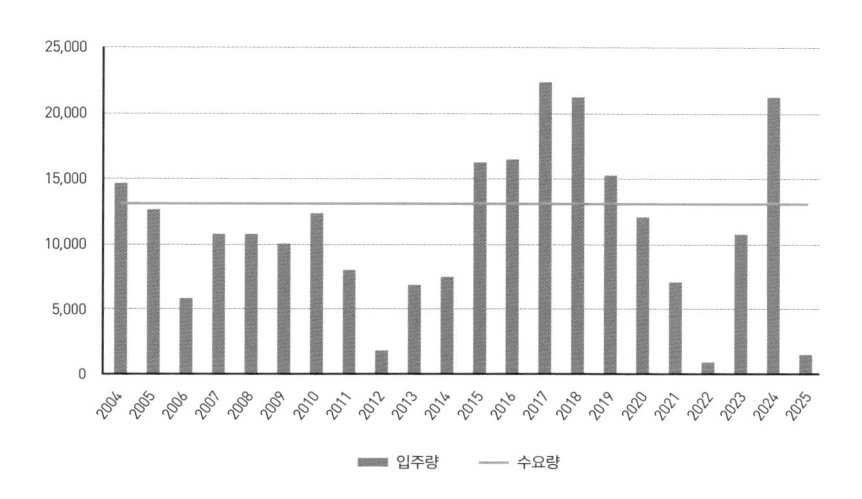

| 경북 미분양 물량 |

약은 보통 잔금일 이전 3개월에 이루어지므로 2024년 1분기에 빨리 계약해서 진행한다면 피해갈 수 있기 때문이다. 이렇게 매도 시점을 디테일하게 조정해야 할 때는 입주 물량을 '년' 단위가 아니라 '월' 단위로 체크하는 것이 정확하다.

2022년 1월에 미분양 물량이 크게 늘어난 것은 포항시 남구 오천읍에서 3000세대가 미분양이 나왔기 때문이다. 여기는 원래 입지가 좋지 않으므로 큰 의미를 두지 않아도 된다.

경남의 상황은 매우 괜찮다. 수요·공급량 그래프를 보면 2020년부터 공급이 수요보다 적은 것을 알 수가 있다. 2019~2021년 연평균 입주 물량은 2만 1000세대였으나 2022~2024년 연평균 입주 물량은 1만 2000세대로 크게 줄었다. 미분양은 3000세대가 있는데 2022년 1월에 사천시에서 1300세대가 늘었다. 나머지 미분양 지역은 거제시 700세대, 창원시 700세대 등이다.

마지막으로 제주 지역을 살펴보자. 제주의 공급량 그래프는 누가 봐도 앞으로 투자하기에 좋은 상태임을 알 수 있다. 미분양 그래프를 보면 과거 2013년 6500세대, 2016~2017년 4700세대의 과공급이 아직도 쌓여 있는 모습을 볼 수 있다. 다만 2022년 3월 현재 제주에 대한 투자자들의 관심이 높아지고 있어 2020년 5월 미분양 1400세대가 900세대 정도까지 내려온 모습이다.

| 경남 수요·공급량 |

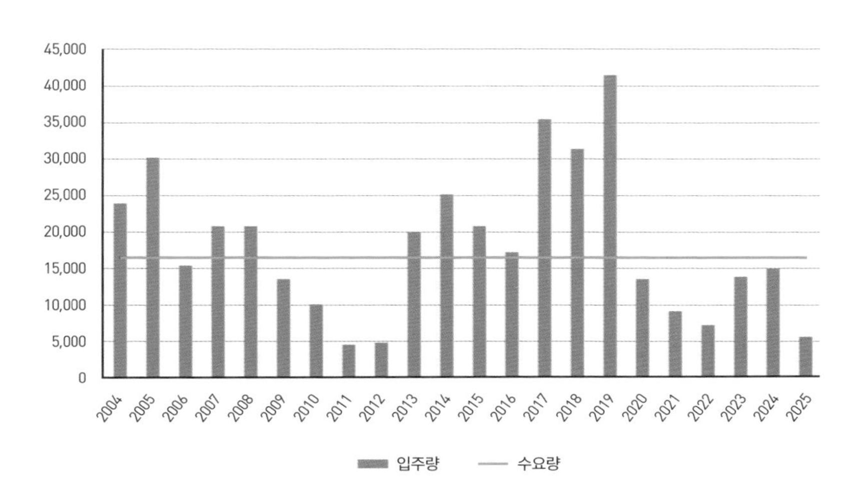

| 경남 미분양 물량 |

| 제주 수요·공급량 |

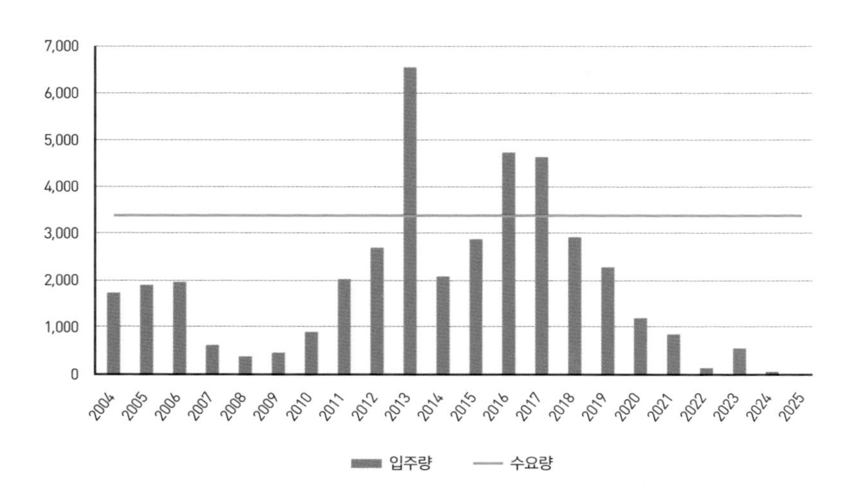

| 제주 미분양 물량 |

| 지방 8도의 2022~2024년 입주 물량과 수요량 비교 |

	2022~2024년 입주 물량	2022~2024년 수요량	입주 물량/수요량
강원	20,145	23,073	87.3%
충북	18,371	23,955	76.7%
충남	53,312	31,794	167.7%
전북	17,808	26,829	66.4%
전남	19,568	27,507	71.1%
경북	33,061	39,411	83.9%
경남	36,046	49,746	72.5%
제주	809	10,152	8.0%

앞서 자세히 살펴본 지방 8도 입주량과 수요량을 표로 만들면 위와 같다. 2025년의 경우 아직 준공 예정 물량이 제대로 안 잡혀 있기에 2022~2024년의 적정 수요량에 비해 입주 물량이 얼마나 부족한지 혹은 얼마나 많은지를 따져보았다.

결과는 제주가 8.0%로 가장 적었고 다음으로는 전북 66.4%, 전남 71.1%, 경남 72.5%, 경북 83.9%, 충북 76.7%, 강원 87.3% 순이다. 이 중에 주택구입부담지수가 높았던 지역은 제주와 전남이다. 그래서 만약 아파트 시세차익 투자를 한다면 전북, 경남, 경북, 충북, 강원이 투자하기 좋은 지역이라고 생각한다. 지방이니 조정대상지역이라도 2년 후 기본세율이 적용되고 매도할 때는 다주택자 양도세 중과 배제로 양도세 부담도 적으니 투자를 고려해볼 만하다.

매물 비율로 단기 상승 지역 찾기

고심 끝에 집을 고르고 계약금을 딱 넣었는데 잔금일에 집값이 몇천만 원 올라간 경험이 있는가? '난 운이 정말 좋다'거나 '내가 물건 보는 눈이 있다'고 기분 좋게 넘겼겠지만 사실 비교적 쉽게 이런 현상을 예측할 수 있다. 가격이 올라간 건 시중에 거래할 만한 매물이 줄어들었기 때문이다. 공급과 수요의 법칙에 따른 것이다. 즉 투자자가 들어와서 거래량이 늘어나 시중에 있는 매물이 줄어들었고, 이를 눈치챈 매도자가 매물을 거두어들이거나 가격을 더 올려서 다시 내놓기에 시간이 지날수록 가격이 상승하는 것이다.

그럼 이와는 반대로 시중에서 물건을 빨리 팔기 위해 너도나도 매물을 내놓는다고 가정하자. 이를 받쳐주는 매수세가 없는 상황이라면 물건이 팔리지 않기에 더 공격적으로 가격을 낮춰서 다시 내놓을 수밖에 없다. 이때는 시장에서 매물이 점차 쌓인다.

MONEY POINT 30

특정 지역의 총세대수 대비 매매 물량이 적으면 매수 후에 바로 가격이 상승할 가능성이 크다. 전세 물량이 적은 지역도 전세 가격이 오를 수 있으므로 갭 투자에 용이하다. 매물량은 빠르게 변하므로 단기간의 추세를 파악하기에 적합하다.

네이버 매매·전세 매물량에 지역별 총세대수를 나눠보면 매물이 적은지 많은지를 알 수 있다. 총세대수 대비 매매 매물량이 적은 지역은 매수 후에 가격이 상승할 가능성이 크고, 전세 매물량이 적은 지역은 갭 투자가 용이하다. 전세 물건이 점차 줄어들면서 전세가격이 오른다. 그리고 이렇게 오른 전세가격은 매매가격의 상승을 부채질한다.

매물량의 향방은 시시때때로 달라지기 때문에 특정 시일을 기점으로 투자하기 좋은 지역을 판단할 수 있으며, 꾸준하게 관찰하면 전체적인 흐름도 파악할 수 있다.

220쪽 표는 2022년 4월 3일 현재 지역별 총세대수 대비 매매·전세 매물량의 비율을 나타낸 것이다. 전국의 총세대수 대비 매매 매물량의 평균치는 1.48%이며, 이보다 낮은 지역은 서울, 광주, 강원, 충북, 전북, 전남, 경북, 제주다. 또한 앞에서 이야기했듯 총세대수 대비 전세 매물량의 비중이 낮으면 좋은 가격에 전세를 맞출 수 있는데 강원, 충북, 전북, 전남, 경북, 경남, 제주가 상대적으로 괜찮은 상황이다. 최근 월세 계약이 증가하는 추세인 만큼 여기에 월세 매물량을 함께 비교해보면 시장을 더 깊이 있게 분석할 수 있을 것이다.

| 지역별 총세대수 대비 매매·전세 매물량의 비율 |

	총세대수	매매 매물량	매매 매물량/ 총세대수	전세 매물량	전세 매물량/ 총세대수
서울	4,442,586	51,585	1.16%	26,764	0.60%
경기	5,861,240	100,911	1.72%	30,404	0.52%
인천	1,303,227	22,336	1.71%	7,458	0.57%
부산	1,549,967	35,889	2.32%	8,957	0.58%
대전	666,643	11,107	1.67%	3,844	0.58%
대구	1,065,477	28,364	2.66%	7,643	0.72%
울산	483,490	11,742	2.43%	2,175	0.45%
광주	647,419	9,453	1.46%	2,773	0.43%
강원	748,626	7,842	1.05%	2,453	0.33%
충북	763,610	10,043	1.32%	2,168	0.28%
충남	1,005,290	15,963	1.59%	3,745	0.37%
전북	850,567	8,524	1.00%	1,934	0.23%
전남	905,202	5,967	0.66%	1,338	0.15%
경북	1,279,337	14,954	1.17%	1,018	0.08%
경남	1,508,852	23,083	1.53%	4,423	0.29%
제주	308,530	982	0.32%	227	0.07%
평균치			1.48%		0.39%

매매·전세 매물량은 2022년 4월 3일 현재 네이버 부동산 데이터 기준이다.

초기분양률로 시장 심리 읽기

초기분양률은 특정 시점의 신규 주택에 대한 니즈를 파악해 시장 심리가 살아 있는지를 체크할 수 있는 좋은 지표다. 초기분양률은 주택도시보증공사에서 운영하는 주택정보포털HOUSTA과 국가통계포털KOSIS에서 확인할 수 있다.

이 자료로 만든 223쪽 그래프를 보면 2021년 3분기에는 수도권, 광역시, 지방 8도 전부 초기분양률이 100%에 가깝다. 시장 심리가 아직 살아 있다는 의미다. 부동산 하락을 전망한다면 당연히 초기분양률이 크게 떨어져야 하고 준공 후 미분양(악성 미분양)도 쌓여 있어야 한다. 분기별 데이터이기에 지금의 상황을 체크하기에는 무리가 있지만, 이 데이터와 월별 미분양 데이터를 크로스체크한다면 어디가 문제가 될지

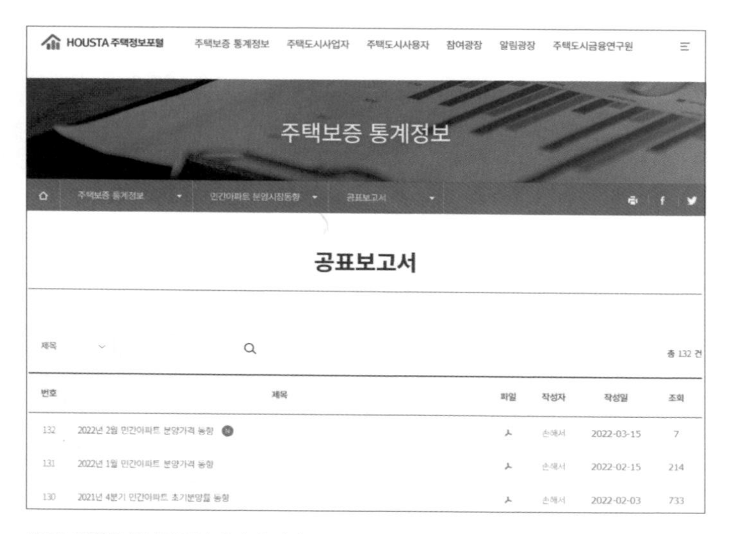

HUG 주택도시보증공사에서 운영하는 HOUSTA 주택정보포털(http://www.khug.or.kr/houstar/web/p01/03/p010301.jsp)에서 주택보증 통계정보 → 민간아파트 분양시장동향 → 공표보고서 순서로 메뉴를 클릭하면 분기별로 초기분양률 동향을 확인할 수 있다. (출처: HOUSTA)

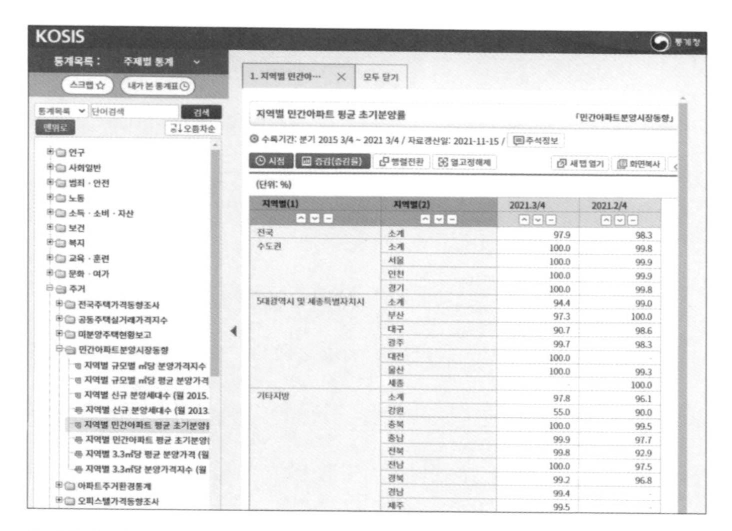

국가통계포털(KOSIS)에서 국내통계 → 주제별 통계 → 주거 → 민간아파트분양시장동향 → 지역별 민간아파트 평균 초기분양률 순서로 메뉴를 클릭하면 분기별로 초기분양률을 확인할 수 있다. (출처: KOSIS)

정도는 금방 확인이 된다.

MONEY POINT 31

초기분양률은 신규 주택에 대한 니즈를 파악해 시장 심리가 살아 있는지 체크할 수 있는 지표다. 초기분양률이 떨어지고, 준공 후 미분양도 쌓여 있다면 부동산 하락의 시그널이라 볼 수 있다.

지금까지 다섯 가지 빅데이터로 '도' 단위 흐름을 분석하는 방법을 알려줬다. 먼저 매매가격과 전세가격 추이를 통해 덜 오른 지역을 찾아보고, 주택구입부담지수 그리고 입주 물량과 미분양 물량을 통해 수요량과 공급량을 비교해 시세의 방향성을 예측한다. 이를 통해 상승흐름이 있는 지역을 추린 후, 그중에서 세대수 대비 매매·전세 매물량이 가장 적은 지역을 찾아 매수 포인트를 잡는다. 마지막으로 초기분양률로 시장 심리가 살아 있는지도 체크한다. 초보 투자자라면 이 수치들을 꾸준히 업데이트하며 확인하는 것만으로도 투자 실패를 막을 수 있을 것이다.

| 지역별 민간아파트 초기분양률 |

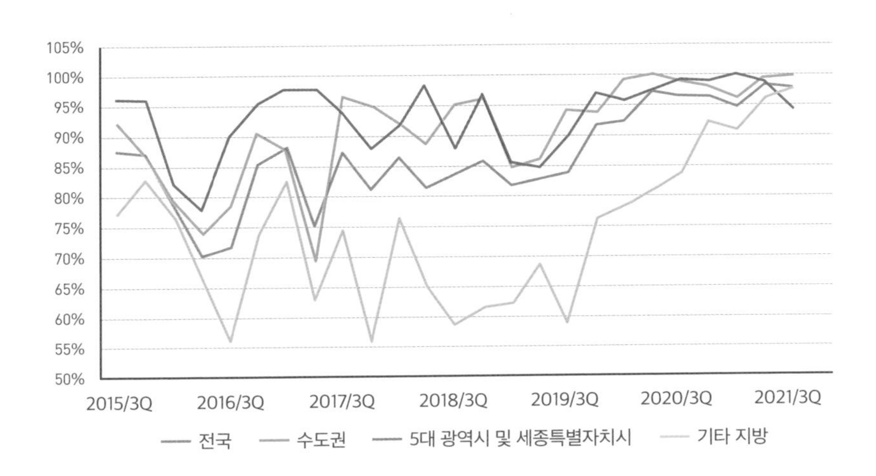

한 지역을 다각도로 분석하는 빅데이터 활용법

앞서 전국을 세 단위로 나누어 매매·전세가격 추이, 주택구입부담지수, 입주·미분양 물량, 매매·전세 매물량, 초기분양률을 이용해 지역 흐름을 보았다. 이번에는 추가로 한 지역을 정해 다양한 데이터로 지역 분석을 연습해보자. 사실 최대한 많은 부동산 빅데이터들을 확인하는 것만큼 중요한 것도 없다. 다양한 관점에서 지역 분석을 할수록 리스크도 줄어들기 때문이다.

지역은 전북 전주로 선정했다. 앞서 살펴본 다섯 가지 데이터로 분석해본 결과 전북이 좋은 흐름을 보여주고 있었고, 그중 전주가 인구 1위 도시이기 때문이다. 이제 앞서 살펴봤던 '도' 단위 흐름을 체크한 후 투자를 하고 싶은 '시' 단위 지역이 생겼을 때 다양한 데이터를 분석해 현재 투자해도 될지 판단하는 과정을 연습해보자.

거래량 추이

난 주식을 아주 어렸을 때부터 해왔기에 거래량의 중요성을 매우 잘 알고 있다. 거래량은 증권시장의 장세를 판단하는 데 가장 중요한 지표이며 주가에 선행하는 특징을 가지고 있으므로 매매 시점을 파악하기 좋다.

아래에서도 볼 수 있듯 전주시의 거래량이 평균 1000건(검정색 긴 점선)인데, 빨간색 화살표를 한 부분은 평균치를 넘어 치솟는 것을 볼 수 있다. 게다가가 전 거래량 고점을 차례로 깨면서 더 큰 거래량 고점을 만들어내고 있다. 이때가 투자자가 1차, 2차, 3차 대량으로 들어왔을 때다.

당연히 큰 거래량이 나온 후에는 투자자의 매집 활동이 멈추고, 웬만큼 괜찮은 물건은 사라진 후다. 그럼 그 이후 매도자는 이미 투자자가

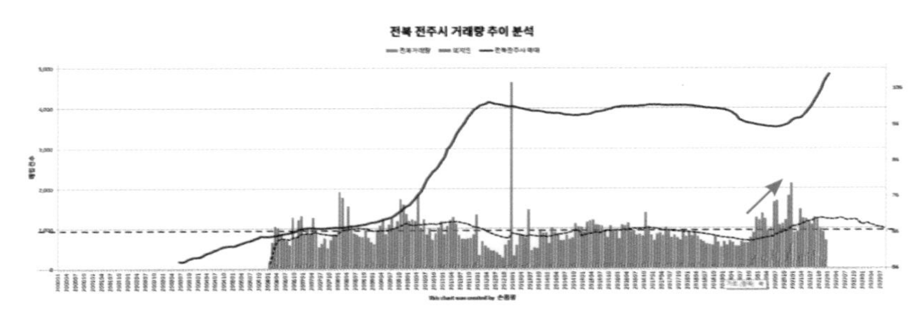

(출처: 손품왕)

들어왔음을 눈치챘기에 호가를 더 높여서 매도를 내놓거나 아니면 상승장이 시작될 것이라 여겨 매물을 거둔다. 이런 과정을 거쳐 가격은 자연스럽게 상승한다.

외지인 거래량 추이

225쪽 거래량 그래프에서 파란색 막대는 총거래량이고 빨간색 막대가 외지인 거래량이다. 그리고 외지인 거래량만을 따로 빼서 만든 것이 아래 그래프다. 여기서 재미있는 사실을 알 수 있다. 바로 외지인 거래량의 평균이동선(검은색 점선)만 보면 시세 그래프와 모양이 매우 흡사하다는 것이다. 거래량은 시세를 반 년 정도 선행한다고 본다.

외지인 거래량을 봐야 하는 이유는, 전국을 투자 대상으로 삼는 전업 투자자들은 잠을 잘 때 빼고는 부동산 투자만 생각하는지라 정보에 가장 민감하고 현재의 시세를 객관적으로 바라보기 때문이다. 투자자들

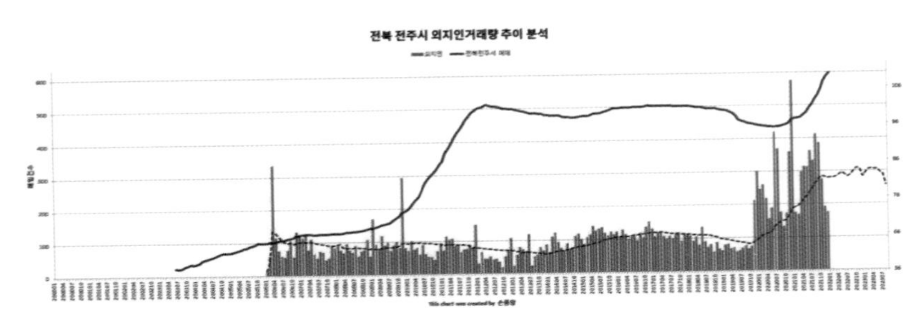

(출처: 손품왕)

사이에는 내 앞마당은 잘 못 지킨다는 말이 있다. 등잔 밑이 어두운 것도 있지만 기존 시세를 계속 봐왔기 때문에 지금의 가격이 비싸다고 느껴서 투자에 뛰어들기 어렵다는 것이다. 해당 지역 사람의 경우 이미 거래됐던 저점을 알고 있는지라 상승기 때 선뜻 들어가지 못한다. 또한 그 지역에 사는 동안 부동산 사이클을 경험하면서 호되게 가격 하락을 맛본 사람들은 투자를 금기시하는 경향이 크다. 그러니 외지인이 외려 호재를 잘 파악하고 빠르게 투자에 나설 수 있는 것이다. 비슷한 맥락으로 공인중개사 역시 여러 물건을 보기에 투자도 잘할 것 같지만, 오히려 그렇지 않다고 한다.

외지인 거래량 추이와 시세가 싱크로율이 잘 맞는 이유는 실거주자의 수요로는 집값이 오르지 않기 때문이다. 외지인 투자자의 투자 수요가 함께 섞여줘야 가격 상승흐름이 일어난다. 실거주자는 자신이 생각해놓은 조건과 지역 안에서만 움직이려고 하지만, 투자자는 절대적으로 수익률만 보기 때문에 지역을 넘나들며 비교적 높은 금액으로도 매수할 수 있는 것이다. 이런 투자자의 행보가 가격을 상승시키는 요인이 된다.

부린이에게 투자를 시작할 때는 내가 살고 있는 지역을 중심으로 분석하라고 권하는 경우가 많다. 물론 맞는 말이지만 때에 따라 외지인이 투자를 더 잘하는 경우도 종종 있으니 지역을 꼭 내가 사는 곳으로 한정할 필요는 없다. 참고로 전업 투자자의 경우 법인으로 투자하는 경우도 많기에 법인 거래량도 함께 보면 도움이 된다.

전세지수

전세가가 사용가치라면 매매가는 투자가치를 반영한다. 이에 매매가가 전세가보다 밑으로 내려왔을 때가 매수 기회가 된다. 사용가치가 투자가치보다 높으므로 전세가가 오른 만큼 매매가도 따라서 올라갈 수밖에 없기 때문이다.

전세가는 그 집을 사용할 수 있는 사용가치다. 넓게 보면 물가상승률이나 M2 통화의 증가에 비례해 상승한다. 다만 주택의 공급 사이클에 맞춰서 초과 공급 상태일 경우 가격이 보합이거나 떨어지는 경우도 있다.

전세지수 그래프를 보면 거의 전세지수(빨간색 선) 위쪽으로 매매지수(검정색 선)가 형성되어 있는 것을 확인할 수 있다. 즉 사용가치(전세가)에 투자가치가 더해진 것이 매매가라는 의미다.

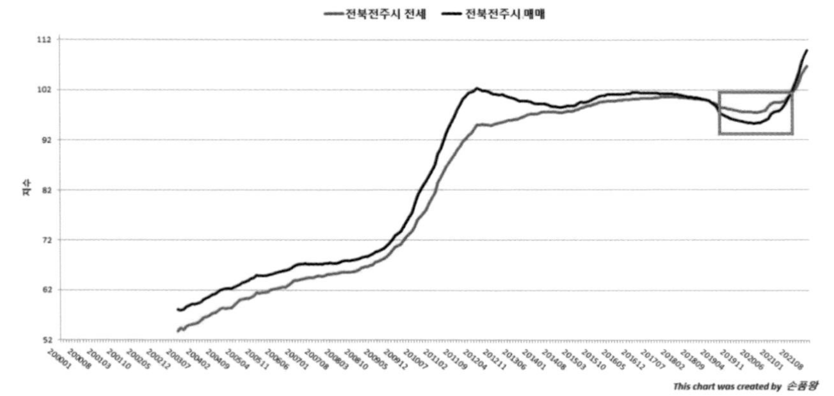

(출처: 손품왕)

그런데 그래프에서 특이한 구간이 있다(빨간색 박스). 바로 2019년 말부터 2021년 중반까지 매매가가 전세가보다 더 밑으로 내려왔을 때다. 이때 매매가가 곧 전세가를 넘어 상승할 거라는 예측을 할 수 있었다면 좋은 투자 포인트에 매수 기회를 잡았을 것이다. 2022년 2월 현재까지 전주의 전세지수는 급격하게 오르는 중이므로 당분간 매매가도 따라서 올라갈 수밖에 없다.

매수매도지수

매수매도지수 그래프를 보면 빨간색 선으로 된 '매수많음지수'와 초록색 면의 '매수우위지수'가 매매지수에 선행하는 것을 볼 수 있다. 이

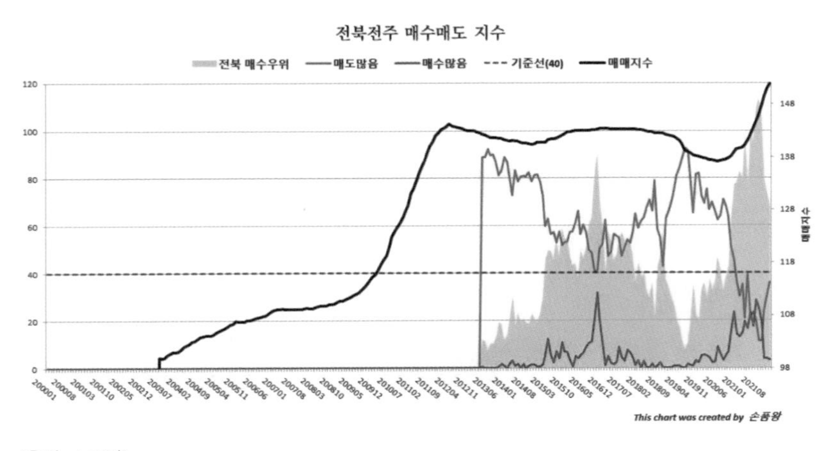

(출처: 손품왕)

는 KB부동산에서 협력 부동산중개소를 대상으로 매물 동향과 매수·매도 문의 등을 조사한 자료로, 시장 분위기를 체크할 수 있다.

'매수우위지수'는 '100 + 매수우위 비중 - 매도우위 비중'으로 계산해 매수세 우위, 비슷함, 매도세 우위로 나누어 현재의 시장 상황을 파악하는 데 참고할 만한 지표다. 229쪽 그래프에서 전주시의 경우 '매수우위지수'의 평균선(검정색 점선)이 40이고, 현재 그보다 더 높은 상태에 매수우위지수가 형성되어 있으므로 앞으로의 전망이 좋다고 할 수 있다.

전세수급지수

전세수급지수는 KB부동산에서 전세 수요에 비해 공급량이 어느 정도인지 공인중개사를 통해 매달 조사한다. 전세 공급 상황을 '부족·적당·충분'으로 답하게 해 100을 중심으로 부족하다는 답변 비중을 더하고 충분하다는 답변 비중을 뺀 심리지수다. 쉽게 말해서 기준치 100을 넘어 수치가 클수록 전세 공급이 부족하다는 응답이 많다는 뜻이다.

이것도 지역의 전체 평균치가 얼마인지를 알면 편하다. 전주의 전세수급지수 평균은 150 정도였지만 빨간색 네모 표시가 되어 있는 시기에는 상대적으로 수급이 양호했다. 이 시기에 전세 매물량이 평균치보다 많았다는 것이다. 매매 시세를 보면 가격이 내려온 것을 확인할 수 있다.

반대로 생각하면 전세수급지수가 높다는 것은 시장에서 전세를 구

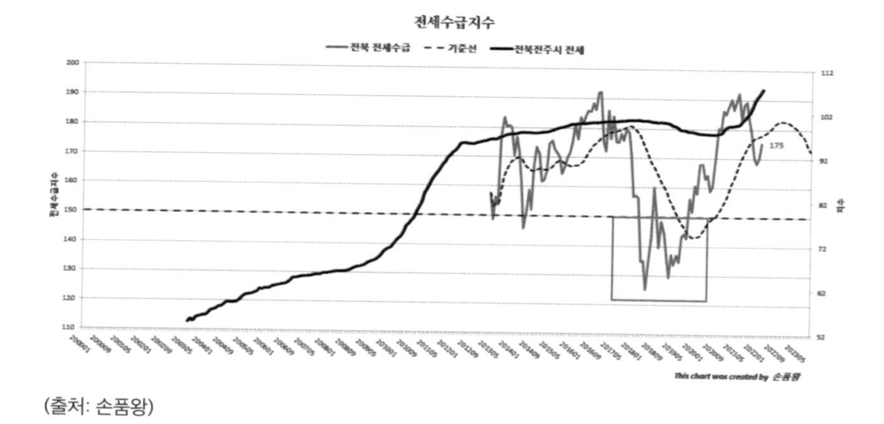

(출처: 손품왕)

하기가 어렵다는 의미이며, 그만큼 전세가격 상승을 유도한다. 그리고 전세가격의 상승은 다시 매매가격의 상승으로 이어진다. 전세수급지수만 잘 봐도 투자에 큰 도움이 되는 이유다.

세대 추이

지역을 살필 때 인구 추이를 볼 수도 있고 세대 추이를 볼 수도 있는데 이 중에 더 적합한 것은 세대 추이다. 그 이유는 세대수에 따라서 주택이 필요한 구조이기 때문이다. 2022년 현재 인구수는 전년 대비 0.23% 감소했으나 1~2인 가족이 늘어남에 따라 세대수 분화는 활발하게 진행 중이다.

부동산 투자의 필승법은 단 하나다. 내가 산 집의 가격보다 더 비싸게 가격을 쳐주는 뒷사람이 나타나야 한다. 그러기 위해서 내 뒷사람은 나보다 더 나은 재력 또는 돈을 빌릴 수 있는 능력, 이 둘 중 하나가 필요하다. 그래서 가처분소득이 줄어드는 금리 인상이 부동산에서 큰 영향을 미치는 것이다. 어쨌든 나보다 비싸게 집을 사줄 사람이 많아지려면 세대수가 많은 것이 유리하다.

아래 세대 추이 그래프를 보면 2010년 22만 세대에서 2022년 29만 세대로 지속적으로 증가해왔다. 이렇게 세대수가 지속적으로 성장하는 도시를 골라야 한다. 세대수가 빠지는 지역에는 리스크가 있다.

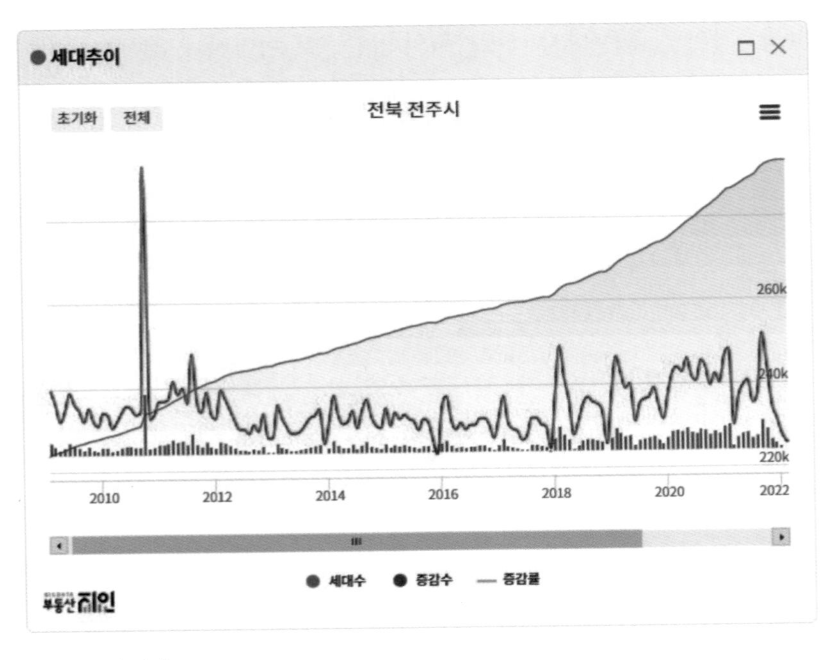

(출처: 부동산 지인)

사업장 총수 및 1인당 월평균 소득

앞에 세대 추이에서 내가 집을 산 가격보다 더 비싼 가격으로 사줄 뒷사람의 조건 중 재력을 이야기했다. 그 재력은 사업장 총수 및 1인당 월평균 소득 그래프에서 확인할 수 있다.

전주시 데이터를 보면 사업장 총수와 1인당 월평균 소득이 꾸준히 올라가고 있다. 만약 투자하려고 하는 지역이 이와 반대로 사업장 총수와 1인당 월평균 소득이 감소하고 있다면 장기적으로 위험한 신호라고 봐야 한다.

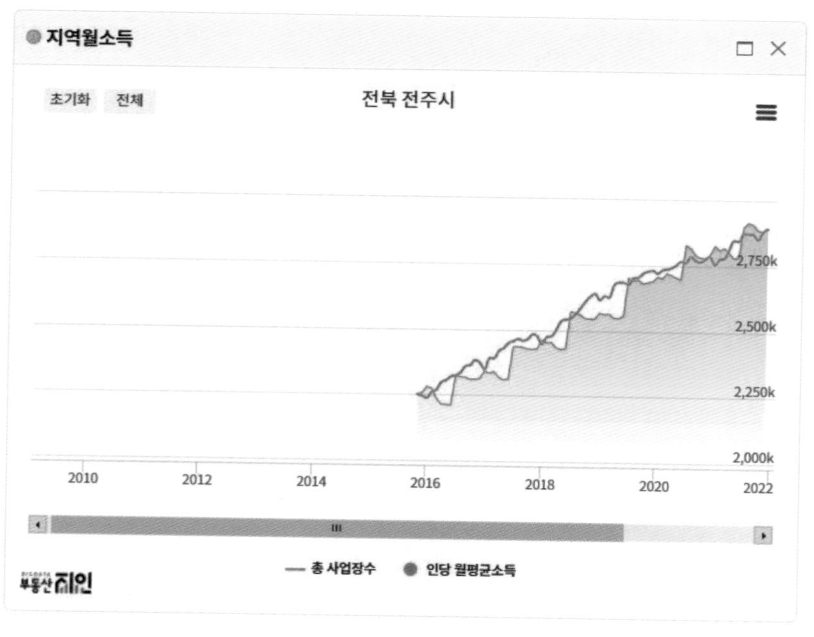

(출처: 부동산 지인)

PIR

소득 대비 주택가격PIR, Price Income Ratio은 몇 년 치의 가구당 소득을 모아야만 대출을 받지 않고 평균값의 주택을 구입할 수 있는지를 나타내는 데이터다. 부동산 지인에서는 소득을 전국 근로자 3분위로 놓고 주택가격은 전용면적 $84m^2$(32평) 아파트의 평균값으로 했다.

2022년 2월 현재 서울의 PIR은 24년이다. 2014년에는 10년 정도였는데, 그동안 소득은 5200만 원에서 6200만 원으로 20% 정도 뛰었지만 주택가격은 5억 원에서 15억 원으로 더 높은 상승률을 보여 PIR이 굉

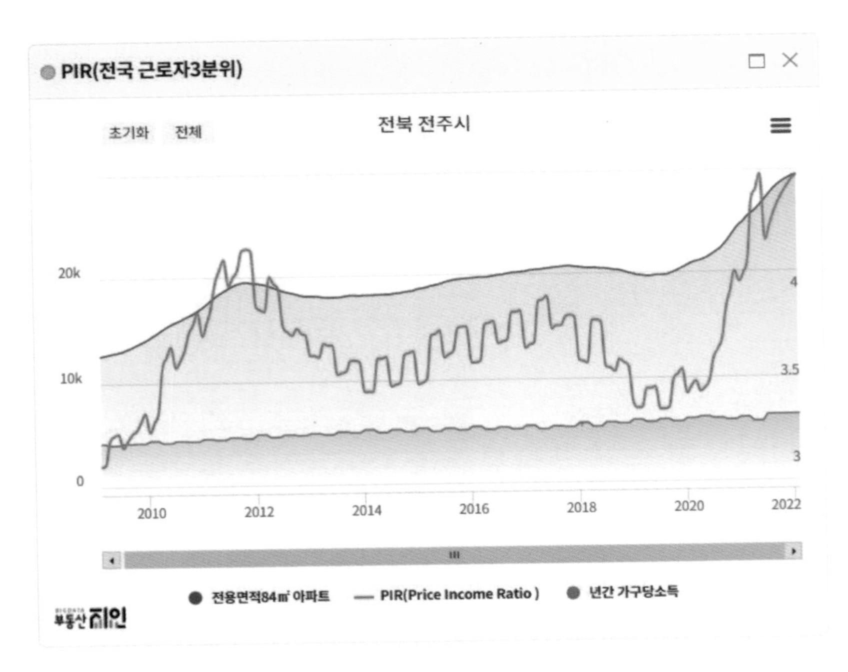

(출처: 부동산 지인)

장히 커진 것이다. PIR은 한 도시의 수치를 가지고 판단하는 것보다 수도권, 광역시, 지방 8도에서 인구 1~3위 등 여러 도시의 연관관계를 따져가면서 판단하는 것이 좋다. 상위입지로 갈수록 더 높은 PIR을 감당하려고 하기 때문이다.

4장

아파트 단지까지 알려주는 가장 친절한 투자 사례 16

지도로 보는 잭파시의 부동산 포트폴리오

수도권

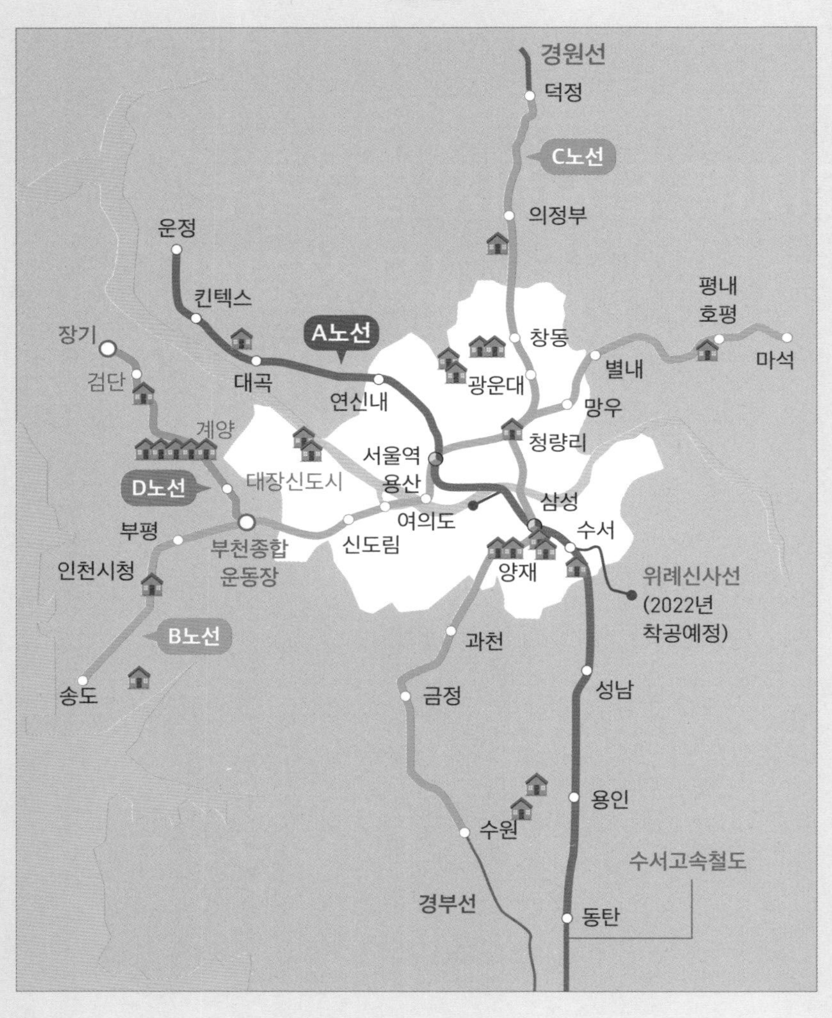

지방

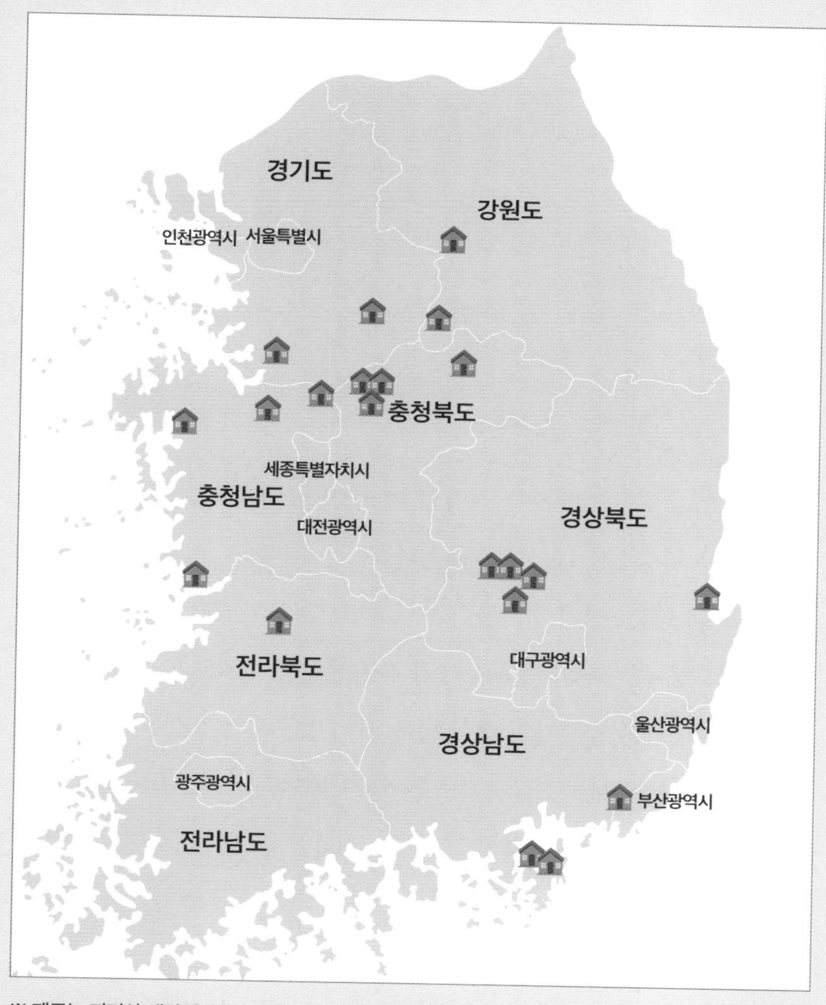

※ 제주는 지면상 생략했다.

GTX 노선을 활용한 서울 구축 아파트 투자법

부동산 투자를 시작할 때 내가 중점에 둔 테마는 GTX였다. 시간이 지날수록 GTX로 인한 파급력은 더 커질 거라고 예상했다. 실제로 현재 GTX 역이 추가된다는 이슈만으로도 단숨에 호가가 몇억이 뛰는 대형 호재가 되었다. 물론 내가 투자했던 당시에도 GTX 초역세권은 이미 매매가와 전세가의 갭이 너무 커서 접근하기가 쉽지 않았다. 그래서 GTX 영향권에서 2급지 정도의 25평 계단식, 1998년 이후의 대단지 아파트 위주로 물건을 찾아 1000만~2000만 원으로 가능한 경우에만 매수에 나섰다.

손품과 발품이 많이 필요한 작업이었지만 결국 이 물건들은 아직까지도 나의 큰 자산이 되어주고 있다. 서울은 2000만 원, 경기는 1000만 원 정도로 역세권에 위치한 25평 계단식 구축 아파트에 투자해 10채 정도를 가지고 있는데, 이번 상승기 때 최소 3억 원씩은 다 올랐다. 그동안 전세가도 오르기 때문에 임대차 3법에 따라 5%만 올렸는데도 1000만~2000만 원의 투자금은 매도하기도 전에 회수할 수 있었다. 이때부터는 그냥 묻어두면 된다. 앞서 말했듯 이 아파트들은 주식에서 우량주나 다름없기에 장기적으로 보유할 예정이다.

MONEY POINT 33

서울 아파트 매수 원칙은 GTX 영향권에서 2급지에 위치하고, 1998년 이후 준공됐으며, 500세대 이상의 대단지인 25평 계단식 아파트로 매매가와 전세가의 갭을 2000만 원 내외로 맞출 수 있는 물건이었다.

사례 1 서울 강북구 창동대우 아파트 25평

먼저 2017년 가을에 매수한 창동대우 아파트의 사례를 소개하겠다. 당시에는 경매로 창동 ESA홈타운 33평을 낙찰받아 살고 있었는데, 바로 옆 단지가 창동대우 아파트였다. 그때 머릿속에는 온통 GTX 노선 생각뿐이었고 창동역 근처는 갭이 너무 컸기에 이 아파트 단지에 투자하기로 했다.

지금 생각하면 겁이 없었던 것 같다. 만약 매수 후에 전세입자를 구하지 못했다면 매매 잔금을 마련할 여력이 없으니 계약금을 몽땅 날려버릴 수도 있는 상황이었다. 하지만 약 10년간 수십 번을 투자해오면서

창동대우 아파트 단지 외관.

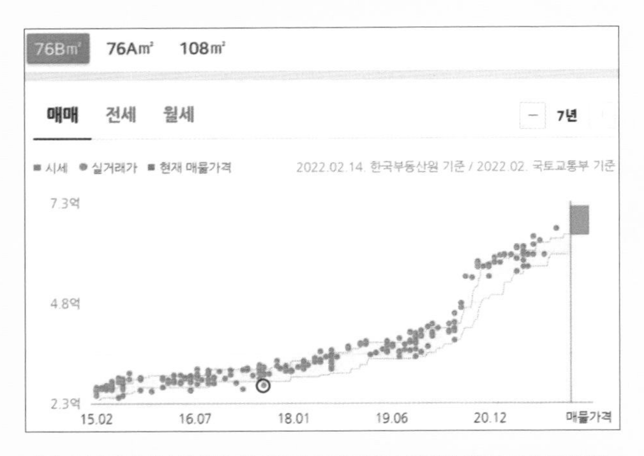

네이버 부동산에서 검색한 실거래가 그래프에서 검정색 원 표시가 되어 있는 부분이 실제 매수 타이밍이다. (출처: 네이버 부동산)

| 투자비용과 투자수익 산출 내역 |

투자비용		투자수익	
매매가	2억 8000만 원	실거래가	6억 원
전세가	(-) 2억 6000만 원	매매가	(-) 2억 8000만 원
총투자비용	2000만 원	시세차익	3억 2000만 원

단 한 번 빼고는 전세입자를 구하는 데 실패한 적이 없다. 특히 이 아파트의 경우 952세대였는데 전세가 단 한 건도 없어서 전세입자를 구하지 못할 거라고는 생각하지 않았다. 2억 8000만 원에 계약을 체결하고 매매 바로 다음 날 2억 6000만 원에 전세입자를 구할 수 있었다.

사례 2 경기도 남양주시 평내마을평내2차대주파크빌 25평

2018년 말 GTX-B 노선을 보다가 평내호평역을 알게 되었다. 직접 가보니 ITX 청춘으로는 청량리역까지 약 20분이면 도착할 수 있었고, 경춘선을 이용해 서울로 출근하는 직장인도 많았다. 당시 8호선이 별내역까지 연장 공사가 진행 중이었으므로 완공된다면 서울 도심뿐 아니라 잠실이나 송파로 가기에도 편리해 보였다. 이미 잠실로 가는 M 버스가 잘되어 있기도 했다.

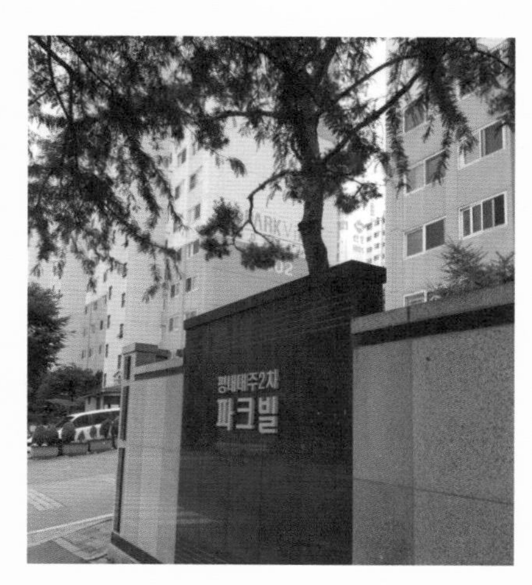

평내마을평내2차대주파크빌 단지 입구.

매수 당시 전세입자가 2억 원에 살고 있었으며, 매매 호가 2억 1500만 원에서 200만 원을 깎아 2억 1300만 원에 계약을 체결했다. 2005년식이라 내부와 외관은 괜찮은 상태였고, 임차인이 거주하고 있었기에 따로 인테리어 비용이 들어가지도 않았다. 곧 임대차 계약이 종료되는데 2022년 2월 기준 시세가 두 배 오른 4억 원에 형성되어 있다.

이렇게 수익이 확정된 수도권 아파트의 경우 전세금을 올려 받아서 시세차익형 물건에 재투자를 하거나 준전세로 돌려 전세금이 오른 만큼 월세로 받아서 임대수익형 투자로 변경하는 방법도 있다. 전세금이 1억 5000만 원 인상됐을 때 수익률을 4%로 계산하면 한 달에 50만 원(1억

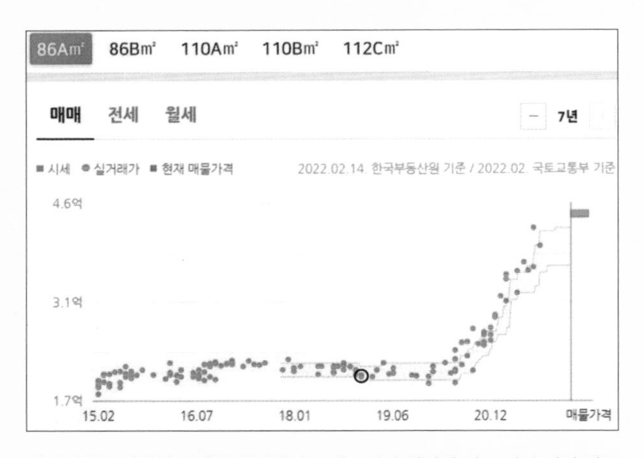

네이버 부동산에서 검색한 실거래가 그래프에서 검정색 원 표시가 되어 있는 부분이 실제 매수 타이밍이다. (출처: 네이버 부동산)

| 투자비용과 투자수익 산출 내역 |

투자비용		투자수익	
매매가	2억 1300만 원	실거래가	3억 9900만 원
전세가	(-) 2억 원	매매가	(-) 2억 1300만 원
총투자비용	1300만 원	시세차익	1억 8600만 원

5000만 원 × 4% ÷ 12개월)은 받을 수 있다. 보다 간단하게 계산하면 전세금 3000만 원당 월세는 10만 원이 된다. 앞으로 금리가 계속 오른다면 월세 전환 금액이 더 오를 수도 있어서 장기적으로 쏠쏠한 수익이 된다.

MONEY POINT 34

투자금을 전부 회수해 안전마진이 확보된 수도권 아파트를 장기 보유할 경우에는, 전세금을 올려 받아 시세차익형 물건에 재투자하거나 하락장을 대비하기 위해 준전세로 돌려 오르는 전세금만큼 월세로 받는 방법이 있다.

월세가 들어오는 물건이 많아질수록 임대소득세의 부담이 늘어나긴 하지만 꾸준한 현금흐름을 얻을 수 있다는 장점이 있다. 또한 하락장에 대비한 포트폴리오를 만드는 데도 임대수익형 부동산은 가지고 있을 필요가 있다.

사례 3 경기도 고양시 일산풍동에이스 22평

이 사례는 다른 물건에 비해 큰 수익이 나진 않았지만 돈 없는 직장인으로서 부동산 투자를 하기 위해 이렇게까지 노력했다는 걸 보여주고 있어 소개하고자 한다.

2019년 여름 네이버 부동산으로 검색하다가 매매가와 전세가가 같은 소규모 단지의 22평짜리 물건을 발견했다. 일산의 부동산가격이 급격하게 내려갈 때라 1억 원 중반밖에 안 되는 금액이었다. 풍동에서 경의중앙선 백마역과 가장 가까워 GTX-A 대곡역의 영향을 받을 수 있을 거라고 판단했다. 대곡역 근처는 개발제한구역이라 역세권이라고 할 수 있는 단지가 없었기 때문이다. GTX-A 대곡역이 아니더라도 대곡-소사선의 일산역 연장 공사 중일 때라 완공되면 김포공항에서 5호선, 9호선, 공항철도선으로 환승이 가능하고 부천종합운동장에서 7호선으로 환승이 가능해진다. 이런 지리적 이점을 고려해 매수를 결정했다.

아파트 매물을 검색하면서 가장 기쁠 때가 매매가와 전세가가 비슷한 물건을 찾았을 때다. 물론 더 기쁠 때는 전세가가 매매가보다 훨씬 높을 때다. 이 시기의 일산은 철저하게 매수자 우위의 시장이었기에 부동산을 통해서 500만 원을 네고('협상negotiation'의 줄임말로 주로 가격을 깎

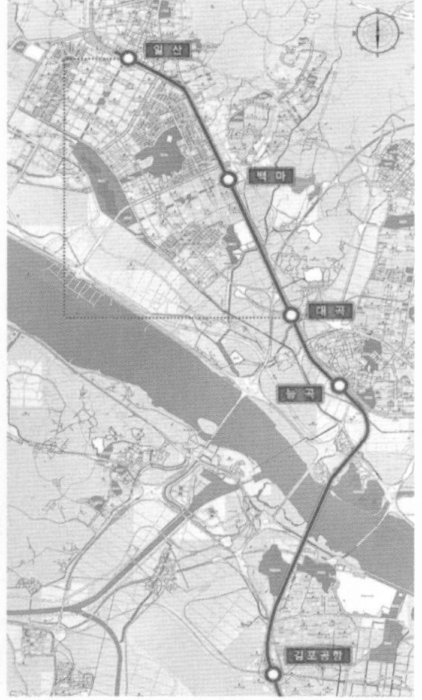

일산풍동에이스 단지 외관(왼쪽)과 대곡-소사 복선전철의 일산역 연장 예상 노선도(오른쪽).

는 것을 뜻함)했으나 처음엔 매도자가 싫다고 했다. 한 달 정도 더 지켜본 뒤에도 계속 매물로 있는 걸 확인한 후 다시 한 번 500만 원을 깎아 1억 6500만 원을 제시했고 계약을 체결했다.

이후 1억 5500만 원에 전세입자를 구했는데 문제가 생겼다. 전세입자가 개인 사정으로 잔금에서 5000만 원을 2주 후에나 줄 수 있다는 것이다. 매매 계약 잔금 날짜는 다가오는데 아무리 돈을 짜내도 1500만 원이 부족했다. 그런데 정말 희한하게도 열심히 하는 모습을 보여주니 당시 임대차 계약을 중개했던 부동산중개소 사장님이 직접 마이너스통장을 만들어 1500만 원을 빌려주겠다고 했다. 결국 금전소비대차와 약속어음을 발행해 잔금을 처리할 수 있었다.

자본주의 사회에서 돈을 빌릴 수 있는 능력 또한 중요하다. 10년 전 처음 경매를 배웠을 때는 낙찰을 받고 싶어도 계약금이 없어서 놓친 물건이 많았다. 돈 씀씀이가 헤프지 않았음에도 월급 200만 원으로는 도저히 돈을 모을 수 없었기 때문이다. 다만 직장인이기에 얻는 이점도 있다. 바로 '신용도'다. 특히 나에게는 매우 중요했다. 내 개인의 신용은 그리 높지 않더라도 회사원으로서의 나는 더 높은 평가를 받을 수 있었기 때문이다.

퇴사하기 전까지는 직장인 신용대출을 자주 이용했고, 급할 때는 친구나 후배한테도 종종 빌렸다. 교우관계나 사회생활이 원만했기 때문이기도 하지만 무엇보다 돈을 빌릴 때 그 이유와 갚는 날짜를 명확하게 이야기하고 약속을 꼭 지켰기 때문이다. 이를테면 1억 원짜리 물건에 투자를 할 거라 계약금 1000만 원이 필요하고, 한 달 뒤에 낙찰된 물건으로 담보대출을 받으면 7000만 원이 나오니 그때 갚겠다고 자세하게 이야기한다. 실제로는 그전에 처리해서 약속한 날보다 빨리 갚은 적도 많았기에 친구들한테서도 신용을 쌓을 수 있었다.

지금이야 이렇게까지 안 하지만 처음 투자에 뛰어들었을 때는 현금 흐름이 막히는 일명 '돈맥경화' 현상에 맞닥뜨리기 쉽다. 사고 싶은 게 너무 많은데 현금은 이미 다른 물건에 투자한 상태이기 때문이다. 위의 사례처럼 예상치 못한 도움을 받는다면 '인생 헛살지는 않았구나' 하는

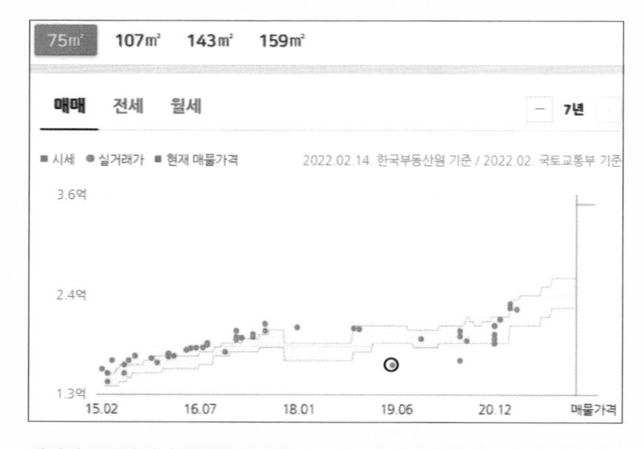

네이버 부동산에서 검색한 실거래가 그래프에서 검정색 원 표시가 되어 있는 부분이 실제 매수 타이밍이다. (출처: 네이버 부동산)

| 투자비용과 투자수익 산출 내역 |

투자비용		투자수익	
매매가	1억 6500만 원	실거래가	3억 원
전세가	(-) 1억 5500만 원	매매가	(-) 1억 6500만 원
총투자비용	1000만 원	시세차익	1억 3500만 원

생각도 들고, 결국 구하려고 하면 안 되는 게 없다는 생각도 든다. 결과적으로 1000만 원 투자해서 시세차익은 매수 당시의 매매가에 가까워지고 있다. 투자금이 적으니 전세금 갱신 때 5% 이내로만 올려도 투자금을 바로 회수할 수 있다는 장점도 있다.

수도권 저평가 아파트 두 채 매수 전략

이번 부동산 대세 상승기에서 뼈아프게 후회하는 사람들이 있다. 바로 상승기 초입에 수익을 얼마 내지 못하고 팔아버린 투자자들이다. 법인 명의로 단타('사팔사팔'이라고 한다)를 하지 않고 똘똘한 아파트 몇 채만 계속 들고 있었다면 훨씬 큰 수익을 얻었을 텐데 말이다.

이번 상승장을 통해 110억 원 이상의 자산을 이룰 수 있었던 것도 내 투자 패턴 덕분이었다. 수도권 아파트를 꾸준히 모으는 방식으로 투자했기 때문이다. 아무리 열심히 찾아도 서울에서 투자 물건을 발견하기 어렵다면 경기와 인천으로 조금만 시선을 넓혀보자. 다음 사례들은 서울을 제외한 수도권의 저평가된 아파트를 찾아 매수한 경우다.

특히 저평가된 아파트가 오를 것 같다는 확신이 선다면 두 채씩 매수하는 전략을 사용한다. 이 방법의 좋은 점은 상승한 후에 한 채를 매도해서 두 채의 총 투자금을 회수하고 나면 나머지 한 채는 무피로 들어간 거나 다름없이 마음 편하게 장기투자를 할 수 있다는 것이다.

사례 4 경기도 의정부시 의정부동 동화 26평 두 채

앞에 이야기한 것처럼 GTX-C 노선의 창동역을 염두에 두고 창2동 지역에 투자한 이후로 같은 노선의 의정부역 주변을 눈여겨보기 시작했다. 돌이켜 생각해보면 굳이 의정부로 넘어갈 필요는 없었다. 어차피 창동이나 의정부나 25평 구축 아파트의 갭이 2000만 원으로 같았기 때문이다. 기왕이면 서울에 투자하는 게 훨씬 좋았을 텐데 당시엔 창동에 충분히 투자했다고 판단했던 게 지금 와서는 아쉽게 느껴진다.

의정부에서의 첫 투자는 서울과 가장 가까운 호원동에 위치한 물건으로 갭 3000만 원에 매수한 25평 신도7차 아파트다. 그다음 의정부 동화아파트를 갭 2000만 원씩 두 채를 매수했다.

다음의 지적편집도를 보면 의정부역 근처는 일반상업지역이라 역과 가까운 아파트를 찾기가 어렵다. 그나마 직선거리로 800m

MONEY POINT 35

저평가된 아파트가 오를 것 같다는 확신이 선다면 두 채씩 매수한다. 예상대로 집값이 오르면 2년 후에 한 채를 매도해 투자금 이상의 수익을 내면 나머지 한 채는 무피로 들어간 거나 다름없어 안전마진을 확보할 수 있다.

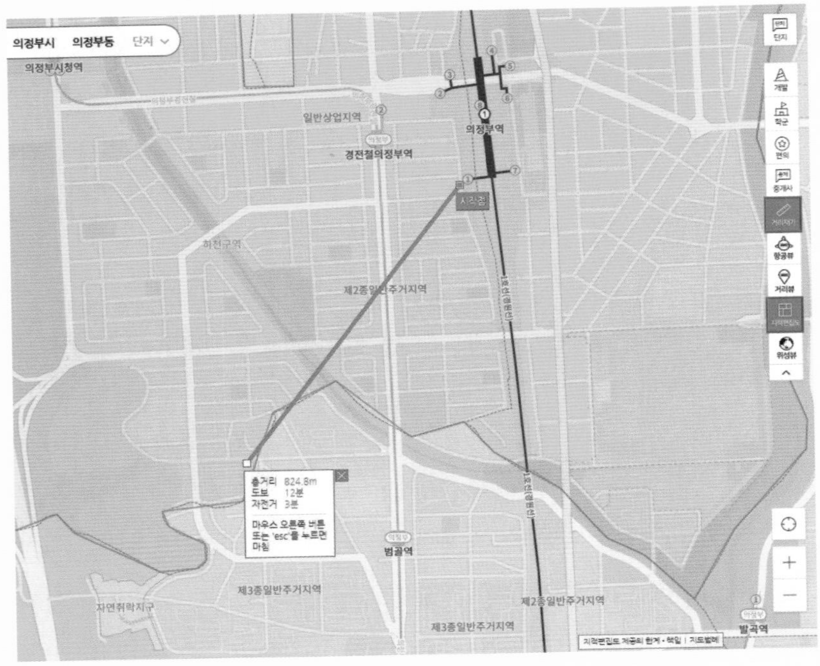

네이버 지도에서 '지적편집도' 메뉴를 클릭하면 용도지역에 따라 색으로 구분되어 있는 것을 볼 수 있다. 의정부역 주변은 분홍색의 일반상업지역이 대부분임을 알 수 있다. (출처: 네이버 부동산)

정도면 GTX-C 노선의 호재를 받을 거라 예상했다. 또한 주위에 지어지고 있던 의정부 롯데캐슬골드파크와 의정부역 센트럴자이&위브캐슬의 시세에 조금이라도 키 맞추기를 한다면, 25평에 1억 5000만 원의 매수가격 이하로는 떨어지지 않을 거라고 판단했다.

이 당시에는 1호선 종각역에 있던 회사에서 퇴근하자마자 의정부까지 달려가 임장하고 계약하고 새로 산 집을 관리하고 다시 창동 집으로 돌아오는 일정이 계속됐다. 부동산 투자를 시작하기 전까지는 업무 스트레스를 받고 저녁이 되면 번아웃으로 아무것도 하고 싶지 않은 게 보통이었지만, 1시간이나 되는 거리를 이동해 또 다른 일을 하는 것이 즐거워서 어쩔 줄 몰랐다. 세입자가 들어오기 전에 직접 페인트칠을 해보기도 하는 등 내가 할 수 있는 일은 뭐든지 찾아서 할 때였다.

이렇게 열심히 투자한 아파트였지만 곧 다른 물건에 투자하기 위해 매도했다. 지금까지 들고 있었다면 매매가의 두 배, 투자금 대비 일곱 배 정도 됐겠지만 다른 아파트에 투자하는 게 더 큰 이익을 얻을 거라고 판단했다. 그 이유는 무엇일까? 이 아파트가 복도식 아파트였기 때문이다. 이후에는 절대 복도식 아파트는 매수하지 않는다는 투자 원칙을 세웠다. 그래서 이 아파트가 투자 경력 10년 중 유일한 복도식 아파트가 됐다.

아파트는 신축 → 준신축 → 32평 계단식 구축 → 25평 계단식 구축 → 21평 이하 복도식 구축 순으로 상승흐름을 탄다. 그래서 매수 에너지가 오랫동안 축적되어 있어서 사이클의 가장 마지막 순서인 21평 이하 복도식 구축 아파트까지 넘어간다면 상승세에 함께 올라탈 수 있지만, 매수세가 중간에 끊기면 상승세에 올라타기도 전에 사이클이 하락세로 전환되는 경우도 있다. 그러면 수요가 제일 적은 복도식 아파트는 가격이 크게 오르지 않고 매도도 쉽지 않은 상황에 처하는 것이다.

특히 지방 아파트의 경우는 25평 이상 계단식 아파트를 사는 걸 반드시 지켰다. 어차피 25평 계단식도 무피나 플피가 가능한데 굳이 25평 이하의 복도식 아파트를 매수할 이유가 없었던 것이다. 다만 절대적인 원칙은 없다. 수도권 상위 지역에는 계단식이 너무 비싸고 복도식도 충분히 수요가 있기에 괜찮다. 그러나 지방은 25평 이상, 가능한 '국민 평

수'라고 불리는 32평부터 투자해야 추후 엑시트를 할 때 문제가 생기지 않는다.

참고로 이 아파트는 내가 투자했던 물건 중에서도 가장 낮은 수익을 얻었다. 하지만 이는 '힐스테이트청량리더퍼스트' 분양권 투자(미분양된 분양권을 '줍줍'했다)의 계약금이 필요해서 판 것으로, 상위입지로 갈아타기 위한 기회비용이었기에 크게 아쉽지 않다.

사례 5 경기도 수원시 영통구 영통동 황골마을주공1단지, 2단지 한 채씩

황골사거리에서 남서쪽에 보이는 아파트가 황골마을주공1단지이고 북서쪽에 보이는 아파트가 황골마을주공2단지(현재는 '영통센트럴파크뷰'로 명칭 바뀜)다. 지도로 보면 삼성전자와 직주 근접의 위치에 있고 수인분당선을 통해서 서울로 들어갈 수 있다. 근처에 경부고속도로 수원신갈IC가 있고 용인서울고속도로 흥덕IC도 있어서 교통이 편리하다. 또한 이 단지들 서쪽에 있는 영흥공원은 서울 여의도 공원의 두 배가 넘는 60만m^2 규모로 개발 중에 있다.

경기도가 전반적으로 오르기 시작한 것은 서울 부동산시장의 상승 이후 수용성(수원·용인·성남)으로 묶인 2019년 말부터였다. 오르기 전에 25평이 2억 원 초반이었으나 어느새 2억 원 후반까지 올랐다. 24년이나 된 구축 아파트이지만 1단지와 2단지를 합치면 5000여 세대의 대단지

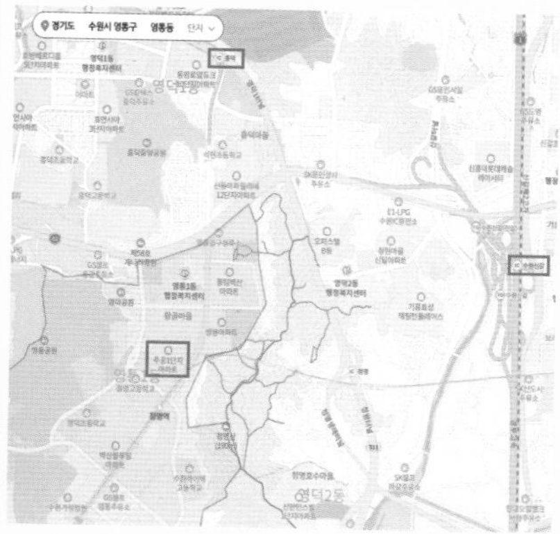

황골마을주공 아파트 단지 외관(왼쪽)과 위치(오른쪽). (출처: 네이버 부동산)

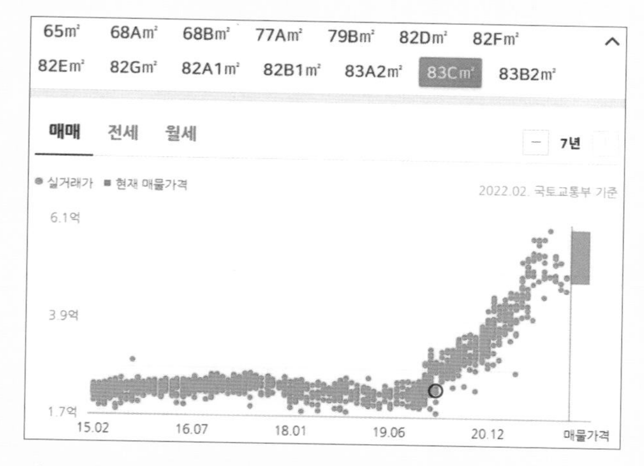

네이버 부동산에서 검색한 실거래가 그래프에서 검정색 원 표시가 되어 있는 부분이 실제 매수 타이밍이다. (출처: 네이버 부동산)

| 투자비용과 투자수익 산출 과정 |

황골마을주공1단지			
투자비용		투자수익	
매매가	2억 4500만 원	실거래가	5억 2000만 원
전세가	(-) 2억 원	매매가	(-) 2억 4500만 원
총투자비용	4500만 원	시세차익	2억 7500만 원

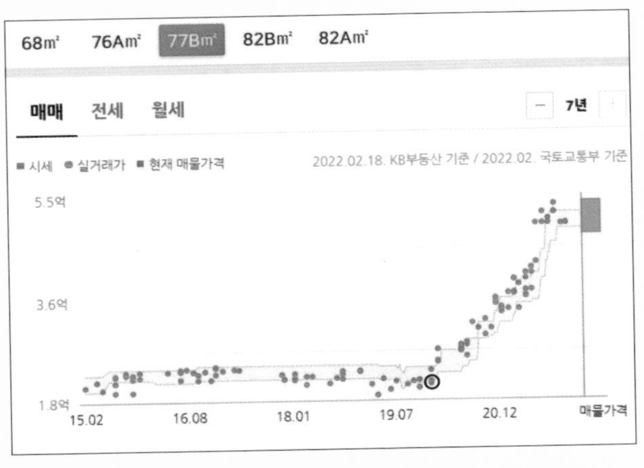

네이버 부동산에서 검색한 실거래가 그래프에서 검정색 원 표시가 되어 있는 부분이 실제 매수 타이밍이다. (출처: 네이버 부동산)

| 투자비용과 투자수익 산출 과정 |

영통센트럴파크뷰			
투자비용		**투자수익**	
매매가	2억 2000만 원	**실거래가**	5억 원
전세가	(-) 1억 9000만 원	**매매가**	(-) 2억 2000만 원
총투자비용	3000만 원	**시세차익**	2억 8000만 원

이고 청명역 근처 역세권이다. 당시는 동일 연식의 아파트들을 중심으로 리모델링 바람이 불 때라 2억 원 초중반에만 잡을 수 있다면 충분히 가능성이 있다고 생각했다. 당시 전세가가 2억 원 정도였으므로 한 채당 3000만~4000만 원 정도면 매수할 수 있었다.

2020년 3월에 전세가 2억 원이 껴 있는 주공1단지를 2억 4500만 원에 매수하고, 주공2단지는 전세가 1억 9000만 원이 껴 있는 상태에서 2억 2000만 원에 매수했다. 두 채 모두 매도자가 팔기 직전에 전체 수리를 해놓은 물건이었으며 단지 내 'RR'(로얄동, 로얄호의 줄임말)이었다.

2022년 2월 현재는 매수가 대비 약 3억 원씩 올랐으며 전세가도 1억 5000만 원 정도 올라서 인상된 전세금만큼 월세로 전환해 받고 있다.

사례 6 경기도 평택시 고덕면 평택영화블렌하임 25평, 33평 한 채씩

수도권이더라도 읍면 지역에서는 공시가격 3억 원 이하 주택이 양도세 중과 배제 혜택을 받을 수 있다. 이를테면 남양주시 진접읍·별내면, 화성시 향남읍·봉담읍, 평택시 고덕면·포승읍 등이다.

이 중에서 고덕면에 속한 2008년식 영화블렌하임 아파트를 25평 한 채, 33평 한 채 매수했다. 25평은 공시가격이 딱 1억 원으로 투자자들이 좋아할 만한 취득세 1%에 양도세 중과 배제가 적용되는 주택이어서 매수세가 생겼을 때 팔고 나왔다.

33평은 아직 보유 중으로 두 채 매수 전략이 통했다고 할 수 있다.

평택영화블렌하임 실내 모습.

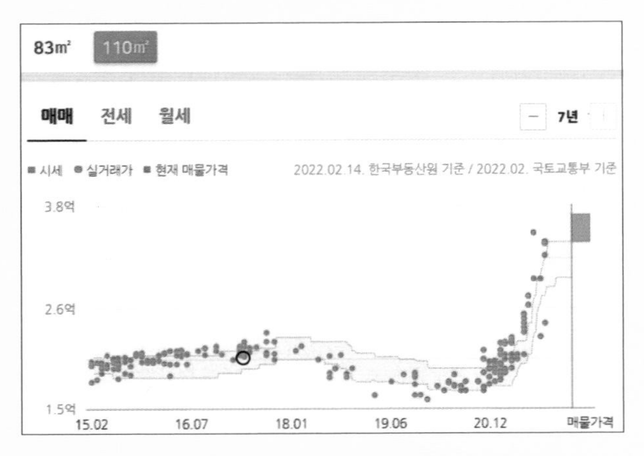

네이버 부동산에서 검색한 실거래가 그래프에서 검정색 원 표시가 되어 있는 부분이 실제 매수 타이밍이다. (출처: 네이버 부동산)

| 투자비용과 투자수익 산출 내역 |

투자비용		투자수익	
매매가	2억 1400만 원	실거래가	3억 4300만 원
		매매가	(-) 2억 1400만 원
총투자비용	2억 1400만 원	시세차익	1억 2900만 원

아무래도 읍면 지역이기에 인프라가 다소 부족하지만 고덕신도시와 삼성반도체 평택캠퍼스가 인근에 있고, 평당 600만 원 수준으로 매수했으니 괜찮은 투자였다. 또 33평이 거의 40평처럼 보일 정도로 커 보였고 삼성 근로자 숙소로 임대를 주면, 월세 100만 원까지도 가능하니 매매가가 2억 1400만 원이었던 것을 생각하면 수익률도 매우 높은 편이다.

절대 손해 보지 않는 지방 아파트 투자법

지방세법 시행령 개정안이 시행된 2020년 8월 12일에 맞춰 첫 매수를 시작한 후 1년 반 동안 20채를 매수했다. 이때 전국을 세 바퀴는 돌지 않았나 싶다. 20채를 매수하는 데 총투자금은 1억 700만 원이었다. 열여섯 번째 물건까지는 무피나 플피 물건이 많아 총투자금이 0원이었으나 거제 물건에 투자금이 크게 들어가 총투자금이 커졌다. 그럼에도 20건 평균 투자금은 535만 원이니, 이 정도면 무피에 가깝다고 볼 수 있다.

게다가 아직 매수한 지 얼마 지나지 않았음에도 시세차익은 약 6억 2000만 원이다. 기본세율이 되는 2년 뒤에 매도한다면 수익이 10억 원 정도는 되지 않을까 싶다. 이렇게 된다면 수익률은 1000%다.

| 공시가격 1억 원 이하 아파트 투자수익 |

	매수 아파트	준공년도	평수	층수	매수월	공시가격	매전갭(투자금)	실거래평균가(호갱)	시세차익
1	충남 천안시 서북구 쌍용동 계룡	1996	23평	17층(탑)	2020/08	90,400,000	-1,500,000	188,000,000	69,500,000
2	전북 전주시 완산구 서곡동 대림	1999	24평	1층	2020/10	78,900,000	-23,000,000	149,000,000	62,000,000
3	경북 포항시 북구 장성동 대림골든빌	1999	26평	20층(탑)	2020/11	88,000,000	-15,000,000	141,000,000	26,000,000
4	전북 군산시 소룡동 제이파크	2006	23평	4층	2020/12	52,300,000	2,000,000	100,000,000	23,000,000
5	충북 청주시 비하동 송곡그린	2000	22평	8층	2020/12	80,500,000	3,000,000	134,000,000	31,000,000
6	강원 춘천시 온의동 금호3차	1994	21평	1층	2020/12	80,400,000	-5,000,000	134,000,000	19,000,000
7	경북 칠곡군 남율효성해링턴1차	2016	24평	2층	2021/01	78,900,000	15,000,000	163,000,000	38,000,000
8	충북 청주시 용담동 부영2단지	2003	23평	1층(필로티)	2021/02	81,500,000	0	188,000,000	58,000,000
9	충북 청주시 분평동 주공2단지	1997	24평	20층(탑)	2021/03	72,200,000	0	175,000,000	65,000,000
10	경북 구미시 봉곡동 영남네오빌2차	2005	27평	14층	2021/04	86,600,000	11,000,000	150,000,000	14,000,000
11	경북 구미 봉곡동 세양청마루	2005	26평	11층	2021/04	77,900,000	6,000,000	124,000,000	8,000,000
12	강원 원주시 행구동 현대	1997	31평	1층	2021/04	77,800,000	-25,000,000	150,000,000	35,000,000
13	경기 이천시 호법면 유산리 이천내안애	2010	23평	14층(탑)	2021/05	89,700,000	11,000,000	170,000,000	49,000,000
14	충북 충주시 대소원면 본리 충주지웰	2016	24평	9층	2021/07	98,100,000	15,000,000	175,000,000	30,000,000
15	부산 사하구 장림동 동원로얄듀크	2005	25평	23층	2021/08	83,800,000	7,000,000	145,000,000	13,000,000
16	경북 구미시 구평동 구평푸르지오	2003	25평	1층	2021/09	91,300,000	5,000,000	155,000,000	0
17	경남 거제시 사곡영진자이온1	2014	30평	17	2021/10	96,500,000	40,000,000	161,000,000	11,000,000
18	경남 거제시 사곡영진자이온2	2014	30평	12	2021/10	96,500,000	40,000,000	161,000,000	11,000,000
19	충남 아산시 법곡동 코아루더파크	2016	25평	1층	2022/01	96,400,000	9,000,000	176,000,000	17,000,000
20	충남 서산시 동문동 신한미지엔	2011	32평	1층	2022/02	96,700,000	13,000,000	202,000,000	42,000,000
						총투자금	107,500,000	총시세차액	621,500,000

2022년 2월 14일 호갱노노 실거래평균가 기준.

사례 7 충청남도 천안시 서북구 쌍용동 계룡푸른마을 23평

충남 천안의 계룡푸른마을은 416세대의 소규모 단지이지만 1호선 쌍용역에서 100m 근방에 위치한 초역세권이라는 장점이 있다. 지방세법 시행령 개정안이 시행된 첫날인 2020년 8월 12일에 바로 부동산중개소에 연락했다. 물론 개정 발표 이후부터 전국 매매가와 전세가의 갭이 작은 아파트 단지들을 미리 검색해둔 상태였다. 앞에 3장에서 확인했듯 당시 지방 8도가 빅데이터상으로 상승기 초입이었기 때문에 매수 타이밍은 좋았다. 다만 현금이 별로 없었기에 최대한 적은 금액이 들어가는 단지들을 찾은 것이다.

아무리 투자금에 제한이 있다고 하더라도 집 상태를 고려하지 않고 투자할 수는 없다. 기본적으로 바로 세입자를 들여야 하기 때문이다. 그래서 지방 아파트 투자로 매수한 20채 중 집 전체를 수리한 것은 2건밖에 안 되고, 대부분 이미 매도인이 수리를 한 상태거나 아직 깨끗해서 굳이 인테리어를 다시 하지 않아도 되는 상태였다.

천안의 아파트도 마찬가지로 매도자가 정성스럽게 수리를 다 해놓은 집이었기 때문에 들어가자마자 마음에 쏙 들었다. 그럼에도 당시는 매수자 중심의 시장이었기에 1억 2000만 원이었던 매매 호가에서 일주일간의 실랑이 끝에 150만 원을 깎은 1억 1850만 원에 계약을 맺었다. 이미 살고 있던 전세입자가 집주인이 바뀌면 나간다고 해서, 새로운 임차인을 구해 전세금 1억 2000만 원에 계약하고 매매 계약과 잔금일을 맞췄다. 결국 매매가와 전세가를 비교해 150만 원의 플피가 생겼다. 여

계룡푸른마을 실내 모습.

기서 취등록세는 매매가의 1.1%(130만 원), 중개비는 0.5%(60만 원), 등기비와 법무사비 약 50만 원까지 합하면 240만 원을 비용으로 추정할 수 있다. 부대비용까지 계산하면 결국 100만 원 정도로 1억 2000만 원짜리(현재는 2억 원에 가까운) 아파트를 구매한 것이다.

이 물건은 2022년 9월에 매도하면 기본세율이니 계약은 2~3개월 빠른 6~7월쯤 할 것이다. 현재 시세를 유지만 해도 7000만 원의 양도차익을 얻을 수 있다. 게다가 천안은 조정대상지역이지만 양도세 중과

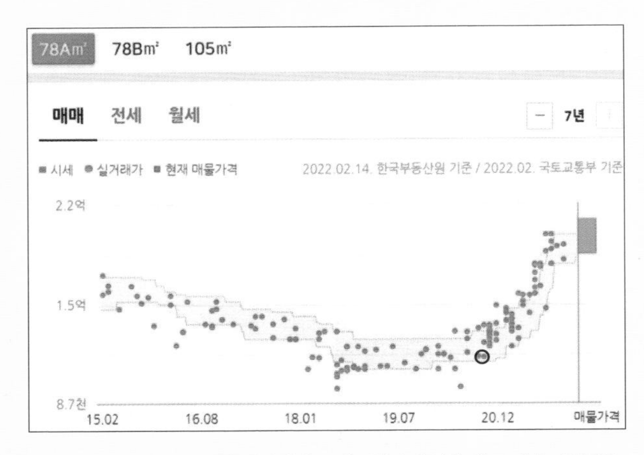

네이버 부동산에서 검색한 실거래가 그래프에서 검정색 원 표시가 되어 있는 부분이 실제 매수 타이밍이다. (출처: 네이버 부동산)

| 투자비용과 투자수익 산출 내역 |

투자비용		투자수익	
매매가	1억 1850만 원	실거래가	1억 9300만 원
전세가	(-) 1억 2000만 원	매매가	(-) 1억 1850만 원
총투자비용	(-) 150만 원	시세차익	7450만 원

배제가 가능해 양도차익이 7000만 원이라면 양도세가 1200만 원 정도다. 결국 세후수익으로 5000만 원 이상 벌 수 있는 투자다.

MONEY POINT 36

주식이나 코인은 자기자본이 있어야 투자에 참여할 수 있고 수익률이 아무리 높아도 투자금에 따라 수익이 달라진다. 그러나 부동산은 대출 없이도 레버리지를 이용할 수 있고, 투자금이 없어도 수익을 얻을 수 있다.

이런 투자 어떤가? 주식이나 코인 등의 투자 상품은 자기자본이 있어야 시장에 참여할 수 있다. 또한 투자금에 따라 수익률이 아무리 높아도 실제 얻는 이익에 한계가 있다. 하지만 부동산은 레버리지를 활용하면 투자금이 없어도 시장에 참여할 수 있고 돈을 벌 수 있다.

만약 계약금마저 내기 힘든 상황이라면 매도자와 매매 계약을 하고 바로 전세입자와 임대차 계약을 하면 된다. 만약 매매가와 전세가가 같으면 매도자에게 주는 계약금 10%와 전세입자에게 받는 계약금 10%가 비슷할 테니 들어가는 돈이 없다.

하지만 이 방법은 단지 내에서 전세 물건이 내 것밖에 없어서 유리한 입장이고, 전세입자가 대출 없이 잔금을 납부할 수 있을 때나 가능하다. 보통의 경우 전세입자가 전세자금대출을 받을 때 은행은 등기부상의 소유권자를 확인하기 때문에 매도자와 임대차 계약을 먼저하고 소유권 이전일에 다시 매수자와 전세 계약서를 쓴다.

사례 8 전라북도 전주시 완산구 효자동 서곡대림 25평

전주는 인구 65만 명으로 전북 제1의 도시다. 투자 지역을 선정하는 원칙 중 하나가 인구 50만 명 이상인 도시다. 그래서 앞에 사례로 소개한 천안을 비롯해 전주, 포항, 청주, 창원 등이 투자 고려 지역에 속한다. 지방 투자를 할 때의 가장 큰 리스크는 적은 수요다. 수익을 얻는 걸 차치하더라도 팔고 싶을 때 팔지 못하는 상황이 일어날 수 있기에 인구가 많은 대도시 위주로 투자하는 게 중요하다. 내 경우 투자한 지역 중 인구수가 적은 편에 속한 곳이 거제 24만 명, 서산 18만 명으로 이 정

> **MONEY POINT 37**
>
> 지방 아파트에 투자할 때 가장 큰 리스크는 수요가 적다는 것이다. 성공적인 엑시트를 위한 방법은 인구수 50만 명 이상의 대도시에 투자하는 것과 예상 매도 시점의 공급량을 확인하는 것이다.

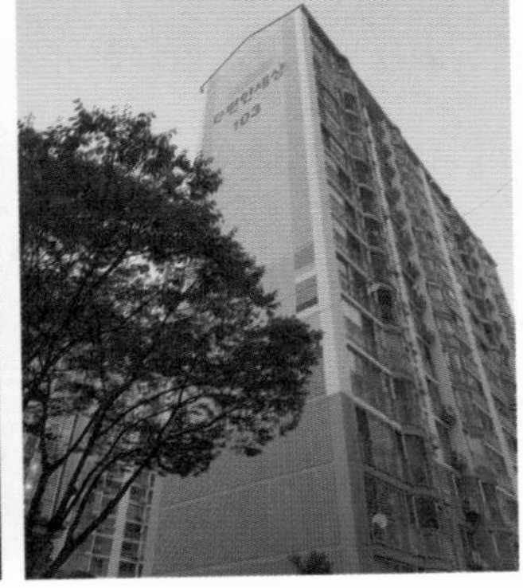

서곡대림 아파트 단지 외관.

도가 투자 마지노선이라고 할 수 있다.

2020년 10월, 25평 계단식 아파트가 단돈 9000만 원에 올라온 걸 확인했다. 같은 단지 1층이 1억 1600만 원에 거래된 걸 알기에, 이 물건이 얼마나 싸게 나온 급매인지 바로 알아챘다. 당시 이 물건의 공시가격이 8300만 원대였으니 공시가격에 집을 매수하는 것이나 마찬가지였다. 절대 손해 볼 수 없는 투자인 것이다.

아래의 공시가격 현실화율 표를 보면 아파트 공시가격이 1억 원일 때 시세는 1억 4500만 원(≒ 1억 원 / 69%)이다. 이 아파트처럼 공시가격이 8300만 원 정도라면 시세는 1억 2000만 원(≒ 8300만 원 / 69%)이 되어야 한다. 하지만 매매 호가가 9000만 원이니 아주 싸게 올라온 것이었다.

하지만 이 시기는 투자자가 많지 않은 매수자 우위의 시장이라 추가로 300만 원을 깎아 8700만 원에 매매 계약을 체결했다. 더 좋았던 건 살고 있던 세입자가 나간다고 해서 1억 1000만 원에 새로운 전세 계약을 체결했고 결론적으로 2300만 원의 플피 투자가 된 것이다.

이때는 직장인이었으므로 투자할 현금이 거의 없었는데 이 매매 계약으로 들어온 플피 2300만 원으로 바로 이어서 5채 이상 매수할 수 있

| 공시가격의 현실화율 |

토지(표준지 기준)	65.5%
단독주택(표준주택 기준)	53.6%
공동주택(표준주택 기준)	69.0%

2021년 기준.

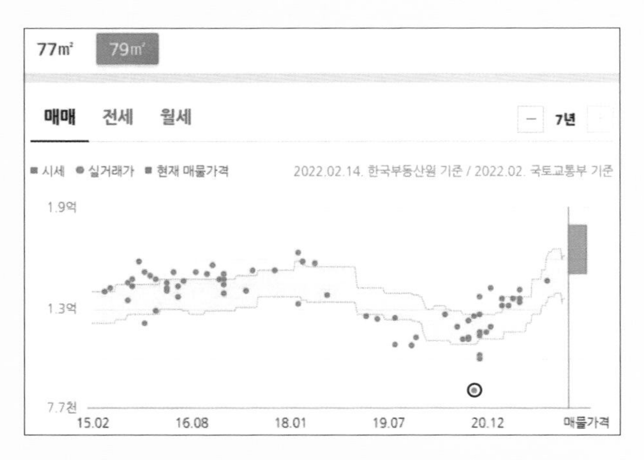

네이버 부동산에서 검색한 실거래가 그래프에서 검정색 원 표시가 되어 있는 부분이 실제 매수 타이밍이다. (출처: 네이버 부동산)

| 투자비용과 투자수익 산출 내역 |

투자비용		투자수익	
매매가	8700만 원	실거래가	1억 4900만 원
전세가	(-) 1억 1000만 원	매매가	(-) 8700만 원
총투자비용	(-) 2300만 원	시세차익	6200만 원

었다. 나에겐 아주 고마운 아파트다. 이런 행운을 잡는 기회는 흔치 않지만, 그동안 꾸준히 가격을 파악하고 있었기에 기회임을 알아챌 수 있었다고 생각한다. 이렇게 싸게 살 수만 있으면 부동산 투자에 실패할 수 없다.

사례 9 경상북도 포항시 북구 장성동 대림골든빌 26평

2020년 11월 1억 1500만 원에 매수했고 잔금은 2021년 3월로 잡아 놓고 그사이 전세입자를 구했다. 매도인이 실거주를 위해 3000만 원 정도 들여서 샷시를 포함해 내외부 모두 수리해줘서 구하기가 쉬웠다. 다음 해 1월쯤에 전세입자와 1억 3000만 원으로 계약했다. 이때 매매 잔금일을 전세입자의 전세 잔금일로 맞추는 게 노하우다. 또한 전세가가 매매가보다 컸기에 1500만 원을 내가 더 받는 플피 투자였다.

경북 포항은 2015년에 최고점을 찍은 후 점차 하락하다가 2017년에 지진 때문에 더 크게 하락했다. 2020년까지 조정장을 거친 후에야 상승장에 진입했다. 1급지 대장 아파트가 먼저 상승했고 그다음 2급지, 3급지 순으로 집값이 상승했다. 오랜 기간 너무 큰 폭으로 하락했기에 내가 들어간 이후로 거의 한두 달 만에 50%가 뛸 정도로 폭발적인 상승세를 보였다.

이런 상황에서 매도자는 계약금 1100만 원(매매가 1억 1500만 원의 10% 정도)에 대한 배액배상(매도인이 계약을 파기한 경우의 계약금의 두 배를 배상하는 것)을 하고 계약을 취소하는 것이 유리하다. 나는 이를 염두에 두고 계약서를 쓰는 날 미리 중도금 300만 원을 이체해두었다. 계약을 했다고 안심하고 있으면 안 된다. 만약 시세가 매매가에서 10% 이상 상승한다면 부동산중개소 사장님에게 계약이 깨질까 불안하니 중도금을 넣고 싶다고 이야기하고 빨리 입금부터 해두어야 한다.

대림골든빌 아파트 단지 외관.

대림골든빌 실내 모습.

중도금을 넣는 행위는 법적으로 잔금의 일부를 이행했다고 판단되므로, 매도자는 중도금을 받은 이상 배액배상으로 계약을 취소할 수 없다. 다만 이 사례처럼 입금한 액수가 너무 적을 경우에는 통상적인 계약의 이행이 아닌 매도인의 계약파기권만 봉쇄하려는 목적의 불합리한 행위라고 보고 무효화시킬 수도 있다. 그래도 법적 분쟁까지 가는 경우는 아주 드물고 난 소액투자자이니 우선 중도금을 조금이라도 넣어서 상대방에게 취소를 못 한다고 인식시킬 필요가 있었다.

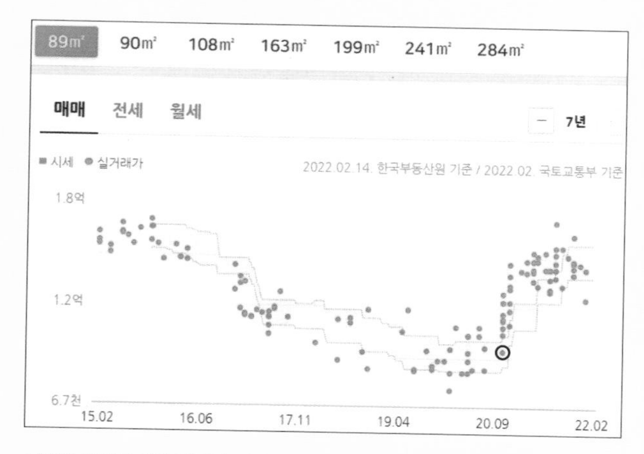

네이버 부동산에서 검색한 실거래가 그래프에서 검정색 원 표시가 되어 있는 부분이 실제 매수 타이밍이다. (출처: 네이버 부동산)

| 투자비용과 투자수익 산출 내역 |

투자비용		투자수익	
매매가	1억 1500만 원	실거래가	1억 5300만 원
전세가	(-) 1억 3000만 원	매매가	(-) 1억 1500만 원
총투자비용	(-) 1500만 원	시세차익	3800만 원

 **MONEY POINT 38**

계약 기간 중에 시세가 급격하게 오를 만한 상황이라면 중도금을 넣어 계약을 이행하겠다는 의사를 표시하자. 이후 법적 분쟁으로 번지더라도 매수인의 의사를 보여주는 증거가 되어 계약 취소를 막을 수 있다.

돈을 받으면서 매수에 성공하는 플피 투자를 했더라도 주택가격이 오르지 않거나 혹은 더 떨어진다면 투자는 실패한 것과 같다. 투자의 핵심은 투자금은 최소로 하면서 가격이 크게 뛸 물건을 고르는 것이다. 그래서 투자하기 전에 3장의 내용처럼 지역 분석을 통해 시세의 방향성을 미리 알아야 한다.

2022년 2월 현재 이 아파트의 매매가는 약 1억 5300만 원(호갱노노 실거래 기준 월평균)으로 매매 당시 1500만 원 플피 금액에 3000만 원 이상의 시세차익까지 기대할 수 있다.

사례 10 충청북도 청주시 서원구 분평동 분평주공2단지 24평

2020년 말에는 충북도 매매 시세가 바닥을 다지고 상승세로 바뀌고 있었다. 때문에 인구 1위인 청주를 주의 깊게 모니터링했다. 청주는 인구가 85만 명인 대도시인데도 불구하고 계단식 25평 구축을 1억 원 초반에 매수할 수 있을 만큼 저평가되어 있었다. 그래서 첫 번째로 흥덕구 비하동 송곡그린 22평을 매매가 1억 300만 원에 전세 1억 원을 껴서 갭 300만 원에 샀다. 두 번째로 상당구 용담동 가좌마을2단지부영 23평을 매매가 1억 3000만 원에 전세가 1억 3000만 원을 껴서 무피로 매수했다.

분평주공2단지는 청주에서 산 세 번째 물건이었는데, 이 역시 전세가가 매매가보다 높았다. 매매 호가를 가장 낮은 금액으로 해서 정렬하니 9900만 원짜리 1층과 1억 원짜리 탑층이 있었다. 내 선호도는 로얄층이 아닌 경우 탑층 →1층 →2층 순이다. 즉, 그래도 수요가 있는 탑층이나 1층이 낫지 2층은 너무 애매해서 거래가 잘 안 된다는 의미다.

MONEY POINT 39

로얄층이 아닌 경우 다른 층보다 비교적 싸고 어느 정도 수요가 있는 탑층이나 1층이 애매한 층보다 거래가 더 잘 이루어진다. 특히 계단을 오르기 힘든 노인이나 층간소음이 걱정되는 아이가 있는 가족에게는 필로티 1층이 인기가 좋다.

결국 탑층을 1억 원에 매수한 후 1150만 원을 들여서 외부 샷시를 제외한 전체 리모델링 공사를 했다. 이 정도 수리하려면 보통 1500만 원은 들지만, 당시에는 한 푼이 아까운 직장인이었기에 도배와 장판, 화장실, 싱크대, 페인트, LED 조명, 내부 샷시 등을 하나씩 쪼개서 내가 직접 핸들링했다. 이렇게 하면 인테리어 업체에 통으로 맡기는 것보다 20~30%는 아낄 수 있다.

새롭게 인테리어를 한 만큼 전세입자는 쉽게 구할 수 있었다. 1억 1000만 원에 전세입자를 구해서 잔금을 치렀다. 매수가 1억 원에 인테리어비용 1150만 원을 추가해 1억 1000만 원에 전세를 받았으니 실제 투자금은 150만 원 정도였다.

앞서 매수했던 송곡그린, 가좌마을2단지부영도 투자금은 두 채를 합쳐서 300만 원이었는데 시세차익은 두 채 합쳐서 약 1억 원이다. 물론 분평주공2단지도 150만 원 투자로 2022년 2월 현재 6000만 원 이상의 시세차익이 발생했다.

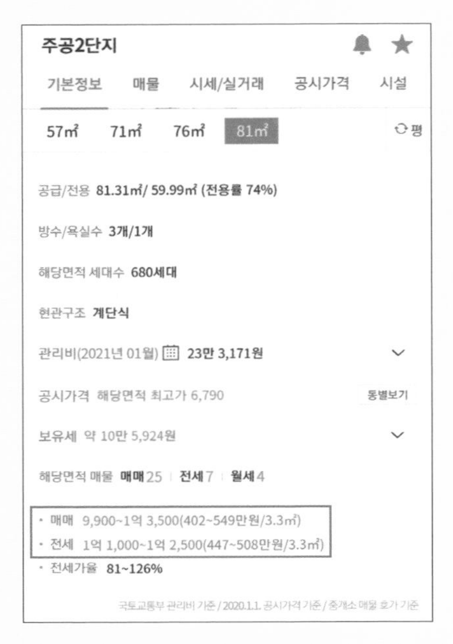

매수 당시 분평주공2단지의 매물 화면. (출처: 네이버 부동산)

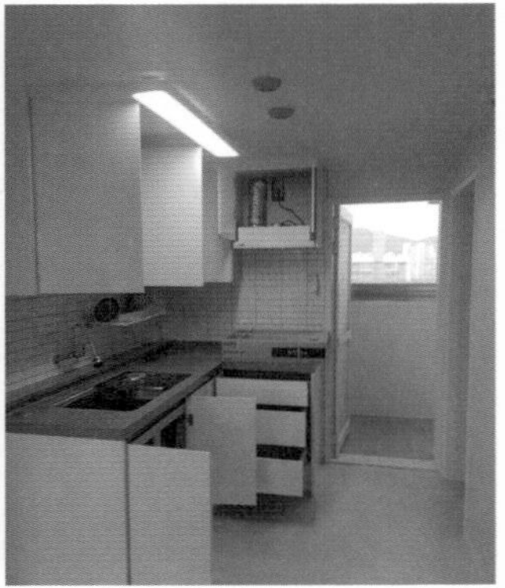

리모델링 공사 전(왼쪽)과 후(오른쪽)의 달라진 모습.

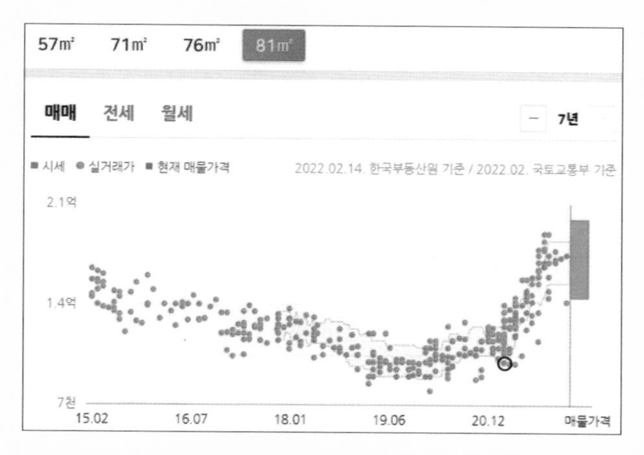

네이버 부동산에서 검색한 실거래가 그래프에서 검정색 원 표시가 되어 있는 부분이 실제 매수 타이밍이다. (출처: 네이버 부동산)

| 투자비용과 투자수익 산출 내역 |

<table>
<tr><th colspan="2">투자비용</th><th colspan="2">투자수익</th></tr>
<tr><td>매매가</td><td>1억 원</td><td>실거래가</td><td>1억 7400만 원</td></tr>
<tr><td>인테리어비용</td><td>(+) 1150만 원</td><td rowspan="2">매매가
(인테리어비용 포함)</td><td rowspan="2">(-) 1억 1150만 원</td></tr>
<tr><td>전세가</td><td>(-) 1억 1000만 원</td></tr>
<tr><td>총투자비용</td><td>150만 원</td><td>시세차익</td><td>6250만 원</td></tr>
</table>

이렇게 적은 투자금으로 매수하면 걱정할 게 없다. 물론 전세가격도 신축 공급이 많으면 조정받을 수 있지만 전세는 통계청에서 관리하는 소비자물가지수에 포함된다. 즉, 통화팽창률(인플레이션)에 따라 오를 수밖에 없다. 금리가 인상되면 전세가격이 떨어질 수도 있지만 1억 원 초반인 경우에는 금리 인상과도 큰 상관이 없다. 적은 돈으로 투자해놓고 전세가격이 올라가길 기다리면 되는 마음 편한 투자인 것이다.

사례 11 경상남도 거제시 사등면 사곡영진자이온 30평

공시가격 1억 원 이하 지방 아파트 테마는 2021년 한 해 동안 워낙 유명세를 타서 지금은 늦었다고 볼 수 있지만 아직 기회는 있다. 다주택자와 법인 입장에서 취득세 1%는 쉽게 넘기기 힘든 큰 메리트이기 때문이다. 앞선 사례들은 시기가 좀 지난 건이지만 이번에는 2021년 말에 공시가격 1억 원 이하 주택을 어떻게 매수했는지 알려드리겠다.

이번 사례는 호재를 활용해 선취매한 투자 건이다. 여기서 호재는 교통망이었다. 내가 들어간 시점에는 호재가 확정되지 않은 상황이었기에 리스크가 컸지만, 그만큼 기대이익도 컸다. 이렇게 남보다 먼저 취득한 정보를 이용해 빠르게 진입할 수 있다면 '정보의 비대칭성'에 의해 정보의 가치만큼 안전마진도 커진다. 정보의 비대칭성이란 경제적 이해관계를 가진 당사자 간에 정보가 한쪽에만 존재하고 다른 한쪽에는 존재하지 않는 상황을 뜻한다.

이때의 호재는 바로 'KTX 남부내륙철도'였다. 교통망과 같은 기반시설은 진행 여부가 확정되기 전에는 매도자를 포함한 대부분의 사람이 상황을 잘 모르고 신경도 쓰지 않는다. 하지만 관련 뉴스가 나오면 정보가 오픈됐기에 매도자도 이를 인지해 호재에 대한 프리미엄이 붙은 가격으로 다시 내놓으려고 한다. 이는 매수자 입장에서는 안전마진이 없어지는 것이기에 미리 교통망 분석을 열심히 해두고 자신의 판단에 확신이 생기면 누구보다 빨리 진입해야 안전마진이 높아진다.

먼저 이번 사례에서 호재를 찾은 방법을 알려주겠다. 빅데이터로 시장 흐름을 분석한 결과 경남 지역의 수치가 괜찮았다. 그중에서도 가장 늦게 반등한 곳이 거제였기에 앞으로 시장흐름이 좋을 것 같았다. 거제의 시세 그래프를 보면 2021년 기준으로 과거 6년간 하락과 보합(바닥다지기)이 이어지다가 이후 반등에 성공했다. 때문에 2021년은 상승 사이클의 초기이므로 단지 자체의 문제가 있지 않은 이상 지역적 상승장에 따라 올라갈 것이다. 다만 미분양이 약 700세대가 남아 있었고 전세가가 올라오지 않고 있어 상승에는 다소 시간이 걸릴 것이라고 보았다.

KTX 남북내륙철도에 대해 말하면 경북 김천시 김천역부터 성주군, 합천군, 진주시, 고성군, 통영시를 거쳐 경남 거제시 거제역까지 이어지는 총연장 177.9km 단선전철 노선을 잇는 사업이다. 남부내륙선이 완공되면 자동차로 4시간 이상 소요되는 서울과 거제 사이를 2시간 54분만에 주파할 수 있다. 이 노선으로 인해 그동안 철도가 깔려 있지 않았던 진주시, 사천시, 거제시, 통영시, 고성군 등 서부 경남과 경남 내 남해

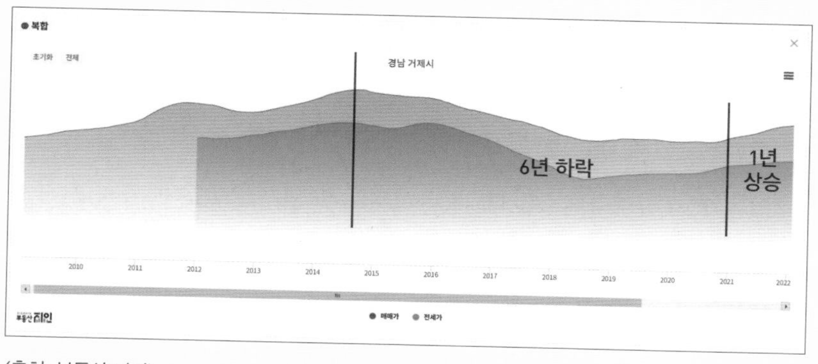

(출처: 부동산 지인)

안 지역에서 수도권으로의 이동이 편리해진다. 2027년을 개통을 목표로 국비 5조 원가량이 투입되는데, 2019년 선정된 국가균형발전 프로젝트(예비타당성 조사 면제 사업) 중에 최대 규모의 사업비를 자랑한다.

2020년 12월 28일 국토교통부에서 고시한 전략환경영향평가 초안에서는 거제시 종착역의 위치가 상문동이 최적지였고 사등면은 2순위였다. 그런데 2021년 10월 1일 오후 5시쯤에 업로드된 KTX 남부내륙철도 관련 기사에서 2순위였던 사등면이 유력하다는 내용을 본 것이다.

나는 기사에 나오는 데이터 값이나 내용을 그대로 믿지 않는다. 기사가 인용한 출처의 원 데이터를 찾아서 확인한다. 그래서 환경영향평가정보지원시스템 사이트(eiass.go.kr)에 들어가서 기사 내용의 진위를 확인해보았다. 상문동보다 사등면으로 했을 때 노선이 더 짧아 사업비가 2000억 원 정도 더 싸고 환경 훼손도 적으며 민원 발생도 최소화되어 본안에서 역사의 위치가 바뀌었다는 것이다.

물론 이때까지만 해도 사등면으로 확정됐다고 국토교통부에서 고시를 한 건 아니었지만 다시 뒤집을 명분 또한 마땅히 없음을 파악하고 투자를 결심했다. 게다가 정말 친절하게도 환경영향평가 보고서를 보니 어디에 투자하면 좋을지 알려주고 있었다. 보고서에 나온 지도에서 아파트는 2개밖에 없기 때문이다. 빨간색 부분이 역사 예정지이니 가장 가까이에 있는 거제경남아너스빌이 대장 아파트가 될 게 뻔했다. 그리고 바로 오른쪽에 위치한 아파트가 내가 매수한 사곡영진자이온이다.

당시 호갱노노 방문 트렌드를 살펴보니 역시나 이 지역에 대한 투자자들의 관심이 폭발하고 있었다. 뉴스가 뜨고 나서 방문자 수가 대폭 늘어난 것이다. 거제경남아너스빌의 경우 최고 방문자 수는 평소의 3배 인 269명이었고, 사곡영진자이온은 평소에 비해 거의 10배가 뛴 122명 이었다. 방문자 수치만 봐도 어느 쪽이 대장 아파트인지는 확실히 알 수 있었다.

뉴스 이후 거제경남아너스빌과 사곡영진자이온의 방문 트렌드 그래

KTX 남부내륙철도 입지 검토 결과 빨간색 선으로 표시되어 있는 검토 2안을 계획안으로 선정한다고 밝히고 있다. (출처: 환경영향평가정보지원시스템)

| 거제경남아너스빌과 사곡영진자이온 비교 |

	거제경남아너스빌	사곡영진자이온
매매가	1억 7000만~1억 8000만 원	1억 5000만 원
전세가	1억 1000만 원	1억 1000만 원
투자금	6000만~7000만 원	4000만 원
	최근 30일 방문 트렌드 2021.10.01 269명 300 200 100 0 09.12 09.26	최근 30일 방문 트렌드 2021.10.01 122명 150 100 50 0 09.12 09.26

(출처: 호갱노노)

프는 높이(방문 수치)만 다르지 모양은 비슷하다. 즉 1순위인 거제경남아너스빌에서 물건을 못 구하면 2순위인 사곡영진자이온으로 투자자들이 넘어올 것임은 뻔한 전개다. 내가 봤던 단지가 아무리 좋아도 물건이 없으면 소용이 없다. 그러니 차선을 찾는 연습이 필요하다. 그래야 수익을 얻을 기회가 더욱 많아지기 때문이다. 1순위에 투자하는 것만이 성공한 투자는 아닌 것이다.

게다가 갭 7000만 원으로 거제경남아너스빌 한 채를 사는 건 내 투자 원칙과도 맞지 않는다. 오히려 사곡영진자이온 두 채를 사는 게 나의 갭 투자 원칙에 부합한다. 위치상 우열은 분명 있지만 연식은 1년 차이밖에 나지 않고 25평인 거제경남아너스빌에 비해 사곡영진자이온은 30평이기 때문에 공시가격 1억 원 이하 테마의 장점은 다 가지고 있었던 것이다. 우선 2014년식의 준신축에 공시가격 9650만 원으로 취득세 1%, 지방 아파트이기에 양도세 중과 배제, 방 3개와 화장실 2개로 구성된 30평형으로 투자하기 딱 좋은 물건이었다. 하지만 이것만으로 투자를 결정할 수는 없다.

면 지역에 투자하는 것은 고려해야 할 요소가 많다. 보통의 경우 투자 수요가 많지 않기 때문이다. 하지만 이 경우에는 교통망 호재가 있었다. 그래서 투자를 결심했다. 분석을 끝낸 금요일 밤 11시, 거제에 있는 부동산 세 곳에 현재 거래가 가능한 물건이 있으면 다 달라는 문자를 동시에 보냈다. 답장을 받아보니 나와 같은 생각으로 부동산에 연락한 투자자들이 많이 있다는 걸 알 수 있었다. 상황을 눈치챈 매도자들이 물건을 거두고 있어서 계좌를 받기 힘들다는 내용이었다.

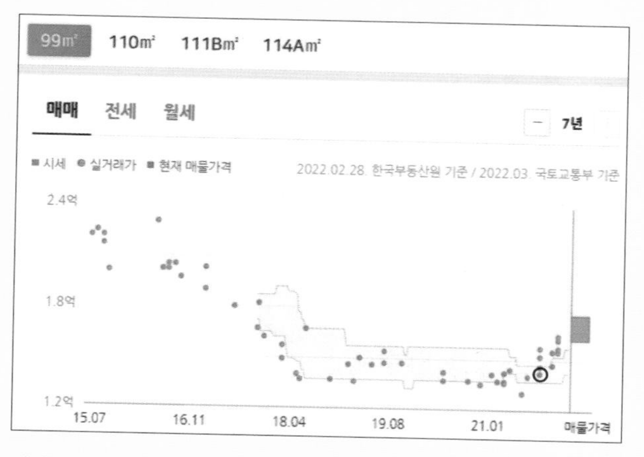

네이버 부동산에서 검색한 실거래가 그래프에서 검정색 원 표시가 되어 있는 부분이 실제 매수 타이밍이다. (출처: 네이버 부동산)

| 투자비용과 투자수익 산출 내역 |

투자비용		투자수익	
매매가	1억 5000만 원	실거래가	1억 6500만 원
전세가	(-) 1억 1000만 원	매매가	(-) 1억 5000만 원
총투자비용	4000만 원	시세차익	1500만 원

이렇게 내가 생각한 대로 시장이 움직이는 걸 느꼈다면, 이때 매물을 구하지 못하더라도 언젠가는 투자에 성공할 수 있다는 의미이므로 너무 낙담하지 않아도 된다. 투자자들이 어떻게 움직이고 있는지를 파악하는 능력을 키우는 게 먼저이기 때문이다. 이런 연습을 계속하면 이후로는 더 많은 기회를 잡을 수 있을 것이다.

결국 KTX 발표 전에 두 채를 매수할 수 있었다. 그리고 3개월이 지난 2022년 1월 11일 마침내 국토교통부에서 남부내륙철도 기본계획을 사등면으로 확정 고시했다. 이 사례에서 배울 것은 바로 '교통망 관련 호재를 최대한 빠르게 캐치하고 분석해 선진입'하는 것이다.

사례 12 충청북도 청주시 상당구 용담동 가좌마을2단지부영 25평

매매 계약을 할때는 매매가의 10%인 계약금이 필요하다. 이 금액은 부동산 투자에 참가하기 위한 필수 비용이다. 하지만 때론 참가비용이 필요 없는 물건이 나타난다. 눈치챘겠지만 매도자가 전세입자를 낀 채 전세금과 동일하게 매도할 때다. 이 경우 매수자는 매도자에게 계약금을 주는 것이 오히려 번거롭다. 잔금을 치를 때 다시 계약금만큼 매도자로부터 받아야 하기 때문이다. 그래서 보통 부동산에서 실무적으로 계약했다는 증표로 300만 원이나 500만 원 정도의 정액으로 계약금을 정한다. 무피 투자라도 최소 금액은 넣어야 하는 이유는 민법상 계약 해제의 상황에서 계약금이 해약금의 성질을 가지기 때문이다.

민법

제565조(해약금)

①매매의 당사자 일방이 계약당시에 금전 기타 물건을 계약금, 보증금등의 명목으로 상대방에게 교부한 때에는 당사자간에 다른 약정이 없는 한 당사자의 일방이 이행에 착수할 때까지 교부자는 이를 포기하고 수령자는 그 배액을 상환하여 매매계약을 해제할 수 있다.

위의 내용에 의거해 부동산 매매 계약서 제5조가 성립한다. 그렇기에 손해배상액의 설정을 위해서라도 최소한의 계약금은 오고가야 한다. 다만 부동산이 상승장이라 매도자가 마음이 바뀔 것 같다면 300만 원이나 500만 원은 쉽게 해약할 수 있을 정도의 금액이므로 위험할 수 있으니 계약금을 올리는 것이 좋다.

이처럼 무피나 플피가 아니더라도 매매와 전세의 갭이 계약금보다 적은 경우도 있다. 여기서 의문이 들 수 있다. 매매 계약도 하기 전에 전세가와 매매가의 차이를 어떻게 아느냐고 말이다. 처음부터 부동산중개소 사장님에게 매매 잔금을 전세금으로 치를 건데 전세금이 얼마나 되겠느냐고 물어보고, 미리 전세금을 설정해두면 된다. 그런 후에 매매가와 전세가의 갭을 매매 계약의 계약금으로 설정하는 것이다.

2021년 7월에 매수한 충주지웰 아파트를 사례로 들 수 있다. 매매가 1억 4500만 원 중 잔금 1억 3500만 원을 전세금으로 맞춰놓고 잔금 전까지 이 금액으로 들어올 전세입자를 구해서 그 전세금으로 내 매매대금을 치를 계획이었다. 일반적인 경우라면 계약금은 매매가의 10%인 1450만 원이겠지만 어차피 나중에 450만 원을 돌려받아야 하니 번거롭다. 이런 식으로 매매가에서 예상하는 전세가격을 빼서 갭 만큼만 계약금으로 설정해놓는 것이다. 물론 매도자 입장에서는 현금이 더 많이 들어오니 돌려줘야 하는 상황이더라도 매매가의 10%를 요청하는 분도 있으니 잘 협상해야 한다.

하지만 계약금이 매매가의 10%라는 것은 부동산 거래에서 '관례'일 뿐이지 법률 조항으로 정해져 있는 것은 아니다. 그러니 계약금 또한 합

투자금을 최소화하는 방법으로 계약금을 다양하게 활용할 수 있다. 매매계약과 전세 계약일을 맞추어 계약금을 바로 넘김으로써 투자금을 최소화할 수 있고, 무피 투자의 경우는 매매가의 10%인 관례를 벗어나 300만~500만 원 정도의 소액으로 계약금을 정할 수도 있다.

의의 대상으로 보고 나에게 유리하게 협의하자. 계약금이 적게 들어가야 한 채 살 거 두 세 채 살 수 있다. 나는 실제로 몇 년 전까지만 해도 계약금을 여유 있게 줄 만큼의 돈이 없었다. 한창 투자에 재미를 붙였을 때는 계약금이 없어서 친구, 가족은 물론 회사 선후배에게도 돈을 빌려서 투자했기에 나에게 가장 큰 초기비용이라고 할 수 있는 계약금이 굉장히 중요한 부분 중 하나였다.

그런 점에서 이번에는 무피 투자에 관한 사례다. 처음에는 매매가 1억 2000만 원에 전세가 1억 2000만 원이 껴 있어서 무피로 살 수 있었던 물건을 찾아서 부동산중개소에 문의했다. 하지만 그 물건은 이미 나갔다고 했다. 그런데 얼마 지나지 않아 중개소 사장님께서 매매가 1억 3000만 원에 전세가 1억 3000만 원이 껴 있는 물건을 추천해주었다. 같은 무피 물건이었지만 이전 것보다 매매가가 1000만 원이 비쌌기 때문에 바로 집을 보러 나섰다.

실제로 집에 가서 보니 1000만 원 차이가 납득이 될 만큼 괜찮은 물건이었다. 이전 물건이 일반적인 1층이라면 소개받은 물건은 필로티(건물을 지상에서 분리시켜서 생긴 공간)가 있는 1층이었으니, 이걸 감안하면 가치를 따졌을 때 1000만 원은 큰 차이가 아니었다. 게다가 개인적으로 필로티 1층을 좋아해서 많이 보유하고 있기도 했다. 호불호가 갈릴 수 있지만 1층은 장점이 많다. 계단을 오르기 힘든 노인층이나 층간소음이

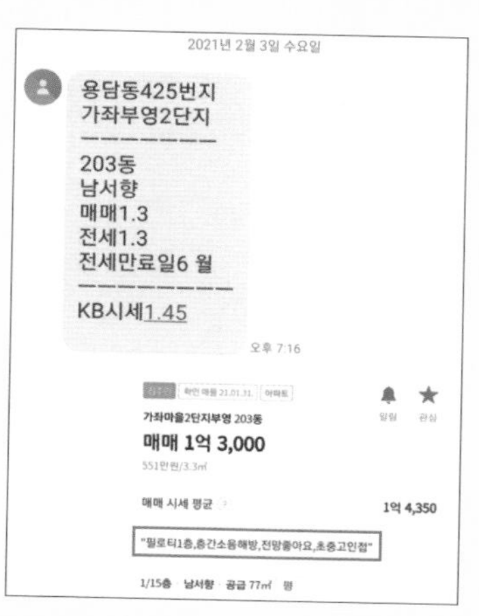

처음 발견한 가좌마을2단지부영의 매물 화면(왼쪽)과 새로운 물건을 추천해준 부동산중개소 사장님이 보낸 문자 내용(오른쪽). (출처: 네이버 부동산)

가좌마을2단지부영 아파트 단지 외관. 1층이 필로티 구조로 되어 있는 걸 확인할 수 있다.

걱정되는 아이가 있는 가족에게는 필로티 1층이 인기가 높다. 층간소음으로 애매한 2층보다 수요가 더 많다고 생각하므로 싼 가격이면 1층을 매수한다.

2021년 2월에 매수 후 2022년 2월에 1층이 1억 7800만 원에 거래되었다. 즉, 투자금 0원에 시세차익이 5000만 원에 가까운 것이다. 어떤 투자든 수익은 투자금과 수익률의 곱이기 때문에 투자금과 비례할 수밖에 없다. 그러니 투자금이 없으면 당연히 수익도 없는 게 맞다. 하지

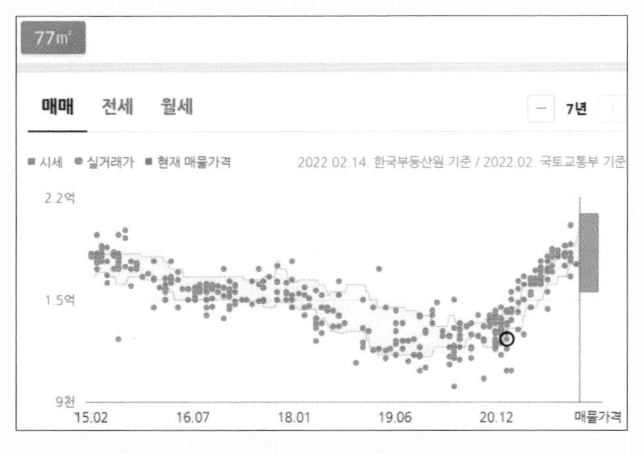

네이버 부동산에서 검색한 실거래가 그래프에서 검정색 원 표시가 되어 있는 부분이 실제 매수 타이밍이다. (출처: 네이버 부동산)

| 투자비용과 투자수익 산출 내역 |

투자비용		투자수익	
매매가	1억 3000만 원	실거래가	1억 7800만 원
전세가	(-) 1억 3000만 원	매매가	(-) 1억 3000만 원
총투자비용	0원	시세차익	4800만 원

만 이 경우는 어떠한가? 투자금이 없었음에도 연 수익이 몇천만 원에 달한다. 이걸 보면서도 돈이 없어서 투자를 못 한다고 말할 수 있을까?

계약금 1000만 원이 없어서 1억짜리 아파트에 투자를 못 하겠다면 이런 물건이라도 찾아라. 계약금 300만 원이 잠깐 나갔다가 들어오고 취등록세, 등기비용, 부동산 중개비 등으로 200만~300만 원 정도만 있으면 된다. 주식, 코인에는 몇백만 원 넣었다가 마이너스가 되기 십상이지만, 이런 투자는 최대 500만 원으로 수익금이 10배 이상 날 수도 있다. 만에 하나 집값이 오르지 않더라도 적어도 집 하나를 가지고 있는 것이다. 방 3개, 화장실 2개가 있는 25평짜리 계단식 아파트를 말이다.

물론 현금에 여유가 있어서 계약금 정도는 충분히 감당할 수 있다면 이런 팁이나 투자법은 의미가 없다. 하지만 일반적으로 이제 막 시작하는 초보 투자자에게는 종잣돈이 많지도 않을 뿐더러 거액의 돈을 아파트 하나에 투자하기에도 부담이 크다. 어느 정도 투자에 관심이 커졌다면 사고 싶은 게 너무 많아 가용 현금이 적어질 수밖에 없다. 특히 상승기 때는 굳이 돈을 한곳에 몰아서 넣는 것보다 최대한 쪼개서 여러 채 사는 게 리스크를 분산하는 데도 이익이다. 돈 없이도 하는 부동산 투자는 바로 이렇게 하는 것이다.

역발상! 강남 오피스텔 플피로 매수하기

서울 강남은 부동산 투자를 10년 동안 했던 나에게도 내 것이 될 수 없는 곳이었다. 강남에서 살아본 적도 없고 내가 사기엔 너무 비싸다고만 생각했기 때문이다. 하지만 강남 중심지인 강남역 부근에 위치하는 원룸 오피스텔이 생각보다 가격이 굉장히 저렴했다. 오히려 광교, 판교, 송도에 있는 같은 크기의 원룸이 훨씬 실거래가가 높았으니 충분히 승산이 있다고 판단했다. 게다가 오피스텔은 종부세에 합해지지 않으니 마음 편하게 여러 채를 살 계획을 세우고 2021년 7~9월에 네 채, 2022년 3월에 한 채를 매수했다. 서초구, 강남구에서만 동일한 패턴으로 다섯 채를 매수한 것이다. 2022년 3월까지도 매수했으니 출간 시점에도 충분히 실행 가능한 방법이라고 할 수 있다.

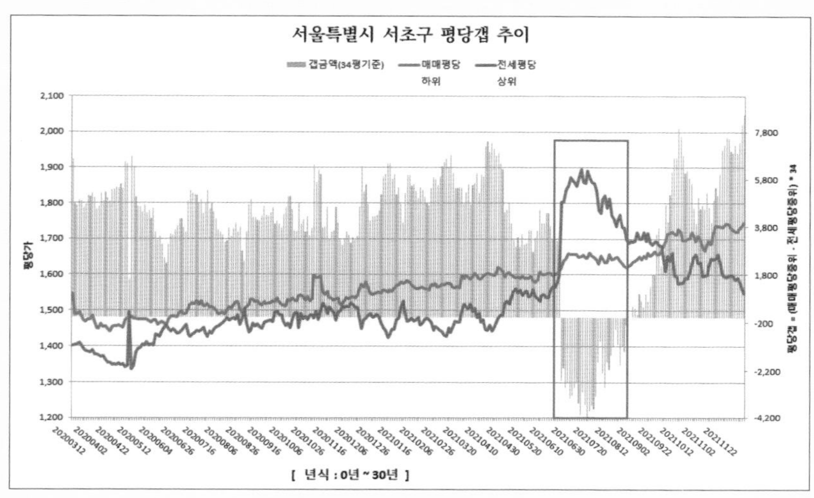
서울특별시 서초구 평당갭 추이
갭금액(34평기준)
매매평당 하위
전세평당 상위
평당가
평당갭 = (매매평당중위 - 전세평당중위) * 34
[년식 : 0년 ~ 30년]

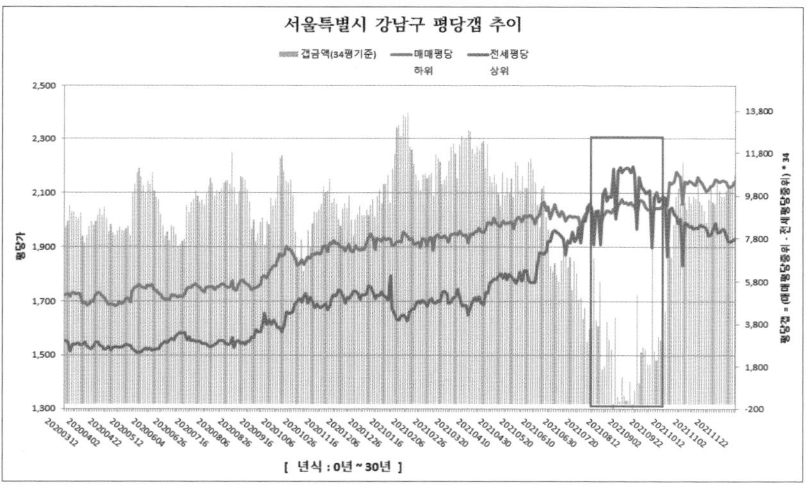
서울특별시 강남구 평당갭 추이
갭금액(34평기준)
매매평당 하위
전세평당 상위
평당가
평당갭 = (매매평당중위 - 전세평당중위) * 34
[년식 : 0년 ~ 30년]

(출처: 손품왕)

그럼 어떤 근거로 여러 채를 한꺼번에 매수할 수 있었을까? 매수를 결정한 건 이때가 바로 서초구와 강남구의 오피스텔 매매가와 전세가 갭이 마이너스 혹은 0에 가까웠기 때문이다. 이에 대해 설명하기 위해서는 3장에서 언급했듯이 톱다운Top Down 방식에 따라 서초구와 강남구의 흐름을 먼저 알아야 한다.

서초구와 강남구 모두 서울의 가장 상위입지이기에 아무리 원룸 오피스텔이라도 매매가와 전세가 갭이 마이너스가 되기 어렵다. 즉, 매매가가 복원력이 강해 전세가가 높아지는 시기가 있더라도 곧 다시 높아져 역전하는 것이다. 하지만 2021년 7월에 서초구에서 이 갭이 마이너스가 되는 현상이 발생해 한 채를 매수했고, 8~9월에는 강남구에서 갭이 마이너스가 되어 세 채를 추가로 매수했다. 이처럼 '구'의 거시적인 흐름을 보고 매수 기회임을 파악할 수 있었다.

그럼 단순하게 287쪽의 그래프만 보고 현재 갭이 마이너스나 0인 지점이니 들어가야 할까? 이건 결과론적인 발상이고 매전갭이 왜 발생했는지부터 알아야 한다. 이유는 당연히 전세가격이 갑자기 뛰었기 때문이다. 그럼 전세가격은 왜 뛰었을까? 공급과 수요의 법칙에 따라 시장에서 전세 물량이 평균치보다 적었기 때문이다. 그로 인해 전세가격이 올랐고 따라서 매매가격도 상승한 것이다.

이번엔 강남구의 전세 매물 증감 추이를 보여주는 오른쪽 상단 그래프를 보자. 검은색 점선이 매물의 평균치이고, 빨간색 박스가 평균 매물보다 적은 수치로 매물이 있는 구간이다. 이때 전세가가 상승하면 매매가도 동반 상승한다. 결국에 현재 시장에 전세 물량이 얼마나 있는가를 체

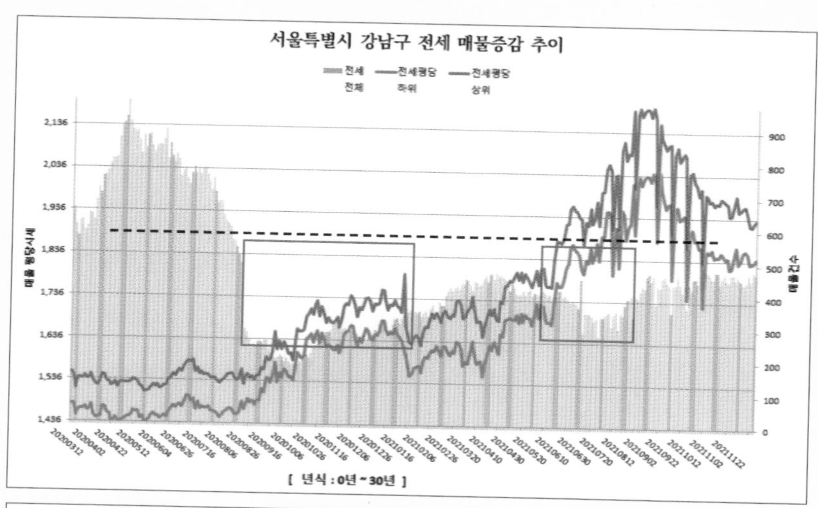
서울특별시 강남구 전세 매물증감 추이
전세 전체
전세평당 하위
전세평당 상위
매물 평당시세
매물건수
[년식 : 0년 ~ 30년]

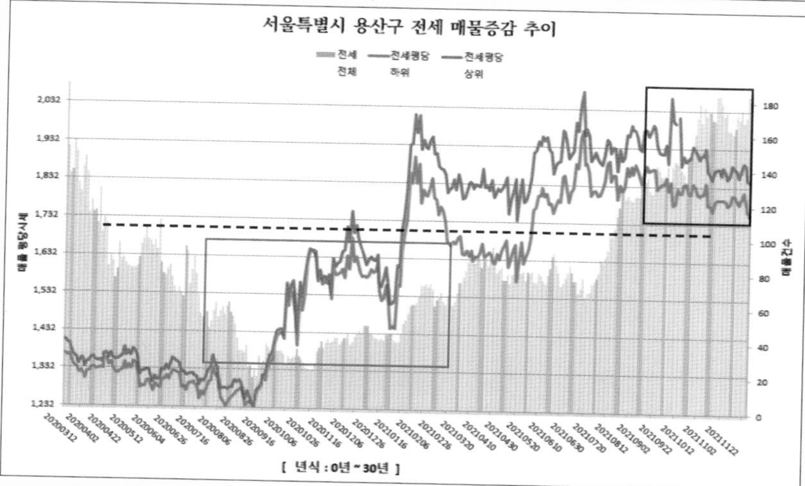
서울특별시 용산구 전세 매물증감 추이
전세 전체
전세평당 하위
전세평당 상위
매물 평당시세
매물건수
[년식 : 0년 ~ 30년]

(출처 : 손품왕)

 **MONEY POINT 41**

전세가가 매매가를 뛰어넘는 시기가 있다. 그럴 때는 이유를 분석해보고 공급량 부족으로 인한 상승이라고 판단된다면, 이때가 바로 갭 투자의 적기다.

크하는 게 가장 기본이다. 이는 아파트와 오피스텔은 물론 모든 시장에 적용할 수 있다. 공급이 부족한 상황에서도 수요는 지속되므로 가격이 오르는 것이다.

방금 배운 걸 복습해보자. 이번에는 용산구 전세 매물 증감 추이 그래프(289쪽 하단)인데 빨간색 박스 구간이 평균치보다 전세 물량이 적을 때이고 이때 전세가와 매매가는 동반 상승한다. 그럼 2021년 12월경의 상황은 어떤가? 289쪽 그래프에서 검은색 박스 부분인데 전세 매물이 평균치보다 훨씬 많기에 전세가와 매매가가 조정을 받고 있다.

이렇게 갭 추이와 전세 물량 데이터를 파악해 당시가 강남 오피스텔을 살 수 있는 시기라고 판단한 것이다. 또한 실제로 이때 투자한 오피스텔에는 돈이 하나도 들어가지 않았고, 오히려 돈을 받은 플피 투자였다. 그럼 이 투자기를 간단하게 설명하겠다.

사례 13 서울 서초구 서초동 아크로텔강남역

먼저 위치는 신분당선 강남역 5번 출구에서 직선거리로 400m가 안 되는 가까운 곳이다. 당시 올라온 물건의 매매가는 1억 7000만 원이었는데 전세가의 호가는 2억 1000만 원이어서 내가 좋아하는 플피 투자

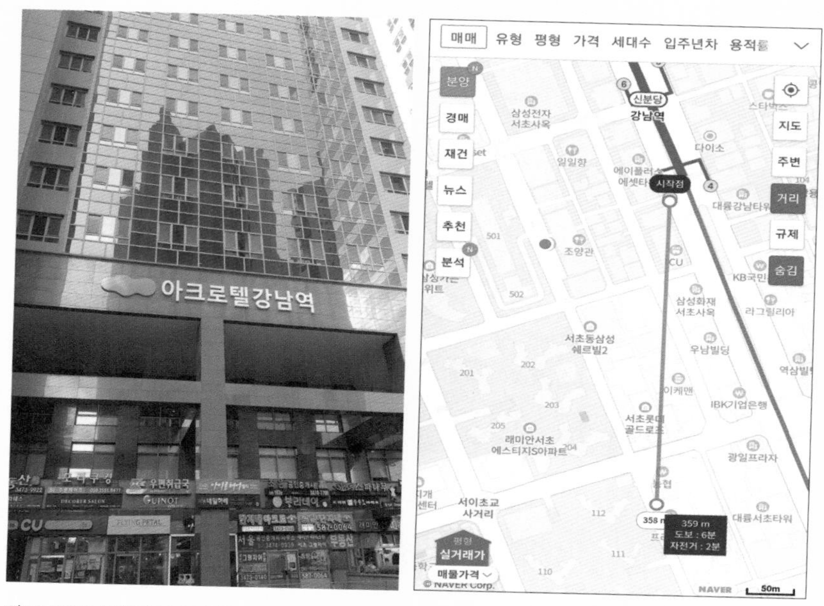

아크로텔강남역 건물 외관(왼쪽)과 강남역과 6분 정도밖에 걸리지 않는 위치(오른쪽). (출처: 네이버 부동산)

가 충분히 가능하리라고 판단했다.

실제로 임장을 가보니 지은 지 5년밖에 안 된 연식답게 깔끔한 외관이었고 내부 시설도 1인 가구가 충분히 살 수 있을 만큼 공간 활용이 잘 되어 있었다. 이에 1억 7000만 원에 매매 계약을 하고 잔금 지급일 전에 1억 9000만 원의 전세입자를 구했다. 강남에 집을 사면서도 내가 돈을 주는 게 아니라 오히려 2000만 원을 받은 것이다. 다만 오피스텔은 취득 시에 4.6%를 취등록세로 내야 한다. 그래서 오피스텔 투자를 할 때는 취등록세, 법무사 등기비용, 부동산 중개 수수료 등을 포함해 1000만 원 정도의 비용이 든다고 상정한다. 1000만 원을 부대비용으로 지출하

아크로텔 강남역 실내 모습.

더라도 1000만 원이 내 손에 남는 장사인 것이다.

물론 리스크도 있다. 오피스텔의 전세가가 떨어지면 전세입자에게 돈을 줘야 하는 상황이 벌어질 수 있다. 하지만 강남의 전세가격이 하락할 이유는 없다고 보았고, 싸게 산 만큼 물가가 꾸준히 오르듯 가격이 떨어질 일은 없을 거라고 생각했다. 여기서 중요한 것은 싸게 사는 것이다. 2021년 7월에 이 오피스텔을 산 지 반 년 정도 지난 2022년 2월 현재 벌써 4000만 원의 미실현 시세차익이 생겼다. 입지가 좋은 지역에서 시세보다 확실히 저렴하게 매수할 수 있는 기회가 있다면 원룸 오피스텔이더라도 잡는 게 좋다. 2000만 원이라는 안전마진을 보장받고 매수한 물건인데 무엇이 두렵겠는가.

이처럼 잭파시 투자법으로는 투자금 없이도 집을 살 수 있고 오히려 돈을 받을 수도 있다. 비싸서 아파트는 꿈도 못 꾼다고? 강남에서 집주인

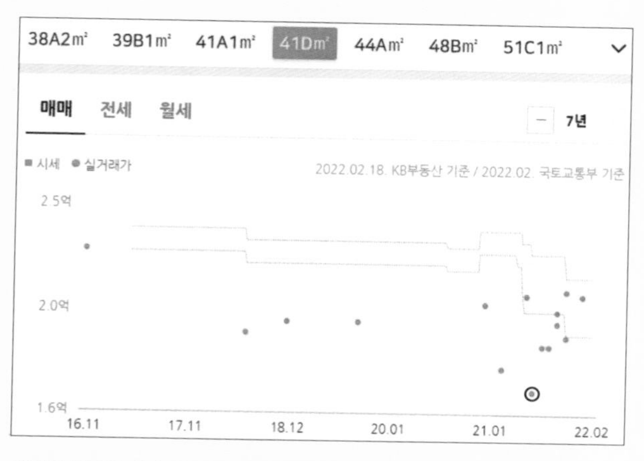

네이버 부동산에서 검색한 실거래가 그래프에서 검정색 원 표시가 되어 있는 부분이 실제 매수 타이밍이다. (출처: 네이버 부동산)

| 투자비용과 투자수익 산출 내역 |

투자비용		투자수익	
매매가	1억 7000만 원	실거래가	2억 1000만 원
전세가	(-) 1억 9000만 원	매매가	(-) 1억 7000만 원
총투자비용	(-) 2000만 원	시세차익	4000만 원

이 될 수 없을 거라고? 눈을 조금만 낮춘다면 누구나 충분히 돈 없이도 부동산 투자에 뛰어들 수 있다. 이를 기반으로 진짜 자본가가 된 다음에는 그때야말로 정말 원하는 물건도 살 수 있으니 꼭 도전해보길 바란다.

내 경험상 1억 원의 종잣돈으로 110억 원을 만든 주식 부자가 될 비율은 0.01%보다 낮지만 부동산 투자라면 그보다 한참 높은 1%는 족히 된다고 본다.

분양권 투자도 소액으로 할 수 있을까?

잭파시 투자법이 기본적으로 무피와 플피가 될 상황을 만들어 초기 투자금을 최소한으로 하는 전략이기 때문에 경매처럼 계약금이 절대적으로 필요한 분양권 투자는 익숙지 않고, 프리미엄까지 계산하면 투자금이 너무 크다. 하지만 이후 투자 환경이 어떻게 바뀔지 모르고 부동산 시장은 사이클에 따라 주기적으로 투자 기회가 오므로 투자할 대상이나 방법이 다양할수록 많은 기회를 잡을 수 있다. 때문에 다양한 부동산이나 투자 기법을 항상 배우고자 노력 중이다.

사실 분양권 투자가 전매 불가, 중도금 대출 불가, 단기 양도세율 강화 등의 규제로 장점이 점차 없어진 것은 맞지만, 그럼에도 부동산에 속하지 않기 때문에 취득세나 종부세, 재산세를 지불하지 않는 점은 여전히 큰 장점이다. 물론 전매를 할 때는 양도세를 내야 하며, 입주 후에는 부동산이 되므로 취득세를 내야 한다.

사례 14 서울 동대문구 전농동 힐스테이트청량리더퍼스트

앞서 GTX 노선을 활용해 서울을 비롯한 수도권 아파트 10채를 매수했다고 밝혔다. 당시에 정말 들어가고 싶었으나 너무 상급지라 포기해야 했던 곳이 바로 청량리였다. 청량리역롯데캐슬SKY-L65, 청량리역한양수자인192, 청량리역해링턴플레이스를 일컫는 '주상복합 삼총사'는 다주택자로서 접근이 쉽지 않았지만 힐스테이트 청량리 더퍼스트는 오피스텔이라서 청약이 가능했다.

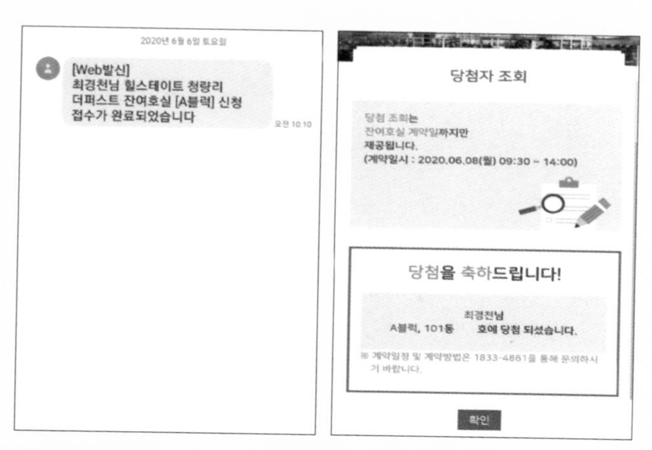

힐스테이트청량리더퍼스트 분양 신청 접수 확인 문자 메시지(왼쪽)와 당첨 조회 화면(오른쪽). (출처: 힐스테이트청량리더퍼스트)

 MONEY POINT 42

부동산시장에는 지역별로 수요·공급에 따른 장기적인 사이클뿐만 아니라 부동산 종류나 투자 방법에 따라 모멘텀으로 인한 단기 사이클도 형성된다. 그러니 투자 대상과 방법을 다양하게 개발하는 것이 돈 벌 기회를 많이 잡는 방법이다.

청량리역은 지금도 수많은 전철과 광역철도가 놓여 있지만 추후 GTX B선과 C선의 환승역이 된다. GTX 간 환승이 가능한 곳은 A-B선의 서울역 그리고 A-C선의 삼성역을 포함해 세 개밖에 되지 않기에 앞으로 발전 가능성이 굉장히 높다. 또한 오피스텔이라서 주택청약통장도 필요 없고 다주택자라도 중도금 대출이 해당 물건 담보로 60%까지 나오니 매매가의 10%인 계약금만으로도 3년 뒤 수익을 바라볼 수 있는 투자였다. 이렇게 상급지로 갈 수 있는 기회가 있을 때 무조건 잡아야 한다. 앞으로는 그 문턱이 더욱 높아질 것이기 때문이다.

서울 역세권·준공업지역의 구축 빌라를 노려라

2022년 1월에 서울시는 '서울시 빈집 및 소규모 주택 정비에 관한 조례'를 개정해 소규모 재개발 대상지 범위와 용도지역 변경 범위, 늘어나는 용적률의 기부채납(공공 재건축을 추진할 때 용적률을 500% 늘려주는 대신 40~70%를 공공 임대나 공공 분양을 짓는 것) 비율 등 구체적인 기준을 마련했다. 소규모 재개발 입지 요건은 역세권 250m 이내지만 3년간 한시적으로 350m로 역세권 범위를 넓혔다. 다른 요건은 면적 5000m^2 미만, 건축물 노후도 2/3 이상, 폭 4m, 8m 이상의 둘 이상 도로에 접하는 준공업지역이다.

용적률이 늘어나는 인센티브를 준다는 것은 그만큼 대지가격이 높아지기에 투자 수요를 불러일으킬 수 있다는 의미다. 서울의 경우 재건축·재개발 말고는 신규 공급을 하기 힘들기에 이런 지역에 투자자가 몰릴 것이다. 특히나 윤석열 대통령의 공약에서도 도심·역세권 복합개발로 인한 20만 호(수도권 13만 호) 공급 방안이 들어 있는데, 이는 서울시의 역세권, 준공업지역 등의 복합개발과도 방향성이 같다.

사례 15 서울 강북구 미아동 258번지 빌라 2채

보유하고 있는 포트폴리오 중 서울과 인천의 노후 빌라의 비중이 20% 정도다. 이 빌라들은 썩히면 썩힐수록 빛이 나는 것들로 이미 재건축·재개발로 지정된 거라면 프리미엄이 몇억대가 붙어 감히 넘볼 수 없었겠지만, 아직 재건축·재개발 바람이 불지 않은 노후화된 지역을 사놓고 기다리다 보면 분명 승산이 있다.

MONEY POINT 43

서울은 이후로 재건축·재개발로 인한 공급이 주를 이룰 것이다. 그러니 아직 재건축·재개발 바람이 불지 않은 노후화된 지역 또는 역세권과 준공업지역의 구축 빌라를 싸게 사놓고 기다리는 것을 '썩빌(썩힐수록 빛나는 빌라) 투자'라고 한다.

대학 시절은 물론 직장생활 3년 차까지 미아사거리역 근처에서 보증금 500만 원, 월세 30만 원짜리 반지하 원룸에서 살았기 때문에 미아역 주변은 잘 알고 있었다. 송중동 주민센터 부근의 노후화된 빌라촌이 재개발로 꿈의숲해링턴플레이스와 꿈의숲롯데캐슬 아파트로 변하는 걸 지켜보기도 했다.

이에 7년 전 서울에서 가장 저렴한 주거

부동산 경매로 낙찰받은 미아역 빌라 정보. (출처: 지지옥션)

미아동 빌라 인테리어 전(위쪽)과 후(아래쪽)의 모습 비교.

지역이라고 할 수 있었던 번동 148번지와 미아 258번지에도 언젠가 개발붐이 있을 거라 예상했다. 당시 한 채당 약 1000만 원씩 들여서 미아동, 번동에 빌라 네 채를 매수했는데, 그중 하나를 소개하겠다. 299쪽 상단 그림은 4호선 미아역에서 약 500m 떨어져 있는 노후 빌라를 경매로 낙찰받은 결과다.

지금이야 초기 재개발 지역으로 핫한 곳이 되었지만 그때는 감정가가 1억 원인 빌라가 네 번이나 유찰되어 최저가가 4200만 원이 되었음에도 아무도 경매에 들어오지 않았다. 대지권이 10평 정도였는데 낙찰가가 약 5000만 원이었으니 평당 500만 원에 산 것이다. 오패산이라는 고지역이었지만 그래도 역세권 500m 안에 위치한 땅이 평당 500만 원이라는 사실이 엄청 싸게 느껴졌다.

그런데 만약 당시에 5000만 원을 그대로 투자해야 했다면 아무리 시간이 지난 후에 오를 것 같았어도 매수하지 않았을 것이다. 하지만 돈이 들어가지 않는 투자였기에 오랫동안 보유할 수 있었다. 내가 이용한 것은 바로 대출이었다. 경매로 낙찰받은 금액은 약 5000만 원이었지만 이 집을 담보로 은행에서 빌려준 돈이 4500만 원이었다. 그리고 난 월세입자를 보증금 1000만 원, 월세 30만 원으로 구할 수 있었다. 대출금 4500만 원에 월세보증금 1000만 원을 합하면 5500만 원이니, 집값인 5000만 원보다 더 받은 플피 투자가 된 것이다.

물론 30년 이상 노후된 빌라였고 경매로 들어간 집이라 집 상태가 바로 세를 줄 수 있는 상황이 아니라서 300만 원 정도를 들여서 수리해야 했다. 하지만 플피가 500만 원이었기에 수리비에 취등록세, 부동산

네이버 부동산에서 검색한 미아동 빌라 매물 금액. (출처: 네이버 부동산)

| 투자비용과 투자수익 산출 내역 |

미아동 빌라1			
투자비용		투자수익	
매매가	5000만 원	실거래가(추정)	3억 원
대출	(-) 4500만 원		
월세 보증금	(-) 1000만 원	매매가	(-) 5000만 원
총투자비용	(-) 500만 원	시세차익	2억 5000만 원

미아동 빌라2			
투자비용		투자수익	
매매가	7500만 원	실거래가(추정)	3억 원
전세가	(-) 9500만 원	매매가	(-) 7500만 원
총투자비용	(-) 2000만 원	시세차익	2억 2500만 원

중개 수수료 등 기타비용까지 다 합쳐도 돈이 들어가지 않은 투자였다.

이렇게 돈이 들어가지 않은 투자의 경우 투자 기간을 길게 잡고 기다릴 수 있다. 하지만 돈이 많이 들어간 상태라면 투자한 돈을 다른 곳에 써야 하는 상황이 생길 수 있으니 이렇게 오랫동안 집을 보유하고 있기 어렵다. 그러다 보면 오르지도 않았는데 매도를 해야 하는 상황이 생기고, 팔고 나서 올라간 집값을 보면 후회만 가득할 것이다.

거의 8년 이상 썩힌 미아 258번지의 빌라 두 채는 각각 무피와 플피로 사서 투자금은 없었으나, 현재 각각 2억 원 이상 시세가 올라서 아주 양호한 수익률을 보여주고 있다. 또한 2022년 3월 17일에 강북구청에서 미아동 258번지의 개발행위허가 제한 열람공고를 하였기에 앞으로 재개발 진행 상황을 지켜보는 재미도 있을 것이다. 아주 오래전에 심어놓았던 무피와 플피의 씨앗이 이렇게나 크게 자랄 수 있음을 보여주는 사례다. 두 채를 합친다면 미실현수익금이 현재 5억 원이 넘는데 세상에 어떤 투자상품이 투자금 0원으로 이렇게 벌 수 있단 말인가.

사례 16 서울 강서구 등촌동 빌라 2채

2021년 초 전 국토부장관이 후보자 시절에 1호 공약으로 도심주택 공급의 핵심 방안으로 낙후된 준공업지역에 용적률 인센티브를 줘서 고밀도 개발을 하겠다고 발표해 적은 갭으로 살 수 있는 곳을 알아봤다. 사실 우리나라에 준공업지역이 몇 개 되지 않아서 투자 수요가 몰리는 건 당연한 수순이었다. 성동구 성수동 뚝섬역 일대, 강서구 양천향교역·가양역·증미역·등촌역·염창역 부근, 구로구 고척동·구로디지털단지역·오류동·온수역, 영등포구 영등포구청역 주변, 금천구 독산동, 도봉구 창2동·창동·도봉산역 주변 등이 전부다.

이 중 1000만 원 정도의 갭으로 투자할 수 있는 곳을 찾아보니 창2동과 증미역 부근이라 창2동의 빌라를 매수 후 매도했고, 9호선 증미역에서 200m 내에 있는 빌라를 두 채를 추가 매수했다. 이 지역이 역세권과 준공업지역이 중복되는 곳이라 앞으로 가지고 있으면 언젠간 호재가 생길 거라고 판단했다. 이때도 물론 1000만 원 안쪽으로 투자했기에 큰돈이 들어가지 않았으니 그냥 잊어버리고 푹 썩힐 예정이다.

증미역 근처를 지적편집도로 보자. 파란색은 준공업지역이라는 뜻이다. 증미역에서 200m 이내에 위치한 빌라 두 채를 한 채당 1000만 원씩 들여서 갭 투자를 했다.

추후 재개발 대상지가 됐을 때 오를 것을 기대한 투자이지만, 안 된

증미역 근처 빌라의 외관(왼쪽)과 역과의 거리(오른쪽). (출처: 네이버 부동산)

다고 해도 주위를 보니 빨간 벽돌로 된 구축 빌라들이 이미 오피스텔, 근린생활시설(줄여서 '근생') 등으로 재건축되어 있었다. 그 이유는 빌라는 주거 목적 건물이므로 준공업지역이라도 용적률이 250%였으나(옛날에 지은 건 150% 정도) 상업용인 오피스텔과 근생 빌라는 준공업지역 한도인 400%를 받을 수 있어서 건축주나 시행사 입장에서는 수익을 충분히 낼 수 있기 때문이다.

여기서 '근생 빌라'는 근린생활시설의 상가 부분을 주거용으로 개조해 사용하는 일종의 불법 주택인데 근린생활시설로 허가를 받았을 때의 용도는 주택이 아니므로 주차장 면적은 줄이면서 높은 층수로 건물을 올릴 수 있어 빌라를 지을 때 보통 근생도 끼는 방법을 사용한다.

서울에 있는 노후 빌라의 또 다른 장점은 공시가격 1억 원 이하 물건이 꽤 있어 절세도 가능하다는 점이다. 303쪽 사진은 내가 매수한 빌라의 외관이고, 내부는 방 2개, 부엌, 거실로 되어 있는데 공시가격이 8000만 원밖에 하지 않아 취득세는 1%만 지불했다.

공시가격을 정하는 한국부동산원이 직접 집을 와보고 가격을 결정하는 것이 아니기에 이런 빌라 같은 경우 임장을 해야 가치평가를 제대로 할 수 있다. 건축물대장상에 전용면적 31m^{2}라고 되어 있는 것을 보

| 투자비용과 투자수익 산출 내역 |

투자비용		투자수익	
매매가	1억 9500만 원	실거래가	2억 3000만 원
전세가	(-) 1억 8500만 원	매매가	(-) 1억 9500만 원
총투자비용	1000만 원	시세차익	3500만 원

고 감정을 해서 공시가격이 낮은 거였지만, 실제로 보니 서비스 면적이 7평 더 있었다. 빌라의 경우 전용면적에 속하지 않는 서비스 면적에 해당하는 발코니 확장이 가능하다. 만약 발코니가 전용면적으로 더해진다면 당연히 공시가격이 1억 원이 넘어서 취득세 12%를 내야 하나, 이 사례의 경우에는 그렇지 않았다. 그래서 난 아파트, 오피스텔을 매수할 때는 집을 안 보고 결정하기도 하지만, 빌라는 특수한 상품이기에 임장을 해서 더 까다롭게 살핀다. 이때 매수가는 1억 9500만 원이었고 전세금은 1억 8500만 원에 맞춰서 투자금 1000만 원으로 세팅했다.

위치상으로도 9호선을 타면 여의도 15분, 강남까지도 30분 안에 갈 수 있으니 실거주 수요도 분명 있을 거라고 판단했다. 또 서울은 이제 새 건물을 지으려면 빈 땅이 없으니 기존 건물을 부수고 다시 지어야 한다. 역세권, 준공업지역 같은 경우 국가에서 용적률 인센티브를 주고 있기 때문에 지대가 높아져 주택가격의 상승도 이루어질 것이라고 생각한다. 이런 기대감이 있는데 아무리 빌라라지만 1000만 원을 투자하지 못하겠는가? 단순하게 서울 역세권에 내 땅 5평 생긴다 생각하고 기다리면 된다. 서울의 노후 빌라는 푹 썩힐수록 그 가치가 드러난다.

5장

무조건 오를 부동산 찾는 나만의 투자 도구 만들기

부동산 종류에 따라 투자 원칙은 달라야 한다

공시가격 1억 원 이하 지방 아파트 매수·매도 원칙

매수

1. 59m²(25평형) 이상 계단식
2. 500세대 이상 대단지
3. 2003년 이후에 완공된 것: 물론 연식이 짧을수록 좋음
4. 전세 수요가 확실한 산업단지, 유통단지, 대학교, 공공기관 등 인근에 위치
5. 인구 50만 명 이상의 도시: 최소 25만 명 이상의 도시
6. 공시가 7000만~8500만 원, 매매가·전세가는 1억 2000만 원 정도
7. 매매가는 공시가 대비 150% 이내
8. 매매가가 KB시세 하한가보다 저렴한 것

매도

1. 매도가는 공시가 대비 200% 이상
2. 목표 시세차익(세전)은 한 채당 6000만 원 정도

서울 원룸 오피스텔 매수 원칙

1. 공시가격 대비 매매가격: 110~130%
2. 월세 수익률 역산가: 월세 × 250개월 > 매매가격
3. 시가표준액 대비 매매가격: 시가표준액이 매매가격에 가까울수록 좋음
4. 주변 원룸 오피스텔 분양가와 비교: 분양가와 비교하여 낮으면 좋음
5. KB시세 혹은 네이버 부동산 시세/실거래가 대비 매매가: 10~20% 싼 급매물

부동산 투자에도 원칙이 필요하다

모든 투자의 기본은 싸게 사서 비싸게 파는 것이다. 하지만 싸게 사는 것과 비싸게 파는 것의 기준을 세우지 않는다면 다른 사람의 말이나 일시적인 가격에 투자 자체가 흔들릴 수 있다.

나는 매수를 시작하기 전에 나만의 기준을 세워놓는다. 이를테면 공시가격 1억 원 이하의 지방 아파트에 투자할 때는 공시가격에 120~150% 사이의 가격으로만 매수한다. 최근 구매한 강남 오피스텔 같은 경우 공시가격에 110~130%에서 매수했다.

이렇게 명확한 수치를 기준으로 원칙을 세우는 게 좋다. 물론 매수·매도의 기준을 정하기 위해서는 수백에서 수천 개 매물의 평균치를 내봐야 하니 방대한 사전 작업이 필요하다. 하지만 이렇게 수많은 매물을 보고 데이터값을 만지다 보면 가격이 저렴한지를 파악하기가 쉬워지고, 싼 매물을 찾는 게 익숙해진다.

또한 수치상으로 명확한 근거를 가지고 매수를 하기 때문에 실패할 가능성이 거의 없다. 또한 주변의 말이나 단발성 기사에 마음이 흔들리지 않기 때문에 고평가된 물건을 따라서 매수한다거나 조급한 마음에 급하게 매도하지 않는다. 원했던 수익률을 올리면서도 마음 편하게 투자할 수 있는 것이다.

나만의 투자 원칙을 정하고 투자하면서 이를 조금씩 다듬고 발전시켜나가는 과정이 투자자로서 성장하는 지름길이다. 부동산 전문가들이 알려주는 투자법을 무조건 따라 한다거나 단체로 투자를 하면 처음 투자에 발을 들이기는 쉽지만 곧 벽에 부딪힐 것이다. 물건에 따라서 무수히 많은 변수가 생기는 데 이에 대응하기가 힘들기 때문이다.

부동산 부자가 될 수 있는 두 가지 습관

물론 자신만의 투자 원칙을 만드는 것이 쉬운 일은 아니다. 그만큼 부동산 투자에 대해 깊게 생각하고 고민해보는 시간이 있어야 가능한 일이기 때문이다. 이에 처음 부동산 공부를 할 때는 성공한 투자자를 멘토로 삼고 그의 방법을 참고해 매수·매도를 따라 해보는 것을 추천한다. 창작의 기본은 모방이라는 말도 있지 않은가. 그러니 많은 책을 읽고 여러 전문가의 강의를 들으면서 공부하는 것이 좋다. 직접 경험하는 시행착오를 줄일 수 있기 때문이다. 다만 그들의 지식을 있는 그대로 받아들이지는 않길 바란다. 나 역시 다른 사람이 하는 대로 따라서 투자해왔다면 이렇게 자산을 모으지도 못했을 것이고, 책을 낼 엄두도 못 냈을 것이다.

어떤 방식으로든 부동산 투자를 꾸준히 해보면 각 단계마다 밟아야 할 시행착오가 분명 생긴다. 이런 시행착오를 단순하게 스트레스라고 생각하지 말고 추후 부자가 되기 위한 필수 과정이라고 생각하길 바란다. 왜냐면 시행착오를 겪을수록 앞으로 발생할 문제에 대한 해결 능력이 커지기 때문이다. 결국 나만의 부동산 투자 원칙은 이런 시행착오를 겪으면서 만들어진다. 이걸 반대로 말하면 시험하고試 행하지行 않으면 투자 원칙은 만들 수 없다는 것이다. 당연하다. 해보지도 않았는데 어떻게 원칙을 만들 수 있겠는가.

'시행착오試行錯誤'가 거창한 건 아니다. 첫째, 네이버 부동산 매물 검색을 생활화하기. 둘째, 부동산중개소에 들어가는 것을 무섭게 생각하지 않기. 딱 이 두 가지만 몸에 익힌다면 이미 부자가 될 자격은 충분하다. 물론 부자가 될 자격이 있다고 해서 바로 부자가 되는 건 아니다. 정말로 부자가 되려면 앞의 두 가지를 아주 오랫동안 실행해야 한다. 내 경험상 10년이면 충분하다.

전업 투자자가 금요일마다 하는 일은?

앞에서 말한 두 가지 습관 중에서 보통 부동산 관련 책의 저자나 부동산 전문가들은 두 번째인 임장에 좀 더 비중을 두고 이야기한다. '진짜 급매는 현장에 있다'는 말로 부동산중개소에 들어가서 아직 매물로 올리지 않은 서랍 물건을 찾으라는 것이다. 하지만 부동산중개사도 사람이라 정말 좋은 물건이 들어오면 본인이 사거나 가족, 친지, 지인에게 먼저 소개하기 마련이다. 당연히 초짜가 부동산중개소에 들어가서 좋은 물건을 받아 오는 경우는 드물다. 거래를 하면서 공인중개사와 친분이 쌓여야 그나마 가능성이 높아지는 정도다.

그래서 나는 첫 번째인 매물 검색을 더 우위에 둔다. 전업 투자자가 되기 전에는 전국을 무대로 임장을 다니면서 급매를 찾는 건 불가능한 일이었다. 대신 매일 저녁 30분에서 1시간씩 시간을 내서 스마트폰으로 전국의 급매를 검색했다. 10년째 해온 일이니 지금은 1시간 정도만 검색해서 찾으면 안전마진 2000만~3000만 원 정도 있는 것은 바로 찾는다. 이렇게 '급매'를 찾는 것은 대단한 일이 아니다. 과거에 거래됐던 실거래나 현재 올라와 있는 호가와 비교해 어느 정도 안전마진이 보이는 매물을 찾으면 된다.

난 지금도 금요일마다 저녁을 먹고 소파에 누워서 손안에서 전국을 누빈다. 대략 한 개의 시에 위치한 물건을 다 보는 데 한 시간이 채 걸리지 않는다. 그리고 급매로 보이는 것은 바로바로 캡처를 해놓고 넘긴다. 검색이 다 끝나면 캡처해둔 물건 중에서 나의 투자 원칙과 맞으면서도

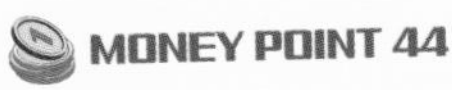

매물을 효율적으로 검색하는 방법은, ① 네이버 부동산을 통해 하나의 지역에서 나온 매물을 모두 살피면서 ② 급매로 보이는 것들은 캡처해둔 후 ③ 검색이 끝나면 나의 투자 원칙에 맞고 가장 싸게 나온 물건을 골라 임장을 가는 것이다.

싸게 나온 물건을 선택해 토요일 아침에 부동산에 연락해본다. 해당 물건이 아직 있다는 대답을 받으면 바로 차를 타고 이동한다. 보통 이런 과정으로 집을 매수한다. 만약 한 지역에서 원하는 조건의 물건이 나오지 않으면 지역을 바꿔서 다시 반복한다. 그렇게 토요일 새벽이나 아침까지 검색해 결국 찾아내고 만다.

우리나라는 현재 2300만 세대가 넘는다. 설마 그중에 급매 하나 못 찾을까? 여기서 중요한 것은 좋은 급매인지 구분해내는 눈이다. 바로 이때 투자 원칙이 필요한 것이다. 그래서 내 투자 원칙 안에 들어오는 물건만 쉽게 골라낼 수 있는 것이다. 만약 그런 원칙이 없이 검색만 한다면 시간 낭비일 수 있다.

3장에서 데이터를 분석하는 방법을 알아보았고, 4장에서는 여러 가지 부동산의 투자 사례를 통해서 내가 어떤 투자를 해왔는지를 소개했다. 이번 5장에서는 위의 사례들이 어떤 도구를 이용해 어떠한 원칙에 의해 투자 결정을 내렸는지를 알려준다. 다만 이 내용들도 있는 그대로 받아들이지 말고 직접 물건을 비교 분석해보고 앞의 사례에서 원칙이 어떻게 적용되었을지를 고민하며 투자 기준을 세우는 연습을 해보길 바란다. 이 책은 자신만의 투자 원칙을 세우기 위한 참고 자료일 뿐이다.

부동산 빅데이터를 가공해 나만의 자료로 만들기

이 책에 나와 있는 부동산 빅데이터 자료는 세 가지로 나눌 수 있다. 첫 번째는 부동산 관련 통계 자료를 받아 내가 직접 가공해 만든 자료다. 두 번째는 직방, 호갱노노, 아실 등의 무료 부동산 앱 자료다. 마지막은 부동산 지인 프리미엄, 손품왕 등 유료 데이터 업체에서 받은 자료다. 지금은 매물을 찾고 투자하는 데 더 많은 시간을 쓰기 위해서 직접 만드는 자료는 50% 정도이고, 나머지 50%는 무료나 유료 사이트에서 가지고 온다. 그래도 내가 보는 자료의 출처가 어디이며, 어떤 식으로 가공하는지는 대부분 알고 있다.

이 점이 매우 중요하다. 거시적 부동산 빅데이터를 가공하는 연습을 오래 하다 보면 자연스럽게 시장의 흐름을 읽을 수 있기 때문이다. 처음

 **MONEY POINT 45**

부동산 앱에서 제공하는 자료가 어디를 출처로 어떤 과정을 거쳐 가공되는지를 알면 단지 숫자의 나열이 아닌 시장의 흐름을 읽을 수 있다. 이를 위한 가장 좋은 방법은 직접 통계 데이터를 가공해보는 것이다.

에는 숫자의 나열이 어떤 의미인지 모르므로 어렵다고 느껴지지만 꾸준히 접하다 보면 그 안에서 흐름이 보인다. 매물을 검색하는 것도 이와 비슷하다. 매일 혹은 매주 네이버 부동산에서 매물을 검색해보는 것만이라도 오래하다 보면 특정 지역의 특정 단지의 매물을 보고 싼지 비싼지를 바로 알 수 있다. 꾸준한 시세 트래킹으로 머릿속에 데이터가 쌓이기 때문이다.

5장이 나만의 투자 전략을 개발하기 위한 도구들을 알려주는 부분인 만큼 손품의 가장 기본이 되는 데이터 가공법을 알려주도록 하겠다. 이렇게 만든 데이터로 3장의 지역 분석까지 해보면 데이터를 이해하는 눈이 더욱 깊어지리라 믿는다.

부동산 데이터를 어디서 볼까?

부동산 데이터 통계를 제공하는 기관은 크게 두 곳이다. 하나는 국토교통부 산하의 한국부동산원이고, 다른 하나는 KB국민은행에서 운영하는 KB부동산이다. KB부동산에서는 매주 금요일 오전에 주간통계, 매월 마지막 주 월요일에 월간통계가 올라온다. 한국부동산원에서도 부동산통계정보시스템R-ONE을 통해 주간, 월간 주택통계를 공표한다.

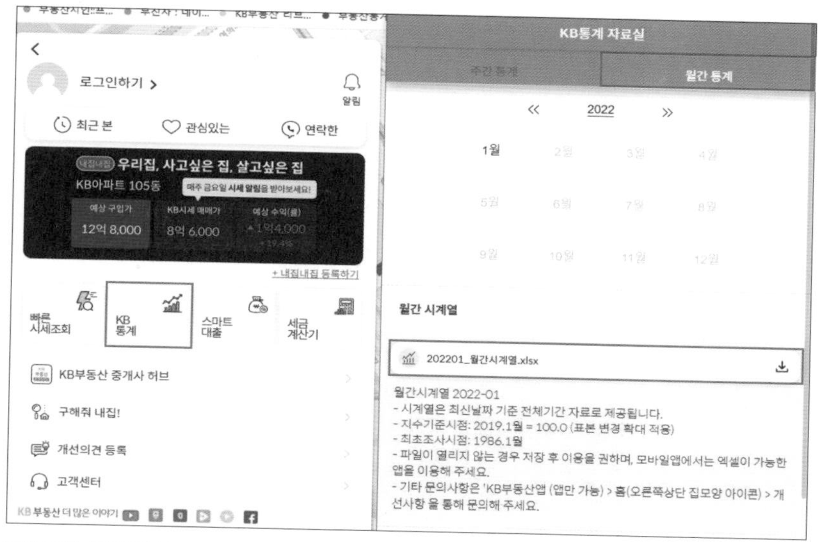

KB부동산 사이트(kbland.kr)에서 검색창 왼쪽의 세줄을 누르고 'KB통계' 메뉴로 들어가면 주간·월간시계열 통계 자료를 볼 수 있다. (출처: KB부동산)

한국부동산원의 통계 표본은 약 9400세대인 데 반해 KB부동산의 표본은 약 3만 세대다. 통계 표본이 적은 한국부동산원은 대장 지역이나 단지의 움직임을 빠르게 반영한다는 장점이 있고, KB부동산은 표본 수가 많기 때문에 2~3급지의 움직임까지 판단할 수 있다는 장점이 있다. 내가 하는 무피·플피 투자는 기본적으로 2~3급지를 대상으로 하기에 KB부동산의 데이터가 더 적합하다. KB부동산의 시세가 담보대출과 전세자금대출의 기준이 된다는 점에서도 물건을 세팅할 때 더 유용하게 활용할 수 있다. 게다가 한국부동산원은 국가기관이기에 국가 정책에 따라 지표를 맞춰가는 경향이 있다고 보기 때문에, KB부동산에서 제공하는 데이터가 시장을 있는 그대로 반영한다고 생각한다.

KB부동산과 한국부동산원(국토교통부)의 부동산통계정보에서 제공하는 자료들을 보면 앞서 분석한 부동산 프롭테크[Property(부동산)과 Technology(기술)을 합친 단어로 빅데이터, 인공지능 등을 이용해 데이터를 가공하고 제공하는 온라인 서비스를 뜻함] 업체들로부터 인용된 시계열(시세) 그래프들이 다 이 자료들을 근거로 만들어졌다는 걸 알 수 있다.

KB부동산과 한국부동산원 자료 말고 주택정보포털HUSTA, 국가통계

| KB부동산에서 이용할 수 있는 주간·월간시계열자료 목록 |

주간시계열자료	월간시계열자료
아파트 매매가격 증감률 아파트 전세가격 증감률 아파트 매매가격지수 아파트 전세가격지수 전용면적별 매매가격지수 전용면적별 전세가격지수 매수자·매도자 동향 매매 거래 동향 전세 수급 동향 전세 거래 동향	주택 매매가격 종합지수 아파트·단독주택·연립주택 매매가격지수 주택 전세가격 종합지수 아파트·단독주택·연립주택 전세가격지수 KB아파트 월세지수 주택가격 및 소득분위별 PIR 주택구매력지수 매매가격 대비 전세가격 비율 면적별 매매가격 종합지수 평균 매매·전세가격 중위주택 매매·전세가격 m^2당 평균 매매·전세가격

| 한국부동산원 부동산통계정보에서 받을 수 있는 자료 목록 |

주택 공급	미분양 주택 현황, 주택 건설 인허가실적, 주택 준공실적, 주택 착공실적
부동산 관련 지수	경기종합지수, 소비자물가지수, 생산자물가지수, 부동산시장심리지수
거시경제 및 일반지표	가계대출, 경제성장률, 국공채(3년), 주택담보대출금리, 환율, CD금리(91일물), GDP, 세대수, 인구수, 인구이동
부동산 거래 현황	토지·건축물(오피스텔)·주택·아파트 매매 현황, 월별 거래 주체(개인·법인), 매입자 거주지별(외지인)

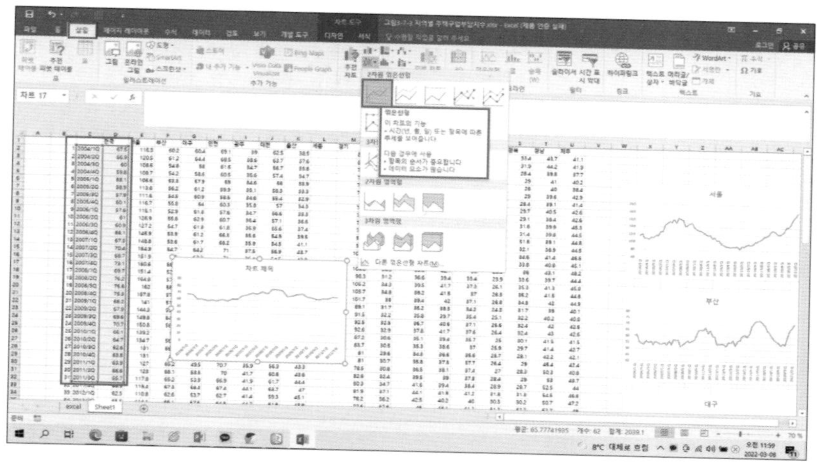

주택정보포털에서 다운받은 데이터를 나만의 그래프로 가공하는 과정이다. (출처: HUSTA)

포털KOSIS, 국토연구원KRIHS, 한국주택금융공사 주택금융통계시스템, 한국은행 등에서 제공하는 자료까지 챙겨본다면 사실상 부동산에 관한 거의 모든 자료를 보고 있다고 해도 무방하다.

이 데이터들을 어떻게 보기 쉬운 그래프로 만들 수 있을까? 3장에서 분석한 주택구입부담지수를 사례로 살펴보자. 주택구입부담지수는 주택정보포털HUSTA에서 매 분기마다 올리는 자료다. 이걸 엑셀로 다운받으면 위의 그림처럼 날짜와 그 시점에 해당하는 수치가 나온다. 그 두 가지를 마우스로 잡고 끝까지 내려서 모든 데이터를 선택한 후에, 엑셀 메뉴에서 '삽입'을 누르고 차트 모양을 선택하면 된다. 추천 차트를 누르면 다양한 그래프 모양이 나오는데, 대체로 지수나 시세는 2차원 꺾은선형으로, 거래량은 2차원 세로막대형으로 만든다.

투자를 쉽게 만들어줄 도구를 손에 익혀라

부동산 앱의 등장으로 부동산 투자가 주식 투자처럼 템포가 굉장히 빨라졌다고 느낀다. 예전에 이런 앱들이 없었을 때는 부동산 실거래에 올라오는 정보도 세 달 전 것들이었으므로 실제 시장과 그만큼의 시차가 존재했다. 그래서 현장에서 직접 겪은 사람들의 정보를 따라잡지 못하는 경우가 많았다.

하지만 지금은 많은 정보가 실시간으로 올라올뿐더러 개인이 혼자서 분석하기엔 어려운 빅데이터를 이용한 통계와 정보들을 공짜로 손쉽게 볼 수 있다. 그러니 주식시장과 다름없이 호재에 대한 반응이 실시간으로 검색 순위나 거래량으로 나타난다. 시장에 대한 투자자들의 대응이 굉장히 빨라진 것이다.

더 이상 감으로 투자를 하거나 정보의 비대칭성을 이용해 몇 가지 정보만 가지고 투자에 뛰어든다면 실패로 이어질 수밖에 없는 환경이 된 것이다. 그리고 이는 다시 말하면 누구나 오픈된 정보를 이용해 부동산 투자에 뛰어들 수 있는 환경이 조성되었다는 것이다. 여기서는 그런 시장을 만들고 있는 유용한 앱 몇 가지를 소개하도록 하겠다.

호갱노노
: 실시간 인기 아파트 등 단기 트렌드 파악 용이

호갱노노에서는 현재 사람들이 관심 있어 하는 인기 검색 아파트가 실시간으로 반영된다. 지금이야 네이버나 다음에서 실시간 인기 검색어가 사라졌지만 현재 사람들이 무엇에 관심이 있는가를 즉흥적으로 확인하기에는 이만한 도구가 없는 것도 사실이다. 자본주의 사회에서는 사람들의 관심이 즉 돈이 된다.

또한 실시간 인기 아파트와 인기 지역을 파악하는 것뿐 아니라 특정 지역을 화면에 띄우고 분석 도구를 누르면 그 지역에 관한 여러 가지 빅데이터들을 확인할 수 있다. 특히 내가 자주 사용하는 도구로는 '가격 변동'을 통해서 최대 3년 전부터 현재까지 얼마나 변동이 있었는지 확인하는 것이다. 그리고 '공급'을 통해서 과거 3년 전부터 앞으로 3년 후까지 입주 (예정) 물량이 얼마나 있는지 살핀다. 다음은 '상권'을 통해 내가 사려고 하는 단지들 주위로 형성된 상권 규모와 그로 인해 얼마나

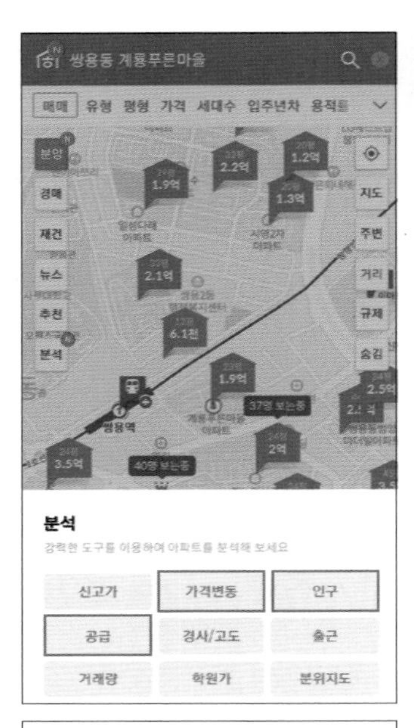

실시간 인기 아파트 (아파트)

순위	아파트	지금 보고 있는 사람
1	힐스테이트레이크송도4차 (인천 연수구 송도동)	2,449명
2	센트레빌아스테리움영등포 (서울 영등포구 영등포동2가)	1,490명
3	중계그린 (서울 노원구 중계동)	1,391명
4	지제역푸르지오엘리아츠 (경기 평택시 동삭동)	1,200명
5	과천지식정보타운S2블록 (경기 과천시 문원동)	1,195명
6	수원권선6래미안 (경기 수원시 권선구 세류동)	1,023명
7	동탄파라곤2차 (경기 화성시 신동)	963명
8	아현2구역아이파크SKVIEW (서울 마포구 아현동)	838명
9	힐스테이트구리역 (경기 구리시 수택동)	793명
10	매교역푸르지오SKVIEW (경기 수원시 팔달구 매교동)	767명
11	창원월영마린애시앙 (경남 창원시 마산합포구 월영동)	730명
12	북서울자이폴라리스 (서울 강북구 미아동)	726명

실시간 인기 아파트 (지역)

순위	지역	인원
1	연수구 송도동 (인천광역시)	3,900명
2	노원구 중계동 (서울특별시)	1,631명
3	용인시 수지구 풍덕천동 (경기도)	1,531명
4	평택시 동삭동 (경기도)	1,505명
5	영등포구 영등포동2가 (서울특별시)	1,501명
6	과천시 문원동 (경기도)	1,197명
7	파주시 동패동 (경기도)	1,160명
8	수원시 권선구 세류동 (경기도)	1,100명
9	아산시 배방읍 (충청남도)	1,073명
10	화성시 청계동 (경기도)	1,008명
11	화성시 신동 (경기도)	996명
12	마포구 아현동 (서울특별시)	995명
13	강북구 미아동 (서울특별시)	986명

다양한 분석 툴(위에서 왼쪽), 매전갭을 보여주는 그래프(위에서 오른쪽), 실시간 인기 아파트와 지역 순위(아래) 등 호갱노노의 서비스를 보여주는 화면. (출처: 호갱노노)

살기 좋은 곳인지를 판단한다. '인구'에서는 순인구이동을 통해서 이 지역이 최근 3년 전부터 인구가 얼마나 줄었는지 혹은 늘었는지 확인할 수 있다. 당연히 인구는 느는 쪽이 좋다.

이 앱에서 내가 잘 활용하고 있는 것은 매매가와 전세가 비교 그래프다. 왼쪽 그림 중에서 상단 오른쪽을 보자. 특정 단지의 상세 페이지에서 그래프 위의 '매매/전세' 탭을 누르면 시점별 매매가와 전세가의 갭 차이가 나온다. 내 투자의 주된 방법이 전세금을 이용한 레버리지 투자이므로 그래프를 보며 얼마에 갭 투자를 할 수 있는지 파악한다. 이미지를 보면 2020년 9월에 매매가가 1억 2700만 원이고 전세가는 1억 1500만 원이니, 약 1200만 원 정도의 갭이 필요했다. 실제로 내가 이때 이 단지를 매수했다. 다만 나는 탑층을 매수했기에 매수가가 이보다 저렴한 1억 1850만 원이었고 전세가는 그보다 높은 1억 2000만 원을 받았기에 오히려 150만 원을 받는 투자였다.

이렇게 매매가와 전세가의 갭을 확인하면서 이보다 투자금이 더 적게 들어가는 방법을 찾는다. 다른 층보다 비교적 싸게 나오는 1층이나 탑층을 매수하거나, 현재 나와 있는 전세 물량을 확인하고 거의 없거나 많지 않다면 전세를 평균치보다 조금 높게 내놓는 방법도 있다.

여기서 중요한 건 앱을 손에 익혀서 자유자재로 만질수록 다양한 전략을 생각해낼 수 있다는 것이다. 이를 통해 현재의 투자금에 맞으면서도 수익을 높일 물건을 찾는다.

아실: 1년간의 중기 데이터를 파악하는 데 좋음

아실('아파트 실거래가'의 줄임말)은 디스플레이가 단순해서 사용하기엔 가장 편리한 앱이라고 생각한다. 게다가 무료임에도 제공하는 데이터 분석 툴은 유료로 판매해도 될 정도다. 여기서도 내가 자주 사용하는 기능을 위주로 소개한다.

제일 좋아하는 서비스는 '매물증감'이다. '부동산 거래신고 등에 관한 법률'(줄여서 '부동산거래신고법')에 따르면 부동산 매매를 하면 계약 체결일로부터 30일 이내에 거래가격을 신고해야 한다. 신고된 실거래가는 매매 계약 한 달 후에 국토교통부에서 조회할 수 있다. 즉, 우리는 실제 거래보다 한 달이나 늦은 정보를 보고 있는 것이다.

하지만 이 매물증감은 딜레이되지 않은 매매 당시의 시점에서의 매물량 증가·감소 추이를 파악할 수 있다. 어떻게 보면 부동산 선행지수라고 볼 수 있는 것이다. 선행지수를 아는 것은 대학에서 오픈 북으로 시험을 치는 거나 마찬가지다. 정말 유용한 투자 정보다.

MONEY POINT 46

매물이 빠르게 느는 것은 매도자가 매수자보다 더 많을 때로, 매수자 중심의 시장이 형성되어 이후 집값이 내려간다. 반면 매물이 급속하게 줄어들 때는 매수자들이 몰려들었거나, 매도자가 가격이 오를 걸 예측해 내놓았던 물건을 거두어들였기 때문이므로 이후 집값은 올라간다.

현재 매물이 급속하게 줄어들고 있다면, 그 원인은 두 가지 중 하나다. 매수자들이 매물들을 엄청나게 사고 있거나, 혹은 매도자가 가격이 오를 걸 예측해 시장에 내놓은 물건을 거두어들이고 있는 것이다. 반대로 매물이 급속하게 늘어나고 있다면 물건을 사려는 매수자보다 매도자가 더 많은 경우다. 이럴 때는 거래가 쉽게 이루어지지 않으니 매도자가 금액을 내릴 가능성이 크다.

그렇다면 우리는 언제 투자를 해야 할까? 답은 예상한 대로다. 매물이 줄어들고 있는 시점에 들어가야 앞으로 가격이 상승할 확률이 크다. 도·시·동까지 매물의 증감 상태를 실시간으로 확인할 수 있기에 이것만 잘 활용해도 정말 유용한 앱이라고 생각한다.

다음으로 '많이 산 아파트'는 구 단위별로 어떤 단지가 특정 기간 동안(설정 가능) 많이 거래되었는지를 알려주는 서비스다. 많이 산 아파트는 보통 대단지일 가능성이 크다. 이를 보아도 가능하면 세대수가 많은 단지에 투자하는 게 좋다.

대단지 아파트는 거래량이 많은 만큼 네이버 부동산이나 KB시세에서도 호가를 바로 알 수 있다. 또한 세대수가 많으면 관리비가 저렴하고 인력도 많기에 단지가 잘 관리된다는 이점이 있다. 투자자나 실거주자도 이런 장점을 잘 알고 있는 만큼 수요가 항상 존재하고 거래가 쉽다. 물론 세대수가 많지 않은 나 홀로 아파트도 상승 압력이 심한 수도권 지역이라면 상승할 수 있으나 지방의 경우에는 쉽지 않다. 그래서 소규모 단지인데 거래량이 크게 나왔다면 특정한 호재가 있을 수 있음을 염두에 두고 주의 깊게 봐야 한다.

MONEY POINT 47

대단지 아파트에 투자를 권하는 이유는 거래량이 많아 네이버 부동산이나 KB시세에서 호가를 바로 알 수 있어 매수와 매도 기회를 잡기 쉬워서다. 또한 세대수가 많으면 관리비가 저렴한 데 비해 관리도 잘된다.

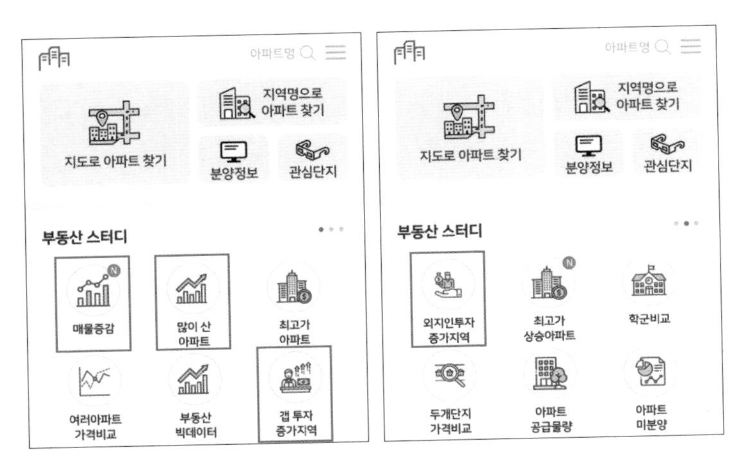

아실은 UI가 단순해서 사용하기 좋으며, 무료임에도 다양한 데이터를 제공한다.

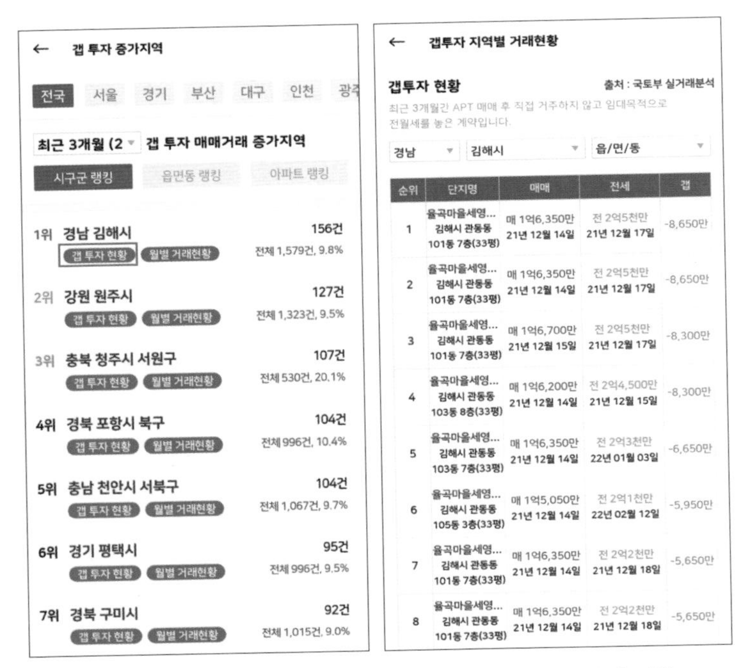

순위	단지명	매매	전세	갭
1	율곡마을세영... 김해시 관동동 101동 7층(33평)	매 1억6,350만 21년 12월 14일	전 2억5천만 21년 12월 17일	-8,650만
2	율곡마을세영... 김해시 관동동 101동 7층(33평)	매 1억6,350만 21년 12월 14일	전 2억5천만 21년 12월 17일	-8,650만
3	율곡마을세영... 김해시 관동동 101동 7층(33평)	매 1억6,700만 21년 12월 15일	전 2억5천만 21년 12월 17일	-8,300만
4	율곡마을세영... 김해시 관동동 103동 8층(33평)	매 1억6,200만 21년 12월 14일	전 2억4,500만 21년 12월 15일	-8,300만
5	율곡마을세영... 김해시 관동동 103동 7층(33평)	매 1억6,350만 21년 12월 14일	전 2억3천만 22년 01월 03일	-6,650만
6	율곡마을세영... 김해시 관동동 105동 3층(33평)	매 1억5,050만 21년 12월 14일	전 2억1천만 22년 02월 12일	-5,950만
7	율곡마을세영... 김해시 관동동 101동 7층(33평)	매 1억6,350만 21년 12월 14일	전 2억2천만 21년 12월 18일	-5,650만
8	율곡마을세영... 김해시 관동동 101동 7층(33평)	매 1억6,350만 21년 12월 14일	전 2억2천만 21년 12월 18일	-5,650만

지역의 호재와 투자 수요를 파악할 수 있는 아실의 갭 투자 관련 데이터. (출처: 아실)

마지막으로 '갭 투자 증가지역'과 '외지인투자 증가지역'도 유심히 살펴본다. 이것도 유용한 투자 툴이다. 갭 투자 및 외지인 투자가 증가했다는 것은 호재가 생겼음이 분명하다. 실거주자의 거래량으로는 평균치를 넘어선 200%, 300% 거래량이 나오지 않기 때문이다.

만약 부린이인데 아무리 공부하고 고민해도 어느 지역을 사야 할지를 모르겠다면, 이 데이터를 통해 앞서간 투자자를 따라할 수 있을지를 연구해보라. '갭 투자 증가지역'을 누르면 지역별 순위가 뜨는데, 순위에 오른 시 이름 아래 '갭 투자 현황'을 누르면 갭 차이 순으로 거래 내역이 정리되어 있다. 보통 상위 10건 정도는 잭파시 투자법과 동일하게 매매가보다 높은 전세가, 즉 플피로 거래한 것들인데 이걸 따라하려고 해보라. 남의 투자법을 연습하다 보면 왜 이 지역에, 이 아파트 단지에 갭 투자가 많은지를 이해할 수 있다. 그렇게 투자 기본기를 다지고 나면 스스로 투자 지역을 찾아낼 수 있을 것이다.

이처럼 모든 정보는 공개되어 있다. 정보가 없어서 투자를 못 한다는 말은 지금 같은 시대에는 핑계일 뿐이다.

부동산 지인: 장기적인 빅데이터를 분석하기 좋음

부동산 지인이라는 프로그램의 등장으로 부동산 투자는 더 이상 감이 아닌 빅데이터 분석을 통해서 이루어진다는 인식이 생겨났다. 그런 면에서 앞서 설명한 앱들도 당연히 훌륭하지만, 부동산 지인이야말로 부동산 투자의 패러다임을 바꿨다고 생각한다. 그만큼 기능이 좋기에 일찌감치 무료 버전과 유료 버전을 나눠서 내놓았고, 나는 당연히 유료 버전을 사용하고 있다.

부동산 지인이 만들어낸 개념 중 '시장 강도'(아파트 시세 변화를 누적시킨 값)가 가장 유용하게 사용된다. 앞서 실거래가보다 매물증감이 한 달 정도 선행하는 지표라고 설명했는데 시장 강도는 그보다도 몇 주에서 몇 달 정도 선행한다. 이에 시장 강도의 흐름을 보고 앞으로 시세가 어떻게 변할지 파악할 수 있다.

만약 시장 강도가 0에서 30으로 올라가면 그 지역의 대장 아파트가 상승하기 시작한 것이고, 100 이상으로 오르면 2~3급지의 아파트도 따라서 상승장에 돌입한다. 300 이상이 되면 뉴스에서 '불장'이라는 자극적인 용어를 사용하는 보도가 연이어 오르내릴 것이다. 강한 매수세를 동반하며 매수자가 줄 지어 대기 중인 과열기라고 할 수 있다.

MONEY POINT 48

부동산 지인의 '시장 강도' 데이터를 분석해보면, 마이너스에서 0을 돌파할 때가 해당 지역에 대장 아파트에 투자하기 가장 좋은 시점이고, 100을 넘어서면 시장 전체가 상승장에 돌입하는 시점이므로 2~3급지의 아파트에 투자하기 좋다.

반대로 시장 강도가 200에서 100으로 내려왔다면 해당 지역의 가격 상승이 약해지고 있다고 보면 된다. 매매가는 오르고 있더라도 상승률은 약화되고 있을 것이다. 비유하자면 시속 200km 달리고 있던 차가 시속 100km로 속도를 줄여서 달리고 있다고 상상하면 된다. 시장 강도가 30에서 -30이 됐다면 이때는 가격이 하락세로 전환되었다고 보면 된다.

그래서 각 지역 대장 아파트에 투자하기 가장 좋은 시점은 마이너스 시장 강도에서 0을 돌파할 때이고, 2~3급지의 아파트에 투자하기 좋은 시점은 100을 넘어서서 시장이 전체 상승장에 돌입하는 시점이다. 앞으로 벌어질 미래를 먼저 알 수 있다는 데서 투자 능력의 차이가 크게 벌어질 수 있는 만큼 굉장히 유용한 데이터라고 할 수 있다. 시장 강도는 무료 버전에서도 확인할 수 있다.

부동산 지인에서는 시장 강도를 비롯해 거래량, 공급량, 미분양 등의 빅데이터도 제공한다. 이 데이터를 모두 확인하고 판단하면 앞으로

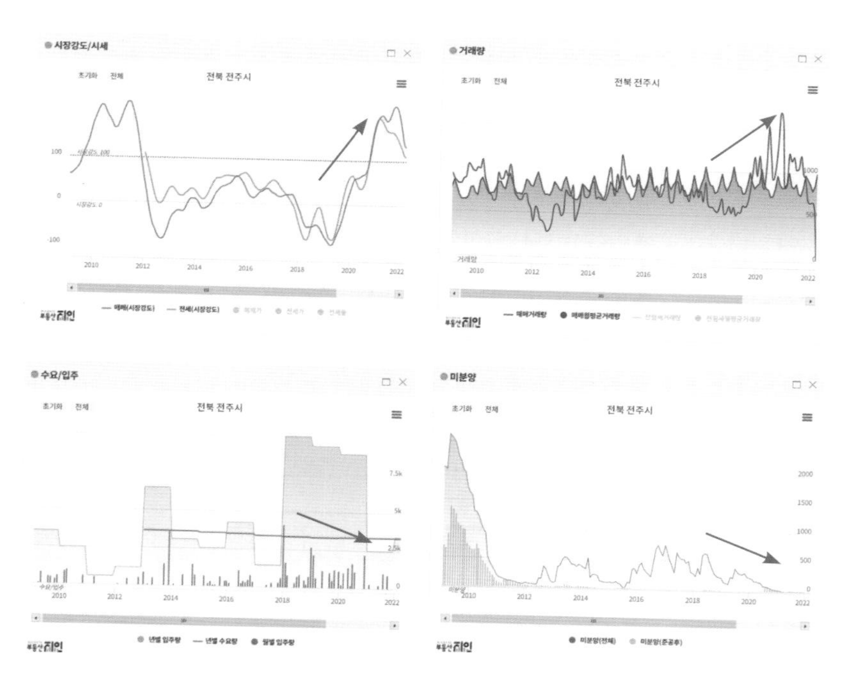

부동산 지인에서 제공하는 '시장 강도'(위에서 왼쪽), '거래량'(위에서 오른쪽), '수요/입주'(아래에서 왼쪽), '미분양'(아래에서 오른쪽) 등의 데이터를 통해 시세의 방향성을 예측하고 매수 타이밍을 잡을 수 있다. (출처: 부동산 지인)

시장 강도가 상승하고 있으며, 거래량이 증가 추세이고, 적정 수요에 비해 공급이 부족하며, 미분양이 줄고 있거나 없는 상태이면 추후 시세가 상승할 가능성이 크다.

가격이 오를 지역을 알아낼 수 있다. 즉 시장 강도가 상승하고 있으며, 거래량이 증가 추세이고, 적정 수요에 비해 공급이 부족하며, 미분양이 줄고 있거나 없는 상태이면 추후 시세가 상승할 가능성이 크다. 이렇게 데이터를 분석하는 능력이 조금이라도 있다면 부동산 투자에 미리 겁먹을 필요가 없다. 오히려 근거가 되는 자료가 있는 만큼 마음 편하게 투자할 수 있다.

추가로 유료 버전인 '프리미엄'에서 내가 잘 활용하는 기능 두 가지를 더 소개하겠다. 하나는 '아파트 실거래량 증감'이고 다른 하나는 '급매물보기'다.

먼저 '아파트 실거래량 증감'은 금일 기준 지난달의 부동산 실거래 내역이다. 오른쪽의 그림처럼 현재 기준 어떤 지역이 월평균 거래량보다 더 많이 거래되었는지 알 수 있다. 바로 이게 투자 힌트가 되는데 거래량이 평균보다 크게 늘어났다면 그건 분명 그 지역에 투자 수요로 이루어진 거래가 많다는 의미다. 그래서 나는 대체로 월말에 이 기능을 이용해 어느 지역에 투자자가 몰리는지 파악한다. 부동산 실거래는 계약 후 한 달 후까지 무조건 정보를 올려야 하므로, 월말이면 전달의 거래 정보는 대부분 업데이트됐다고 볼 수 있기 때문이다.

물론 요새 투자흐름이 워낙 빠르다 보니 한 달이라는 기간이 늦다고 여겨질 수도 있다. 하지만 꼼꼼이 체크하다 보면 한두 개씩은 남아 있는 물건이 있다. 나에게 고급 정보가 많아서 투자자들이 들어오기 전에

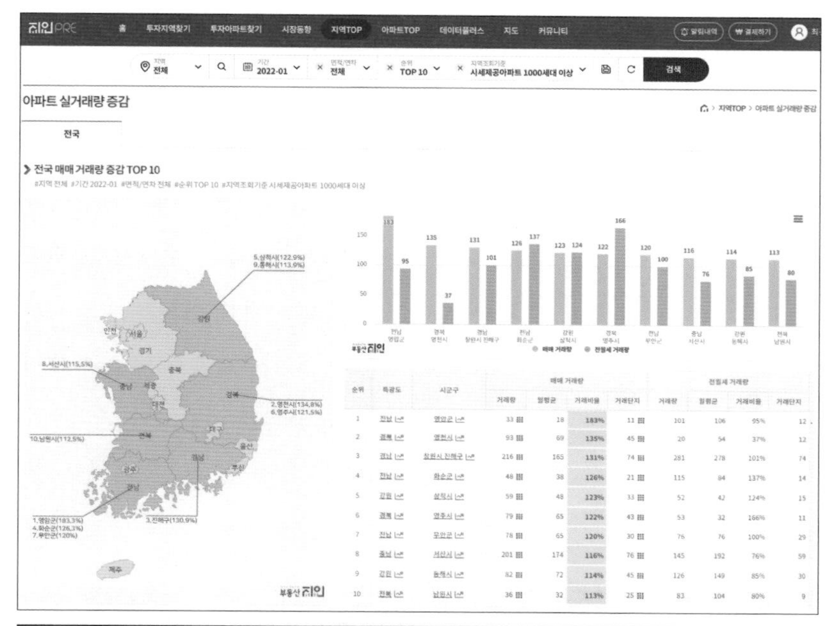

순위	특광도	시군구	매매 거래량				전월세 거래량			
			거래량	월평균	거래비율	거래단지	거래량	월평균	거래비율	거래단지
1	전남	영암군	33	18	183%	11	101	106	95%	12
2	경북	영천시	93	69	135%	45	20	54	37%	12
3	경남	창원시 진해구	216	165	131%	74	281	278	101%	74
4	전남	화순군	48	38	126%	21	115	84	137%	14
5	강원	삼척시	59	48	123%	33	52	42	124%	15
6	경북	영주시	79	65	122%	43	53	32	166%	11
7	전남	무안군	78	65	120%	30	76	76	100%	29
8	충남	서산시	201	174	116%	76	145	192	76%	59
9	강원	동해시	82	72	114%	45	126	149	85%	30
10	전북	남원시	36	32	113%	25	83	104	80%	9

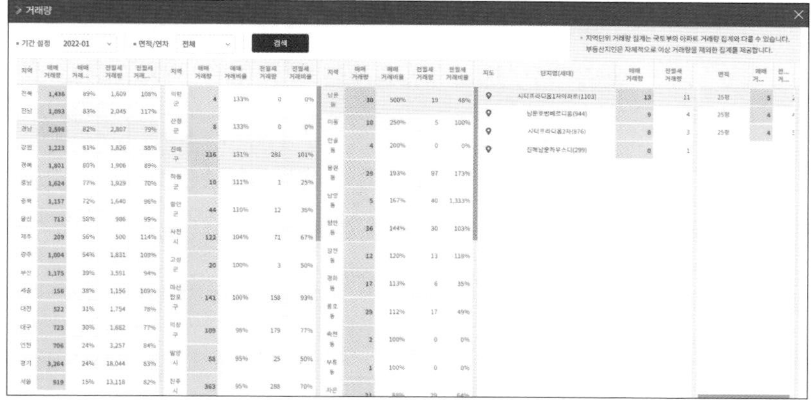

'아파트 실거래량 증감'으로 전국에 걸쳐 거래량 증감이 많은 지역과 아파트 단지를 쉽게 알 수 있다. (출처: 부동산 지인)

먼저 딱 들어가 있는 게 베스트겠지만 쉬운 게 아니니 빠르게 쫓아가는 방법을 다양하게 개발하는 것도 최선책이라고 생각한다.

자세하게는 그 지역의 어느 동에 어떤 아파트가 가장 많이 거래됐는지도 확인할 수 있다. 그럼 특정 단지들이 왜 이 시점에 거래가 많은지를 분석해서, 아직 오르지 않았거나 이미 올랐더라도 추가 수익을 기대할 수 있는 곳을 매수하면 된다. 중요한 건 특정한 아파트 단지부터 분석하는 게 아니라 도 → 시 → 동 → 세부 아파트 단지의 절차를 걸쳐서 위에서 아래로 내려와야 투자 리스크가 줄고 성공 확률이 크다는 것이다.

마지막으로 내가 많이 활용하는 '급매물보기'를 설명하겠다. 부동산

											단위 : 만원
급매	지역별	단지명	매물가대비	매물시세(부동산지인)				네이버 부동산		매매가대비	급매가대비
순위	(단지수)	(총세대수)	급매가격차	매매	전세	매전갭	전세율	매물등록일	급매물가격	급매퍼센트	전세갭
2	부산 해운대구 중동(49)	해운대힐스테이트위브(2,369)	**-51,378**	116,378	59,011	57,367	50.70%	2022-02-15	**65,000**	55.9%	5,989
3	대전 유성구 도룡동(11)	스마트시티2단지(387)	**-47,459**	145,459	72,679	72,780	50%	2022-02-17	**98,000**	67.4%	25,321
10	경기 안산시 상록구 건건동(6)	건건e-편한세상(1,886)	**-25,042**	78,042	45,563	32,479	58.40%	2022-02-15	**53,000**	67.9%	7,437
56	대구 수성구 만촌동(27)	만촌우방타운2단지(390)	**-15,633**	55,633	22,080	33,553	39.70%	2022-02-18	**40,000**	71.9%	17,920
6	경기 의왕시 내손동(17)	래미안에버하임(696)	**-31,135**	123,135	68,414	54,721	55.60%	2022-02-16	**92,000**	74.7%	23,586
32	부산 강서구 명지동(39)	명지대방노블랜드오션뷰1차(737)	**-17,567**	72,567	43,391	29,176	59.80%	2022-02-17	**55,000**	75.8%	11,609
103	세종 세종시 다정동(12)	가온마을6단지(1,076)	**-12,496**	52,496	21,568	30,928	41.10%	2022-02-16	**40,000**	76.2%	18,432
145	전남 순천시 해룡면(24)	대광로제비앙(364)	**-10,979**	48,779	-	-	-	2022-02-17	**37,800**	77.5%	#VALUE!
28	경기 김포시 운양동(33)	한신더휴테라스11단지(157)	**-18,232**	81,232	-	-	-	2022-02-16	**63,000**	77.6%	#VALUE!
38	경기 김포시 운양동(33)	한강신도시운양KCC스위첸(1,296)	**-16,987**	78,987	45,356	33,631	57.40%	2022-02-15	**62,000**	78.5%	16,644
7	경기 용인시 수지구 죽전동(60)	창죽마을_벽산헬시빌(179)	**-28,018**	133,018	74,979	58,039	56.40%	2022-02-18	**105,000**	78.9%	30,021
175	경기 오산시 갈곶동(7)	대주피오레(226)	**-10,081**	49,081	25,000	24,081	50.90%	2022-02-15	**39,000**	79.5%	14,000
16	인천 연수구 송도동(100)	송도더샵하버뷰2차(548)	**-21,794**	111,794	64,235	47,559	57.50%	2022-02-16	**90,000**	80.5%	25,765
1	서울 강남구 청담동(23)	청강건영(240)	**-58,614**	308,614	59,771	248,843	19.40%	2022-02-18	**250,000**	81.0%	190,229
210	경기 의정부시 호원동(55)	신도7차(281)	**-9,424**	50,424	35,982	14,442	71.40%	2022-02-16	**41,000**	81.3%	5,018
131	대전 유성구 원신흥동(7)	어울림하트(1,056)	**-11,539**	62,539	33,557	28,982	53.70%	2022-02-17	**51,000**	81.5%	17,443

부동산 지인의 데이터를 이용해 만든 급매물 리스트. (출처: 부동산 지인)

지인에서 네이버 부동산에 올라온 매물을 자체적으로 수집해 시세보다 싼 급매물을 정리해준다. 거기서 또 내 원칙에 따라 재가공해서 어떤 매물이 급매이고, 지금 투자했을 때 매매가와 전세가의 갭이 얼마나 되는지를 왼쪽의 엑셀 표와 같이 매주 2회씩 정리해 투자처를 고르고 있다. 어떤가, 매우 편하고 좋은 세상이지 않은가. 물론 유료인 만큼 이 프로그램을 잘 활용해야 값어치가 있지, 제대로 활용하지 못하면 굳이 유료 버전을 사용할 필요는 없다.

손품왕: 투자자가 직접 만든 부동산시장 분석 플랫폼

손품왕은 엑셀을 기반으로 한 원클릭 부동산 흐름 분석 프로그램이다. 이를 만든 대표가 투자자라 자신이 사용하기 위해 만든 프로그램이라고 한다. 현재 웹에서 직접 이용할 수 있는 버전도 개발 중이라고 하니 기대해볼 만하다. 데이터 가공을 좋아하는 나조차도 처음 봤을 때 신세계였다. 데이터 출처가 어디인지 알고 있더라도 그걸 그래프로 만들고 보기 좋게 시각화하는 건 시간이 많이 걸리는 일이다. 하지만 이 프로그램만 있으면 내가 보고 싶은 지표를 클릭 한 번에 확인할 수 있다.

제공하는 지표의 종류가 굉장히 다양하며, 알고 싶은 지표에서 지역과 보조지표를 선택하면 대략 20년간의 시장흐름을 볼 수 있다. 거래량, 전세수급지수, 입주 물량, 전세가율, 인허가, 미분양, 매수우위지수, 주택구입부담지수 등 KB부동산, 한국부동산원 등에서 데이터를 다운받

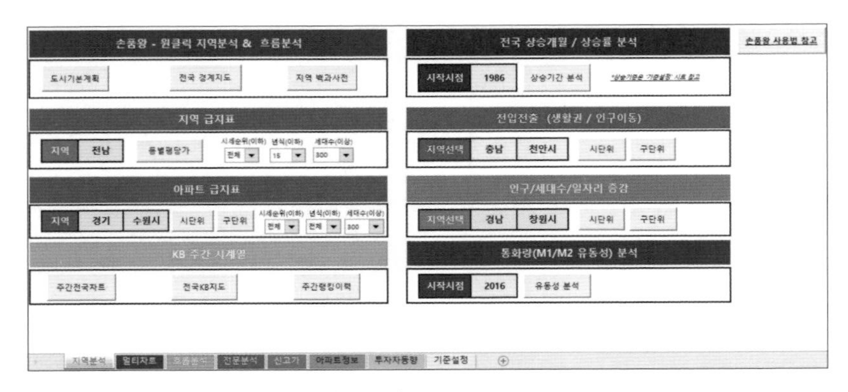

손품왕 엑셀 프로그램의 메인 화면. (출처: 손품왕)

아 하나하나 가공해야 했던 그래프 자료들을 손쉽게 확인할 수 있다.

요즘같이 투자 템포가 빨라진 시기에 적합한 툴이다. 약간의 비용만 내면 나의 시간을 아낄 수 있기 때문이다. 이렇게 데이터를 가공할 시간에 매물 하나라도 더 찾고 임장을 한 번이라도 더 가는 게 사실 훨씬 이익이다.

다만 투자 초기에는 이런 프로그램에 너무 의지하는 것은 좋지 않다. 데이터만 보고서는 이 정보들을 어떻게 활용해야 할지 알기가 힘들기 때문이다. 그러니 적어도 이 프로그램에서 사용하는 데이터를 어디에서 가지고 왔고 어떤 방법으로 가공했는지 정도는 파악할 수 있어야 한다. 그러면 아는 만큼 보인다는 게 어떤 의미인지 경험할 수 있을 것이다.

물론 책에서 데이터를 어떻게 해석해야 하는지는 물론 어디서 데이터를 구하고 어떻게 가공하는지까지 알려주고 있으니 다 읽고 나면 이런 자료들에 대한 이해도가 높아질 것이다.

또한 손품왕이나 앞에서 소개한 부동산 지인 프리미엄 모두 아파트 분석이 중심이므로 겹치는 자료도 상당수 있어 나처럼 두 프로그램을 동시에 이용할 필요는 없다.

그러나 손품왕 오피스텔 버전은 오피스텔 투자를 하는 사람이라면 꼭 필요한 툴이다. 현재 내가 알기로는 오피스텔을 분석할 수 있는 프로그램은 없기 때문이다. 이걸 모르는 사람들이라면 정말 깜깜이 투자를 하고 있겠지만, 나는 지역별 흐름 추이를 보고 매수를 하니 성공할 수밖에 없다(손품왕 데이터를 활용한 오피스텔 투자 사례는 4장에서 이미 설명했다).

아파트 투자 타당성 지표 분석

한창 지방으로 임장을 다니던 시기에 힘들게 시간을 들이고 내려가는 데 생각 없이 돌아다니면 안 되겠다는 생각이 들었다. 낯선 도시에서 무수히 많은 아파트 중에서 무엇을 보아야 하는지를 제대로 정하지 않으면 헛걸음을 하느라 시간만 버릴 수도 있기 때문이다. 미리 임장을 가서 볼 아파트를 선별해두기 위해서 체계적으로 지표를 설정해 점수화하면 어떨까 하는 생각이 들었다. 그러면 지표에 따라 임장을 할 때도 선택과 집중을 할 수 있고, 후에 여러 물건을 비교해보기도 편하니 투자 결정을 내리는 데도 도움이 되겠다고 생각했다. '아파트 투자 타당성 체크리스트'가 탄생한 이유다. 원래는 공시가격 1억 원 이하의 지방 아파트 투자를 염두에 두고 만들었지만 전반적인 아파트 투자

| 아파트 투자 타당성 체크리스트 |

구분	항목	점수	구분	항목	점수
직방	**1. 아파트 단지 1km 내 학교 여부**		부동산 지인	**7. 시장 강도**	
	초·중·고 다 있음	2점		100 초과	2점
	한 개라도 없음	1점		0~100	1점
	하나도 없음	0점		0 미만	0점
	2. 실거주 만족도			**8. 도시 인구수**	
	거주민 리뷰 4.0 이상	2점		50만 명 초과	2점
	거주민 리뷰 3.5 이상	1점		25만~50만 명	1점
	거주민 리뷰 3.0 이상	0점		25만 명 미만	0점
호갱노노	**3. 단지 주변 상권 형성**		네이버 부동산	**9. 세대수**	
	초대형 혹은 대형	2점		500세대 초과	2점
	중대형 혹은 중형	1점		300~500세대	1점
	소형	0점		300세대 미만	0점
	4. 단지의 고도			**10. 연식**	
	50m 미만	2점		2003년 이상	2점
	50~100m	1점		1997~2002년	1점
	100m 초과	0점		1996년 이하	0점
	5. 지역 대장 아파트 상승률 (1년 변동치)			**11. 하락 기간과 지지선 확보 여부**	
	30% 초과	2점		3년 넘게 하락, 지지선 확보	2점
	10~30%	1점		1~3년 하락, 지지선 확보	1점
	10% 미만	0점		하락 기간 없고 지지선 없음	0점
아실	**6. 매물 증감**			**12. 매매가와 전세가의 갭**	
	매매 물량이 감소	2점		무피 혹은 플피 가능	2점
	매매 물량이 보합	1점		1000만 원 이내	1점
	매매 물량이 증가	0점		1000만 원 이상	0점
				최고 점수 24점 중	

해당하는 점수에 체크한 후 점수를 합하면 된다.

지표로 삼아도 무방하다.

체크리스트는 총 12개의 문항으로 이루어져 있으며, 문항당 2점씩 총 24점이 만점이다. 따라서 24점에 가까울수록 그 아파트는 당시 시점에서 투자하기 좋은 물건이라는 의미다. 참고로 문항마다 정보를 찾아볼 수 있는 부동산 앱도 적어두었다. 되도록 무료로 확인할 수 있는 정보이므로 쉽게 체크할 수 있을 것이다. 337쪽 표를 통해 전체 항목을 훑어본 후 하나씩 자세하게 살펴보자.

직방을 통한 투자 타당성 지표 분석

1. 아파트 단지 1km 내 학교 여부: 초 · 중 · 고 다 있음

첫 번째 항목은 정말 중요한 학군 지표다. 요새 잘나가는 아파트들은 초품아('초등학교를 품은 아파트'의 줄임말)가 기본이다. 실거주든 전세나 월세로 살든 아이가 위험하지 않게 등하교할 수 있는 위치에 있다는 것은 어떠한 가치보다 우선시되기 때문이다.

직방 '학군 정보'에서 체크할 수 있으며, 초·중·고가 반경 1km 내에 있다면 2점, 한 개라도 없으면 1점, 하나도 없으면 0점을 준다.

2. 실거주 만족도: '거주민 리뷰' 4.0 이상

실거주 만족도는 투자할 때 꼭 체크하는 매우 중요한 항목이다. 직접 그 집에 살아보고 평가한다면 좋겠지만 현실적으로는 그럴 수가 없

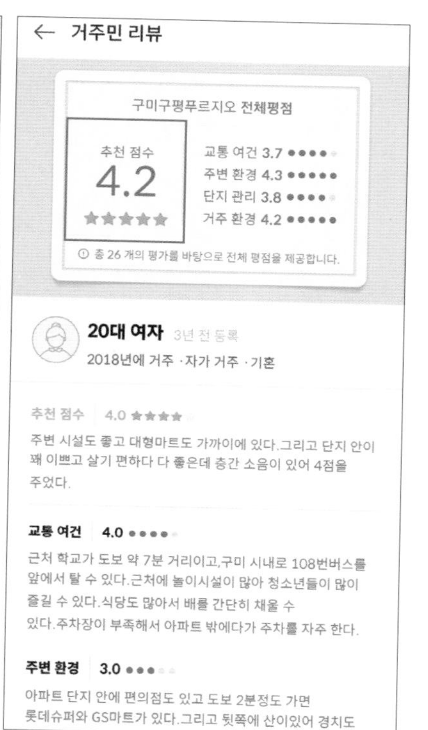

직방의 '학군 정보'(왼쪽)와 '거주민 리뷰'(오른쪽) 화면. (출처: 직방)

다. 직방의 '거주민 리뷰'는 실제 살아본 사람들의 평가를 알 수 있다. 꼼꼼하게 읽어보면 나중에 세를 줬을 때 세입자가 이 집을 어떻게 생각할지 예측할 수 있다. 호갱노노에도 단지별로 '이야기'라는 게시판이 있지만 직방의 '거주민 리뷰'처럼 점수화되어 있지 않다.

거주민 리뷰의 추천 점수는 교통 여건, 주변 환경, 단지 관리, 거주 환경 이렇게 네 가지 항목의 점수를 평균화해 매겨진다. 때문에 거주민 리뷰의 추천 점수가 4.0 이상이면 실거주하기에 괜찮은 조건이라고 판단할 수 있다. 투자 타당성 지표에서는 추천 점수가 4.0 이상이면 만족감이 큰 상태이므로 최고점인 2점을 부여하고, 3.5 이상이면 1점, 3.0 이상이면 0점을 준다.

호갱노노를 통한 투자 타당성 지표 분석

3. 단지 주변 상권 형성: 초대형 혹은 대형

호갱노노에서 단지 상세 페이지를 내리면 '주변 상권 정보'가 있다. '상권 자세히 보기'를 누르면 해당 아파트 주변에 어느 정도 규모의 상권이 형성되어 있는지 판단할 수 있다. 정확하지는 않지만 내가 여러 단지들을 보고 파악한 결과 초대형 상권은 상가 2000개 이상, 대형 상권은 1000개 이상, 중대형 상권은 300개 이상, 중형 상권은 100개 이상, 소형 상권은 100개 미만으로 구분하고 있는 것 같다.

투자 타당성 지표로는 상권 형성 정도에 따라 초대형이나 대형이라면 주위에 충분한 상권이 형성되어 있어 살기 편할 것이기에 2점 만점을 부여하고, 중대형과 중형은 1점, 소형 상권이면 0점을 준다.

4. 단지의 고도: 50m 미만

내가 첫 집으로 산 강북구 번동 148번지 빌라는 정말 높은 곳에 있어서 택시를 타도 집 앞까지 올라가지 못하고 한참 아래에서 내려 걸어가곤 했다고 앞에서 밝혔다. 그때를 생각해 넣은 항목이 바로 고도다.

호갱노노에서 고도(위쪽), 상권(아래에서 왼쪽), 지역 대장 아파트 상승률(아래에서 오른쪽)을 확인할 수 있는 화면. (출처: 호갱노노)

실제로 고도가 100m 이상인 단지를 가보면 이해할 것이다. 고도가 너무 높은 지역에 살면 매우 불편하다. 참고로 나 역시 번동 148번지, 미아 258번지 고지대에서 약 5년간 자취를 하고 그 다음 도봉구 창동에 경매로 낙찰받아서 살았는데 확실히 고도가 없는 곳은 그만큼 편리하다.

호갱노노의 지도 화면 옆에 뜨는 '분석' 버튼을 누르면 '경사/고도'라는 메뉴가 나온다. 거기서 물건지의 고도를 파악할 수 있다. 여기서 50m 미만이라면 투자 타당성 지표에서 2점이고, 50~100m는 1점, 100m 초과라면 0점이다.

5. 지역 대장 아파트 상승률: 30% 초과

부동산 시세 상승은 철저한 위계질서가 있다. 3장에서 각 도별 시의 상승흐름 순서와 대장 아파트를 소개했다. 인구가 많은 도시부터 상승장이 시작하면, 인구수에 따라 순서대로 상승흐름이 이어지며, 도시 안에서도 대장 아파트부터 구축까지 상승흐름이 이어진다.

상승기 초반에는 돈과 시간이 많은 투자자들이 유입되고 그들이 매수하는 것이 바로 가장 안전한 투자인 신축과 분양권 상태의 대장 아파트다. 그렇게 대장 아파트가 오르면 다음 2진 투자자들은 오를 대로 오른 대장 아파트가 부담스러우니 지은 지 10년도 안 된 준신축을 매수한다. 다음으로 유입된 3진 투자자들은 신축과 준신축이 다 올랐으니 이제 남은 구축 아파트를 매수한다. 이처럼 시장의 상승과 하락은 순서에 따라 이동한다.

그렇게 보면 구축 아파트가 오르기 위한 필수조건은 바로 그 지역의 대장 아파트가 얼마나 많이 상승했느냐에 달려 있다. 대장 아파트 상승률의 일부가 구축으로 전해지는 것이라고 보면 된다. 그러므로 대장 아파트가 1년 동안 30%가 넘는 큰 상승률을 보였다면 2점으로 만점을 주며 구축도 오를 수 있다는 근거가 된다. 반면 대장 아파트의 연간 상승률이 10% 미만이라면 0점을 주고, 10~30%라면 1점을 준다. 이때는 구축이 올라갈 힘이 아직 비축되지 않은 상태이기에 큰 수익을 바라고 들어가면 안 된다.

아실을 통한 투자 타당성 지표 분석

6. 매물 증감: 매매 물량 감소

만약 아파트 단지에 매물이 점차 쌓이고 있다면 가격이 오를까? 매물이 너무 많아 내놓은 물건이 오랫동안 팔리지 않으면 자신의 것을 먼저 팔기 위해 가격을 낮출 수밖에 없다. 이에 매물이 쌓이면 가격이 내려가고 반대로 매물이 점차 감소하면 가격이 올라가는 것이다. 때문에 단지 세대수 대비 10% 이상의 매물이 있다면 주의하는 것이 좋다. 내 경험상 매물이 단지 세대수에서 3~5%까지 떨어졌을 때 가격이 가장 크게 상승했다.

아실에서 '매물 증감' 메뉴를 누르면, 최근 3개월간의 매물 증감 추이를 확인할 수 있다. 점차적으로 매매 물량이 감소하고 있다면 2점을 준다. 하지만 매물이 너무 많이 감소해 거의 0에 수렴한다면 시장에 물건 자체가 없기에 호가를 높게 부르거나, 아예 매수를 하지 못할 수도 있다. 팔기보단 보유하자는 생각이 들기 때문이다. 내가 가진 단지에 매물이 하나도 없다면 그다음 매수 호가는 당연히 올라갈 것이라고 쉽게 판단할 수 있으니 말이다. 그러니 매물 물량이 보합이라면 수요와 공급이 균형을 이룬 상태로 1점이고, 앞서 말했듯 매물이 계속 증가하면 호가가 떨어질 확률이 높으므로 0점이다.

일자	매매	전세	월세	총매물수
02/22	34	8	0	42
02/21	33	8	0	41

아실에서 매물 증감을 확인할 수 있는 화면. (출처: 아실)

7. 시장 강도: 100 초과

부동산 지인에서 말하는 시장 강도는 부동산시장의 상승 혹은 하락의 강도를 파악하기 위한 지수다. 시장 강도는 당월의 데이터만으로는 분석하기 어렵고 종전의 추세를 감안해야 한다. 가장 좋은 매수 시점은 최초로 시장 강도가 100을 돌파하는 시점과 시장 강도가 바닥을 찍고 상승하는 구간이며 반대로 시장 강도 0 이하는 하락장으로 돌입할 가능성이 있다.

좀 더 이해하기 쉽게 말하면 시장 강도 30 정도라면 각 지역의 대장아파트가 상승하기 시작하고 100이 되면 전체 상승장에 돌입한다. 이 수치가 300이 넘는다면 강한 매수세를 동반한 시장 과열 상태라고 보면 된다. 이에 시장 강도가 100이 넘었을 때 구축을 매수하기 좋은 시점으로 2점을 부여하고, 0~100 구간은 초기 투자자들이 투자에 들어가는 시기로 1점이다. 0 미만은 구축이 상승흐름을 타기엔 오랜 시간 기다려야 하므로 0점이다.

8. 도시 인구: 50만 명 초과

도시의 인구수는 사실 포털사이트에서 '○○시 인구'라고만 쳐도 나오지만 부동산 지인에서도 확인할 수 있다. 인구가 적을수록 매도 시에 리스크가 있다. 투자자가 없으면 실거주자라도 물건을 받아줘야 하는데 인구가 한정되어 있으면 수요도 적기 때문이다. 이에 부린이라면 인구 10만 명 이하의 도시에서는 가능한 매수를 안 하는 게 좋다.

인구가 많은 대도시들은 오를 만큼 올랐기에 아직 오르지 않은 물건을 찾다 보면 소도시가 눈에 보일 수 있다. 하지만 매수를 할 때는 매도 전략도 같이 세워야 한다. 그런 점에서 소도시 투자는 시세흐름이 잘 보이지 않기 때문에 고수에게도 어렵다.

투자 타당성 지표에서는 인구 50만 명이 넘는 도시라면 2점, 25만~50만 명이면 1점, 25만 명 미만은 0점을 준다. 즉, 인구 25만 명 미만

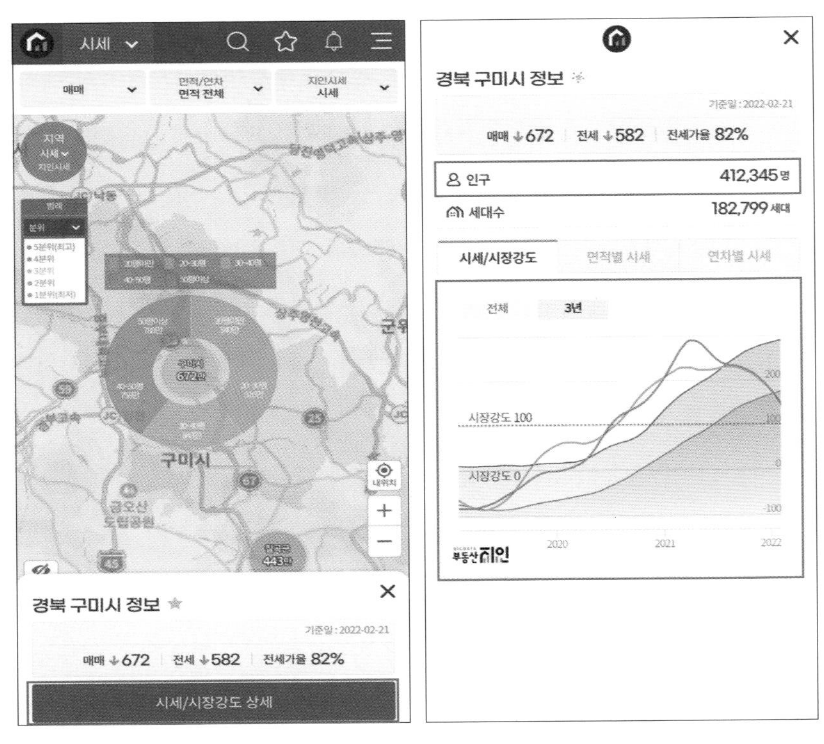

부동산 지인에서 시장 강도, 인구수 등을 확인할 수 있는 화면. (출처: 부동산 지인)

의 도시에는 들어가지 않는다는 뜻이다. 만약 굳이 들어간다면 해당 물건이 특별하게 저렴해야 한다.

네이버 부동산을 통한 투자 타당성 지표 분석

9. 세대수: 500세대 초과

아파트에서 세대수는 매우 중요하다. 세대수가 많으면 그만큼 단지 내 공원이나 커뮤니티 시설이 잘 조성되어 있어 생활환경이 편리하다. 관리비가 저렴한 데 비해 관리 인원이 많아 단지가 잘 관리되어 있다.

반면 세대수가 적은 나 홀로 아파트의 경우 빌라 취급을 받아 매수세가 잘 형성되지 않는다. 그만큼 매매량이 적어서 KB시세가 없을 수도 있고, 있어도 불명확할 수 있다. 그럼 주택 소유자들은 자산이 현재 얼마인지 시장가를 책정하기 어렵다.

물론 2000세대 이상의 대단지이면 제일 좋지만 그만큼 투자에 들어가는 갭도 커져서 내 원칙에는 맞지 않는다. 500세대 정도만 되어도 괜찮다고 판단하므로 2점을 책정한다. 300~500세대는 1점, 300세대 미만의 세대수를 가지고 있는 단지라면 단지 내 상가가 잘 형성되어 있지 않아 불편하므로 0점이다.

10. 연식: 2003년 이상

연식은 당연히 짧을수록 좋다. 하지만 소액투자자에게는 투자금이 너무 큰 신축이나 준신축이 부담스럽다. 게다가 연식이 짧으면 공시가격이 1억 원을 넘을 확률도 높기에 다주택자 취득세 12%를 감당하기엔 부대비용이 너무 크다.

2003년 이상을 기준으로 잡으면 공시가격 1억 원짜리 물건을 쉽게 찾을 수 있기에 2점이다. 게다가 2003년 이상 연식의 아파트는 25평 기준 투베이2bay(베이는 기둥과 기둥 사이를 뜻하는데, 햇빛이 드는 전면 발코니를 면하는 기둥으로 나뉜 공간을 뜻한다. 투베이는 전면 발코니에 거실과 방 1개가 배치된 구조)가 아닌 쓰리베이3bay(전면 발코니에 거실과 방 2개가 배치된 구조)로 많이 만들어져서 구조상 좋다. 그리고 베란다 샷시도 이때는 알루미늄이 아닌 플라스틱 샷시로 많이 시공됐다.

MONEY POINT 50

재건축·재개발을 염두에 둔다면 30년 연식의 5층 이하 저층 아파트를 눈여겨보자. 중층 이상의 구축 아파트는 재건축·재개발을 하더라도 메리트가 크지 않고 사업성이 없어 우선순위에서 밀리므로 기대하지 않는 게 좋다.

재건축·재개발을 염두에 두고 5층 이하 저층 아파트를 매수한다면 오히려 30년 연식이 좋으나, 이 원칙은 중층 이상의 구축 아파트를 기준으로 하기에 1996년 이하 연식은 너무 오래되어 도면도 좋지 않기에 0점으로 부여했다.

11. 하락 기간과 지지선 확보 여부: 3년 넘게 하락, 지지선 확보

투자란 싸게 사서 비싸게 팔아야 이익을 얻을 수 있는 구조다. 때문에 전국의 거시적 매매, 전세 시세를 항상 주의 깊게 지켜본다. 오랫동안 지켜본 후에 충분히 하락 기간을 거쳤고 지지선(실거래가 저점을 한 줄로 이은 선)이 형성됐다고 판단하면 그때 매수한다. 이 경우 당연히 오랜 기간 하락 후 지지선이 확보되어야 추후 상승으로 반전됐을 때 더 큰 매수세가 나온다.

지지선이 형성됐는지 여부는 네이버 실거래가 7년 그래프로 확인한다. 3년 넘게 하락 후 지지선을 확보했을 때가 2점이고, 1~3년 하락 후 지지선이 확보되어 있다면 1점, 하락 기간이 없고 지지선도 보이지 않는다면 0점이다.

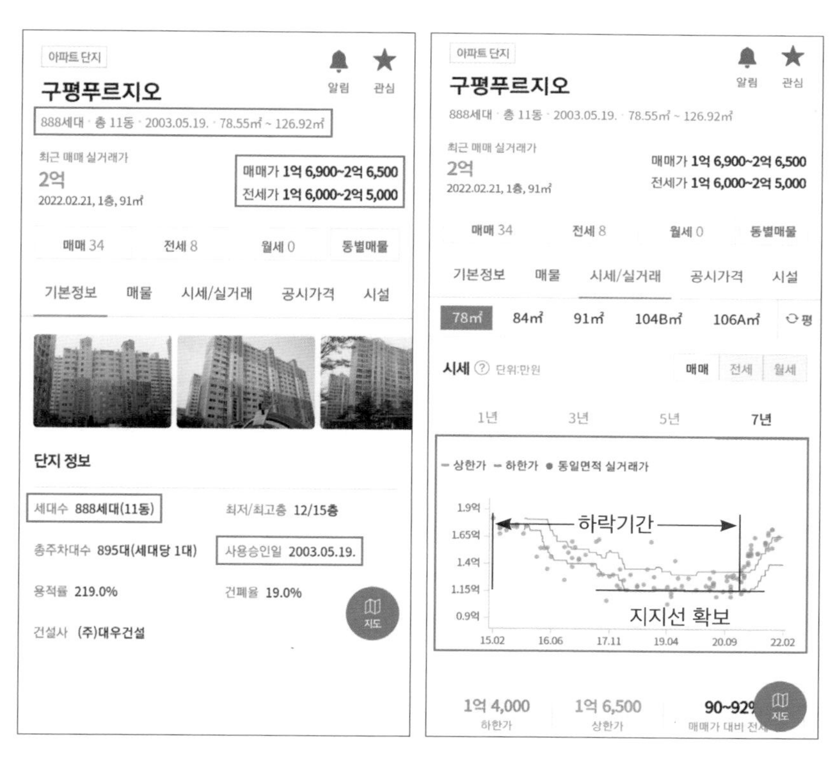

네이버 부동산에서 세대수·연식·매전갭(왼쪽), 실거래가 그래프(오른쪽)를 확인할 수 있는 화면.
(출처: 네이버 부동산)

12. 매매가와 전세가의 갭: 무피 혹은 플피 가능

나의 투자 대상은 전세가 호가가 매매가 호가보다 더 큰 매물이다. 따로 네고를 하지 않고 호가 그대로 매수하고 전세를 맞춰도 플피 투자가 되니 말이다. 같은 층수로 비교했을 때 매매가와 전세가의 갭으로 무피나 플피가 가능한 상황이라면 2점을 주고, 1000만 원 미만이면 1점을 준다. 마지막으로 1000만 원 이상이면 0점이다.

앞서 내가 20채의 지방 저가 주택을 매수하면서 채당 500만 원 정도 투자를 했다고 했는데 여기 점수로 보면 무피나 플피 가능한 건이 대략 절반 정도였다.

종합 분석 후 가장 저평가된 단지 찾기

임장을 가기 전 투자 타당성 분석으로 각 단지별 점수를 매겨놓고 또한 가격 타당성 분석으로 공시가격 대비 현재 호가의 비율을 손품으로 조사해놓는다.

이렇게 손품을 통해 찾아본 결과 2021년 4월 시점에서 봉곡동이 경북 구미시의 다른 지역보다 상대적으로 투자자들이 많이 들어오지 않았음을 확인했다. 그래서 투자 지역으로 정해 저평가된 아파트 단지를 찾았다. 우선 투자타당성 지표로 정렬시켜보니 봉곡

MONEY POINT 51

실거래가 평균(호가)을 공시가격으로 나누어 '가격 타당성'을 분석한다. 150%를 기준으로 낮으면 싸게 샀다고 볼 수 있다.

| 봉곡동 원호리 종합 분석표 |

투자 타당성 분석 (총 24점)		가격 타당성 분석 (기준 150%)	
봉곡현대	19점	세양청마루	153%
봉곡뜨란채	19점	봉곡코아루	156%
원호점보타운	18점	영남네오빌2단지	157%
원호한누리	17점	원호점보타운	166%
세양청마루	17점	봉곡뜨란채	168%
봉곡코아루	16점	봉곡현대	174%
영남네오빌2단지	16점	원호한누리	185%

현대, 봉곡뜨란채가 가장 높았다.

만약 이 아파트들이 동일하게 가격 타당성 지표에서도 상위에 있다면 진지하게 매수를 고려해볼 수 있다. 각종 지표들이 높음에도 아직 저평가인 상태이기에 좋은 매수 포인트이기 때문이다. 그런데 보통 나에게 예쁜 것은 남에게도 예쁜 법이다. 투자자의 눈은 거의 비슷하다. 이미 투자 수요가 몰렸기에 두 단지 모두 이미 공시가격 기준 매매가가 170% 정도였다.

그럼 이제 다른 단지보다 투자 타당성 지표 점수는 낮지만 아직 가격 타당성 지표가 좋은 세양청마루, 봉곡코아루 그리고 영남네오빌2단지는 어떨지 시세흐름을 비교 분석해보자(352쪽 그래프 참조). 참고로 이 단지들의 투자 타당성 지표가 다른 곳보다 2~3점 낮은 것은 고도가 높고 세대수가 적은 단지이기 때문이다.

비교 분석할 단지로 25평형대의 대장 아파트인 도량롯데캐슬골드파크와 우미린센트럴파크를 추가했다. 당연히 이 둘은 최근 1년(빨간색

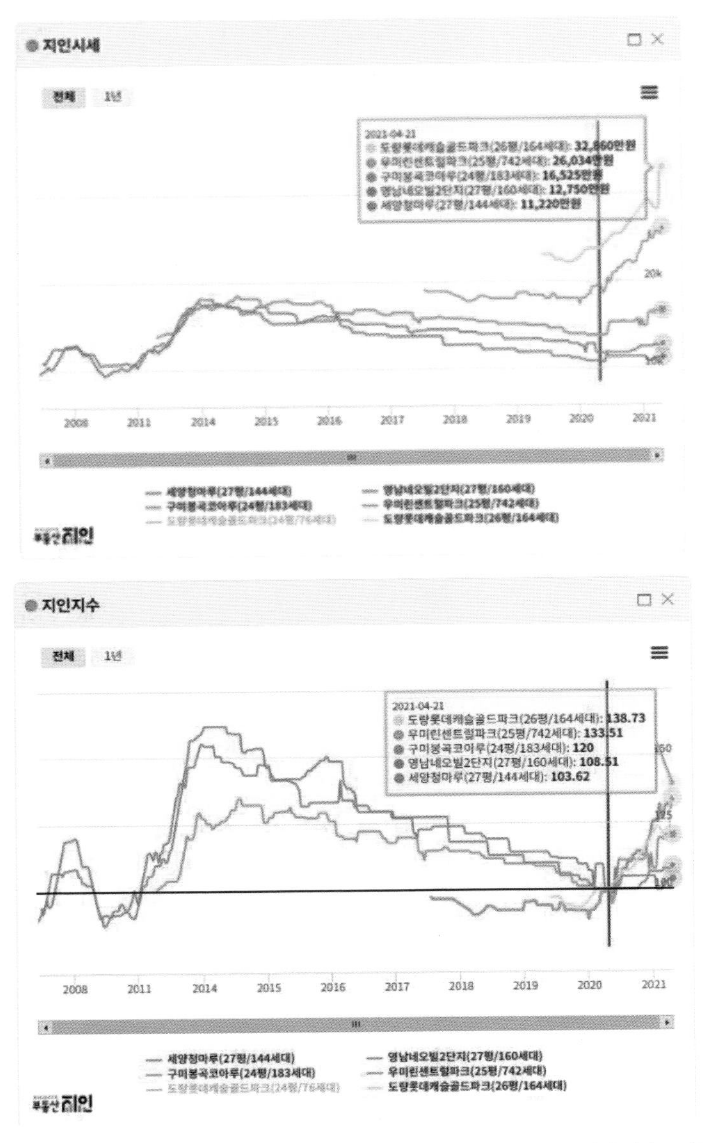

위처럼 여러 단지를 한 화면에 넣고 그동안의 시세흐름을 비교하는 것은 아실의 '여러 아파트 가격 비교' 또는 '두 개 단지 가격 비교'를 통해서도 파악할 수 있으나 여기서는 편의상 부동산 지인 프리미엄의 분석 데이터를 인용하겠다. (출처: 부동산 지인)

세로선 기준)에 5000만 원에서 1억 원 정도 상승했다. 그다음 봉곡코아루가 연식이 준신축이라서 약간 상승한 것을 볼 수 있다. 하지만 영남네오빌2단지와 세양청마루는 2014년부터 7년 동안 하락해 반등하지 않았다. 부동산의 상승 사이클은 분양권·신축 → 준신축 → 32평 계단식 구축 → 25평 계단식 구축 → 25평 이하 복도식으로 이어지므로, 영남네오빌2단지와 세양청마루가 곧 반등할 것이라는 걸 알 수 있다.

만약 이걸 예상하지 못한다고 하더라도 지인지수 그래프를 보면 더 확연하게 파악할 수 있다. 빨간색 세로선이 이 그래프를 확인한 시점에서 1년 전인데 그동안 도량롯데캐슬골드파크는 지수가 100에서 138로 우미린센트럴파크는 100에서 133으로 상승했다. 즉, 시세가 1년 동안 33~38%가 상승했다는 의미다. 반면 영남네오빌2단지는 8%, 세양청마루는 3%밖에 오르지 않았다. 이에 나는 임장 전 손품 → 임장 시 발품 → 임장 후 다시 손품을 통해 이 두 아파트가 저평가된 상태라고 판단해 둘 다 매수했다.

저평가 오피스텔을 찾는 가치평가 모델

오피스텔 투자를 아파트보다 어렵다고 생각하는 이유는 단지가 많지 않고, 단지 내 세대수도 적어서 개별성이 강하게 나타나기 때문이다. KB시세가 없는 경우도 있고, 시세가 나온다고 하더라도 이 수치가 오피스텔의 가치평가에 크게 영향을 미치지도 않는다. 따라서 저평가된 물건을 찾는 간단한 오피스텔 가치평가 모델을 만들었다.

내가 매수했던 강남역쉐르빌을 사례로 설명해보겠다. 참고로 이 오피스텔은 1억 8500만 원에 매수해 1억 9500만 원의 전세입자를 구해서 1000만 원 플피로 투자했다.

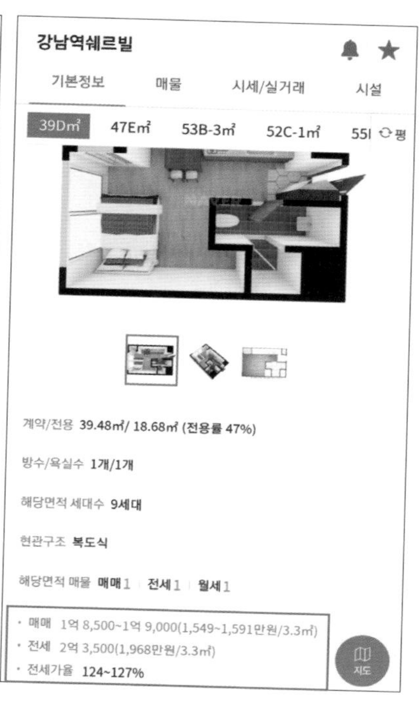

매수 당시의 강남역쉐르빌 매물 정보. (출처: 네이버 부동산)

공시가격 대비 매매가: 110~130%

오피스텔의 공시가격은 아파트와는 달리 국세청 홈택스에서 공시가격을 알고 싶은 물건의 주소로 검색한 후 특정 호실을 선택하면 단위면적당(m^2) 기준시가와 건물면적이 나온다. 네이버 부동산의 상세 페이지를 보면 '계약/전용'에 '39.48m^2/18.68m^2'라고 나오는데, 여기서 계약면적이 바로 건물면적이다. 두 수치를 알았으니 이제 공시가격을 구해

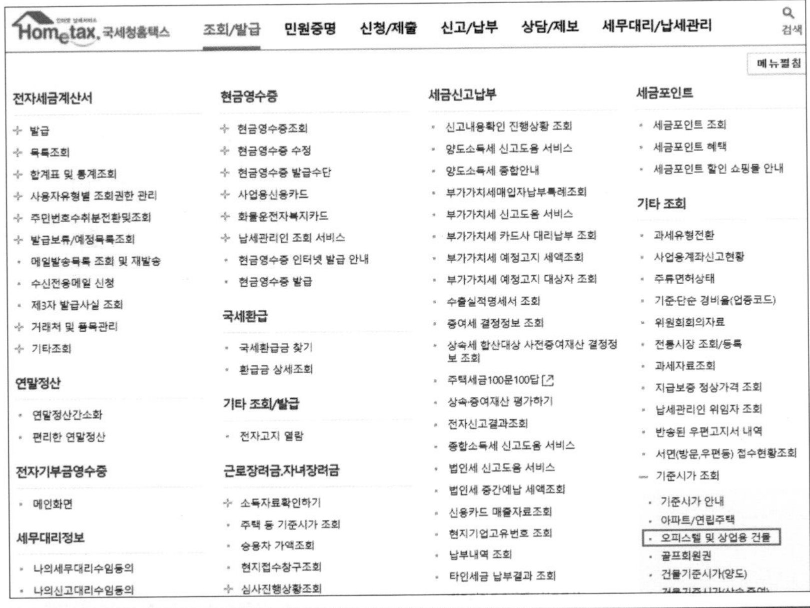

국세청 홈택스 사이트(hometax.go.kr)에서 '조회/발급' 메뉴 오른쪽에 '오피스텔 및 상업용 건물'을 클릭하고 주소로 검색하면 기준시가(공시가)를 확인할 수 있다. (출처: 국세청 홈택스)

보자. 단위면적당 기준시가인 373만 8000원에 39.48m²를 곱해서 나온 약 1억 4758만 원이 공시가격이다. 내가 샀던 매매가인 1억 8500만 원을 공시가격으로 나누면 125%이니 원칙에 부합된다.

월세 수익률 역산가: 월세 × 250개월 > 매매가

산술적으로 월세 수익률 연 5%(단리)로 20년(240개월)간 보유하면 그동안 받은 월세의 합과 부동산가격이 같아진다. 월세 수익률이 6%라면 200개월만 보유하면 되고, 4%로 낮아진다면 300개월을 가지고 있어야 부동산가격과 같다. 이를 수식으로 설명하면 아래와 같다.

$$\frac{\text{월세} \times 12}{\text{매매가} - \text{보증금}} = 5\% \quad \rightarrow \quad \frac{\text{월세} \times 12}{5\%} = \text{매매가} - \text{보증금}$$

$$\rightarrow \text{월세} \times (12 \div 5\%) = \text{매매가} - \text{보증금}$$

$$\rightarrow (\text{월세} \times 240) + \text{보증금} = \text{매매가}$$

$$\rightarrow (\text{월세} \times 240) + (\text{월세} \times 10) = \text{매매가}$$

$$\rightarrow \text{월세} \times 250 = \text{매매가}$$

중간에 보증금이 '월세 × 10'로 바뀌었는데, 이는 500만~1000만 원의 보증금을 대략 월세의 10개월 치로 계산한 것이다. 위와 같이 월세 수익률 5%일 때 월세의 250배수를 곱하면 매매가가 나오는 것이다.

이제 위의 과정은 잊어도 된다. 간단히 월세에 250개월을 곱했을 때 매매가가 나온다면 5%의 수익률을 가진 건물이라고 생각하면 된다. 그러니 월세에 250개월 곱해서 나온 값이 매수하려는 건물의 매매가보다 높다면, 그 물건은 5% 이상의 수익률을 낸다는 것이니 투자할 만하다. 반대로 월세에 250개월을 곱해서 나온 값이 매매가보다 낮으면 수익률이 5%도 안 되는 물건이니 좋지 않다.

앞으로 부동산중개소를 지나다가 원룸 오피스텔 월세를 알게 되면 250을 곱하는 연습을 해보자. 월세를 이용한 가치보다 매물의 호가가 매우 낮다면 수익률로 봤을 때 경쟁력 있는 물건이다.

다음 그래프는 '부동산114'에서 2021년 11월에 조사한 내용으로, 전국 오피스텔의 수익률 수치다. 2007년 6.77%가 가장 높았고 14년 동안 수익률이 지속적으로 떨어지는 것을 볼 수 있다. 하지만 정말 중요한 건 2020~2021년 수익률이 4.76%에서 저점으로 멈춰 있다는 것이다. 2022년부터는 오피스텔 수익성에 문제가 되었던 초과 공급 이슈도

| 전국 오피스텔 수익률 |

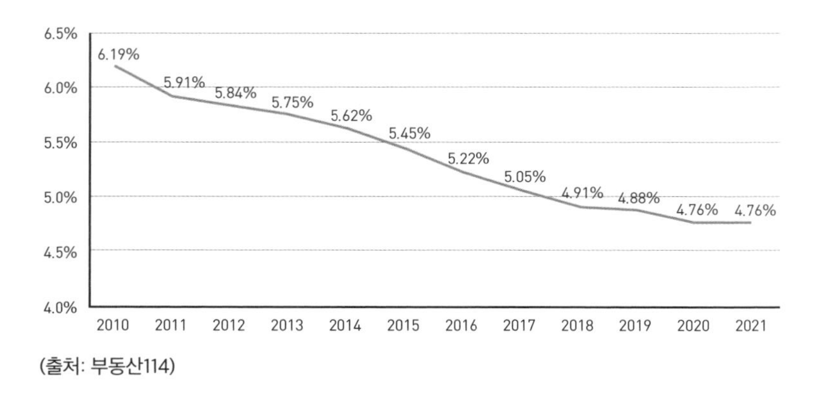

(출처: 부동산114)

사라져서 곧 수익률이 반등할 거라고 예측된다. 월세 수익률이 올라가면 자연스럽게 오피스텔의 가격도 올라갈 것이다.

그럼 역삼동 강남역쉐르빌이 월세 역산가도 합격선에 들어갈지 계산해볼까? 부동산중개소에 연락해 시세를 파악한 결과 보증금 500만 원에 월세 75만 원 정도였다. '75만 원×250개월'은 1억 8750만 원으로 내가 산 금액보다 높으니 통과다. 즉, 5% 이상의 수익률을 얻을 수 있는 물건이란 뜻이다.

시가표준액 대비 매매가: 금액이 가까울수록 좋음

세법에서 '공시가격' '기준시가' '과세표준'은 같은 의미로 쓰인다. 아파트의 과세표준을 부동산중개소에서는 공시가격이라고 하고 세무소에서는 기준시가라고 부를 뿐이다. 특히 기준시가는 국세청이 세금을 부과할 때 사용하는 지표로 국세에서 사용하는 용어다. 국세에는 양도세, 상속·증여세, 종부세가 있다.

반면 시가표준액은 위의 개념과 좀 다르다. 공시가격(기준시가)이 국세를 계산하는 기준이라면 시가표준액은 취득세, 등록세, 재산세 등 지방세에 대한 과표 계산의 기준이 되는 금액이다. 시가표준액은 국세청이 아닌 각 지방자치단체에서 책정하는 금액이고, 건축물분 시가표준액과 토지분 시가표준액을 합한 금액이다. 토지분 시가표준액은 국토교통부 부동산 공시가격 알리미에서 확인하면 되는데 건물의 시가표준액은

가격기준년도	토지소재지	지번	개별공시지가	기준일자	공시일자	비고
2021	서울특별시 강남구 역삼동	832-3번지	49,970,000 원	01월 01일	2021/05/31	
2020	서울특별시 강남구 역삼동	832-3번지	47,880,000 원	01월 01일	2020/05/29	
2019	서울특별시 강남구 역삼동	832-3번지	43,220,000 원	01월 01일	2019/05/31	
2018	서울특별시 강남구 역삼동	832-3번지	37,660,000 원	01월 01일	2018/05/31	
2017	서울특별시 강남구 역삼동	832-3번지	35,190,000 원	01월 01일	2017/05/31	
2016	서울특별시 강남구 역삼동	832-3번지	33,150,000 원	01월 01일	2016/05/31	
2015	서울특별시 강남구 역삼동	832-3번지	31,350,000 원	01월 01일	2015/05/29	
2014	서울특별시 강남구 역삼동	832-3번지	29,830,000 원	01월 01일	2014/05/30	
2013	서울특별시 강남구 역삼동	832-3번지	27,900,000 원	01월 01일	2013/05/31	
2012	서울특별시 강남구 역삼동	832-3번지	25,200,000 원	01월 01일	2012/05/31	
2011	서울특별시 강남구 역삼동	832-3번지	23,200,000 원	01월 01일	2011/05/31	
2010	서울특별시 강남구 역삼동	832-3번지	23,200,000 원	01월 01일	2010/05/31	
2009	서울특별시 강남구 역삼동	832-3번지	22,100,000 원	01월 01일	2009/05/29	
2008	서울특별시 강남구 역삼동	832-3번지	22,300,000 원	01월 01일	2008/05/31	
2007	서울특별시 강남구 역삼동	832-3번지	16,100,000 원	01월 01일	2007/05/31	

국토교통부의 '부동산 공시가격 알리미'(www.realtyprice.kr)에서 '개별공시지가'를 클릭하면 지역별 부동산정보조회 시스템(kras.seoul.go.kr)에서 공시지가를 확인할 수 있다. (출처: 국토교통부)

지역에 따라 확인하는 곳이 다르다. 서울은 '서울시 인터넷 세금 납부 시스템ETAX', 서울 외 지역은 '위택스'에서 각각 조회할 수 있다.

토지분 시가표준액은 부동산 공시가격 알리미에서 주소를 검색하면 해당 오피스텔 대지권의 1m^{2}당 개별공시지가를 확인할 수 있다. 참고로 강남역쉐르빌 타입 중 가장 작은 평형을 매수했기에 대지지분이 한 평이 되질 않는다. 강남에 땅 한 평 갖기란 정말 쉽지 않다. 지분권 2.729m^{2}에 대한 시가표준액은 약 1억 3637만 원(49,970,000원×2.729m^2)이다. 참고로 2022년 강남구의 표준지 공시지가가 13% 상승했는데 개별공시지가도 그 정도 오를 것을 염두에 두고 다시 구해보면 토지분 시가표준액만 1억 5500만 원이 된다.

이제 건축물분의 시가표준액을 구해보자. 서울시 ETAX 사이트에서 '주택외건물시가 표준액조회'를 클릭하고 물건의 주소를 기입하면 해당 호수의 건축물분 시가표준액이 나온다. 이렇게 나온 두 수치를 더하면 총시가표준액은 1억 8899만 원(토지분 시가표준액 136,368,130원+건축물 시가표준액 52,621,345원=188,989,475원)이 나온다. 매수가는 1억 9000만 원이고 시가표준액은 약 1억 8900만 원이므로, 이 물건의 경우 시가표준액이 굉장히 높게 잡혀 있는 것을 알 수 있다. 보통은 시가표준액이 시세(매매가격)보다 매우 낮게 형성되어 있으니 이런 경우는 무조건 통과다.

오피스텔을 등기할 때 '취득세(부동산) 납부확인서'를 받는데, 그 서류에서 과세표준액과 시가표준액을 확인할 수 있다. 납부확인서에 있는 금액과 앞에서 계산한 금액이 약간 다른 이유는 토지분 시가표준액의

서울시 ETAX 사이트에서 '주택외건물시가 표준액조회'를 하면 건축물분 시가표준액을 확인할 수 있다. (출처: 서울특별시)

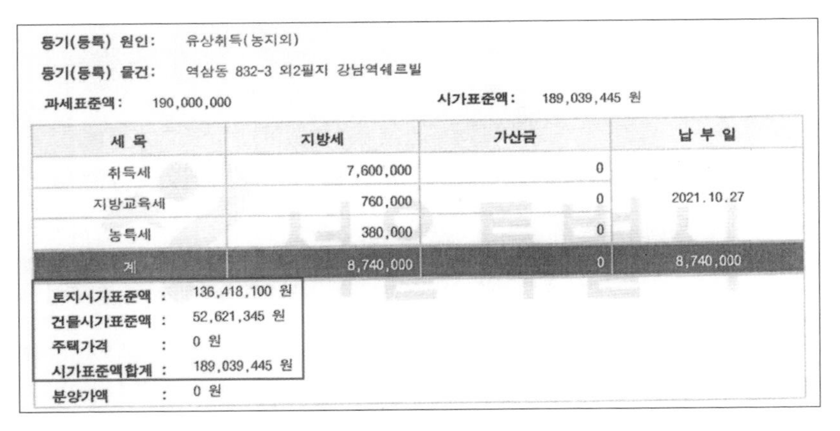

등기(등록) 원인: 유상취득(농지외)

등기(등록) 물건: 역삼동 832-3 외2필지 강남역쉐르빌

과세표준액: 190,000,000 **시가표준액:** 189,039,445 원

세 목	지방세	가산금	납 부 일
취득세	7,600,000	0	2021.10.27
지방교육세	760,000	0	
농특세	380,000	0	
계	8,740,000	0	8,740,000

토지시가표준액 : 136,418,100 원
건물시가표준액 : 52,621,345 원
주택가격 : 0 원
시가표준액합계 : 189,039,445 원
분양가액 : 0 원

오피스텔 등기할 때 받는 취득세(부동산) 납부확인서에서 시가표준액을 확인할 수 있다. (출처: 서울특별시)

토지분 맨 끝단위가 올림이 되어서 그렇다.

여기서 투자 팁 하나를 주겠다. 보통 오피스텔을 구매할 때는 매매가의 4.6%를 취등록세를 준비해놓는데, 법무사가 등기해줄 때 취등록세 비용이 모자란다고 하면, 그건 시가표준액이 매수가보다 높아서 그렇다. 즉, 오피스텔을 사기 전에 미리 시가표준액을 구해서 내가 사려는 매매가에 근접한다면 그건 괜찮은 매물일 가능성이 크다.

주변 오피스텔 분양가와 비교

2021년 말에 강남의 오피스텔을 매수한 건 강남의 오피스텔 시장 흐름이 바뀌었기 때문이다. 당시 강남에서는 보급형 오피스텔 분양으로는 건축주나 시행사에게 마진이 남기 힘든 구조였다. 대지가 워낙 비싼 탓에 2억 원대의 오피스텔을 지어서는 분양을 하더라도 마진이 남지 않았고, 그렇다고 3억 원대로 올리면 분양이 잘되질 않는다. 이에 강남에서는 더이상 보급형 오피스텔을 짓지 않고, 10억 원이 넘는 하이엔드급 오피스텔을 분양하기 시작했다. 이런 물건은 수요가 있어서 판매 또한 잘되고 있다.

이런 상황이니 앞으로 3억 원 이하의 보급형 오피스텔이 신축되지 않을 거라면 이미 지어진 준신축급의 오피스텔 가격이 1억 원대 후반~2억 원대 초반이라면 충분히 가격 면에서 메리트가 있다고 보았다. 그 금액으로 다시 지으라면 못 짓기 때문이다.

 **MONEY POINT 52**

공급 흐름의 변화를 보고 투자 대상과 매수 타이밍을 잡을 수 있다. 서울 강남 원룸 오피스텔 투자는 땅값 상승에 따라 보급형 오피스텔을 더 이상 공급하지 않는 시장 상황을 알아채고, 얼마 남지 않은 보급형 오피스텔을 플피에 매수하는 전략이었다.

앞서 살펴본 것처럼 1억 원대 후반의 오피스텔 하나를 살 때도 '공시가격 대비 매매가', '월세 수익률 역산가', '시가표준액 대비 매매가', '주변 오피스텔 분양가와 비교' 등의 다양한 가치 평가 모델을 개발해 분석해서 투자 결정을 내린다. 처음엔 어렵게 느껴질 수 있으나 몇 번 해보면 단순한 사칙연산으로 비교적 다양한 가치평가가 가능함을 알 수 있을 것이다.

이렇게 부동산 종류에 따라 투자 원칙을 세워놓으면 특징에 따라 세부적으로 판단을 내릴 수 있고 쉽고 빠른 결정으로 확신을 가지고 시장을 선점할 수 있다. 매물의 가격을 보고 내가 만든 공식에 대입해보고 괜찮은 금액인지 아닌지가 바로 판단되기 때문이다.

이렇게 자신만의 투자 원칙에 따라 성공 경험이 많아질수록 원칙은 더욱 세밀해질 것이고 실패할 확률은 낮아질 것이다. 투자 원칙을 만들면서 다양한 리스크를 고려했을 뿐 아니라 실전 경험을 더해 여러 변수와 리스크를 체크해 필터링하기 때문이다. 그러니 내가 공시가격 1억 원 이하의 지방 저가 주택이나 서울 강남 원룸 오피스텔처럼 투자 원칙을 만든 부동산 종류에 대해서는 한 번에 여러 채를 구매할 수 있는 것이다. 나만의 부동산 투자 필승법이라고 할 수 있다.

바쁜 투자자를 위한 효율 높은 임장 지도 만들기

이제 집 안에서 나올 때다. 부동산을 잘 고르는 방법? 이건 봐야 알 수 있다. 부동산을 10번 보러 간 사람과 100번 보러 간 사람은 내공의 차이가 다르다. 집을 보면 볼수록 그전에 안 보이던 것들이 보이기 시작하며 '감'도 생긴다. 이 집은 사면 오를 것이라는 직감이나 최소한 내가 산 금액보다는 떨어지지 않겠다는 직감 말이다. 그만큼 가격 대비 괜찮은지를 파악하려면 실제 단지 주변도 돌아다녀봐야 하고 또 집 안으로 들어가서 집 상태도 확인해야 한다.

3장에서 톱다운 투자법을 배우면서 경북 구미시가 2021년 4월경에 상승 초입이라는 점을 알았고, 이번 장에서는 투자 타당성 지표 분석을 통해 구미시 봉곡동에 저평가된 아파트 단지도 몇 군데 찾아두었다. 이

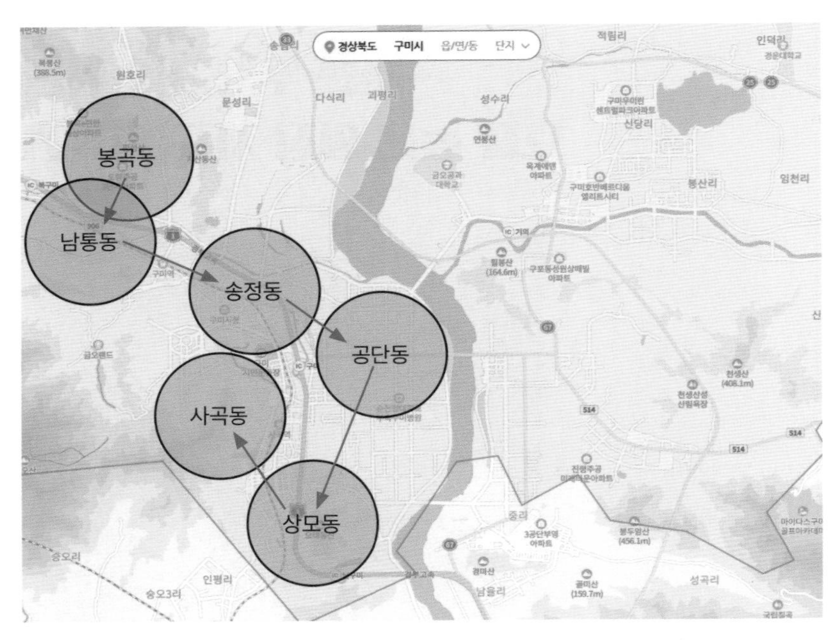

구미에 가서 하루 동안 6개 동과 15곳의 아파트 단지를 임장했다. (출처: 네이버 부동산)

제는 발로 뛸 차례다. 구미시에 임장을 간다고 가정해보자.

여기서는 책에서 자주 언급한 공시가격 1억 원 이하 단지만을 선택해서 임장 계획을 세워보겠다. 먼저 임장을 갈 지역의 지도를 캡처한 뒤 지도 위에 아파트 정보를 정리한다. 아파트 이름, 연식, 평형, 계단식 여부, 세대수, 공시가격, 투자 타당성 지표 등이다. 위의 그림은 실제로 내가 하루 동안 구미에서 임장한 동선을 동 단위로 표시한 것이다.

임장 지도에도 단지별로 이동 동선을 표시해놓았다. 이렇게 내가 가야 할 곳을 표시해놓으면 현장에 가서 우왕좌왕하지 않는다. 그리고 보통은 몇 개 단지만 갔다가 피곤하거나 귀찮아서 계획한 대로 다 못 보

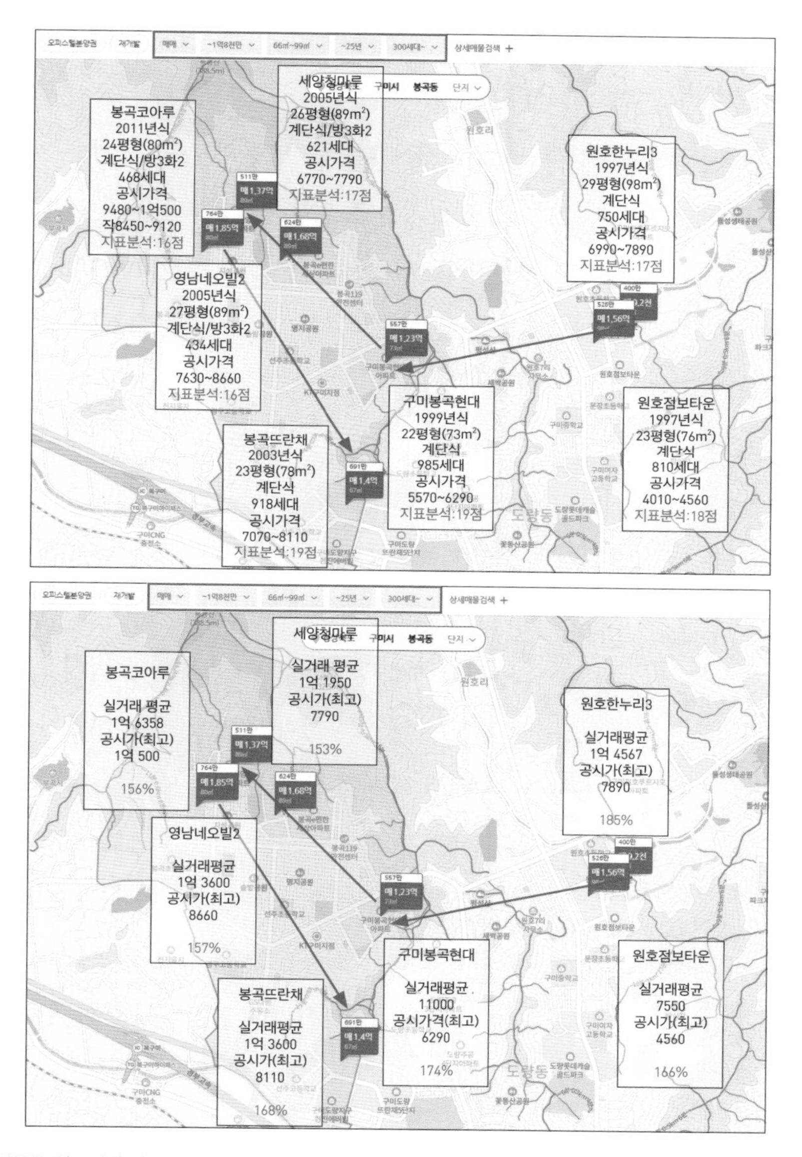

봉곡동 원호리의 아파트 단지 7곳을 표시한 임장 지도다. 단지의 기본 정보는 물론 앞에서 설명한 투자 타당성 및 가격 타당성을 분석한 내용도 같이 적어두었고, 동선도 표시해두었다. 상세 매물 검색으로 지역 인구, 평형, 연식, 세대수 등 조건을 설정할 수 있다. (출처: 네이버 부동산)

고 돌아오는 경우가 많은데, 이렇게 하루에 임장할 단지들과 동선을 표시해놓으면 다 봐야겠다는 동기부여가 된다.

임장 지도는 똑같은 지도가 2장이다. 첫 번째 지도(367쪽 상단 그림)에는 아파트에 대한 기본 정보와 가장 중요한 '투자 타당성 지표' 점수(지도에서 빨간색 글씨로 표시, 자세한 설명은 336쪽 참조) 정리되어 있고, 두 번째 지도(367쪽 하단 그림)에서는 같은 아파트에 대한 실거래 평균(가), 공시가격, 그리고 실거래 평균을 공시가격으로 나눈 '가격 타당성 지표'(지도에서 빨간색 글씨로 표시)를 적는다. 이 수치를 통해 아파트가격에 얼마나 거품이 끼어 있는지를 판단한다. 물론 공시가격과 매매가가 비슷하다면 너무 좋겠지만 그런 가격으로 살 수 있는 경우는 아주 드물다. 이 지표가 150%인 것이 보통이라서 만약 이보다 낮게 매수할 수 있다면 좋은 것이고 이보다 높게 매수한다면 어느 정도 버블인 상태에서 매수했다고 보면 된다.

MONEY POINT 53

지방 아파트 투자를 위해 임장을 간다면 한 번에 되도록 많은 곳을 보고 오는 게 좋다. 잘 아는 지역이 아니기에 '시'를 단위로 넓은 시야에서 단지들을 비교·분석해야 성공 확률이 높아지고, 수익성 높은 물건을 찾을 수 있다. 이를 위해 투자 타당성과 가격 타당성 지표, 단지의 기본 정보와 디테일한 이동 동선이 표시된 임장 지도를 미리 만들어두자.

다만 공시가격 1억 원 이하 테마도 벌써 1년 반 이상 지속되고 있기에 현재는 공시가격의 150% 정도에 살 수 있는 좋은 매물은 많이 없어졌다. 그리고 공시가격은 매년 4월 말일을 기준으로 시세에 맞춰 변경되므로 이 책이 나왔을 때쯤에는 2022년 공시가격을 기준으로 투자 분석을 해야 한다.

이렇게 내가 임장할 아파트의 정보와 이

동 동선을 미리 만들어놓고 가능한 한 많은 단지들을 둘러본다. 보통 투자에 실패하는 이유는 너무 좁은 시각으로 특정 단지에 대한 정보만 듣고 투자를 결정하기 때문이다. 넓은 시각을 가지고 톱다운 투자법을 이용해 투자할 '시'를 선택했다면, 그 안에 있는 아파트 단지들을 다 임장해보고 그중에서도 가장 투자에 최적화된 물건을 골라야 한다. 되도록 많은 단지들을 비교해봐야 어떤 단지가 저평가되어 있는지 알 수 있다. 몇 개의 아파트만 비교해서는 좋은 물건을 찾을 확률도 낮아진다.

처음에는 부동산중개소에 들어가서 생전 모르던 사람과 대화하고 정보를 캐내고 하는 게 부담스러울 수 있다. 내가 무슨 부귀영화를 누리려고 이렇게까지 해야 하나 싶을 텐데, 이걸 잘하면 정말 부귀영화를 누릴 수 있다. 그냥 하자.

꼼꼼하게 분석하는 임장 체크리스트 만들기

부동산을 지금 시작하는 사람에게 임장은 사실 쉽지 않은 일이긴 하다. 처음에는 무엇을 봐야 하는지 이걸 왜 확인해야 하는지 알기가 쉽지 않기 때문이다. 그래서 내가 임장할 때 사용하는 집 밖의 체크리스트와 집 안의 체크리스트를 적어드리겠다.

처음에는 이걸 참고하되 후에는 자신이 중요하게 생각하는 요소들로 수정, 보완하길 바란다. 왜냐하면 투자자마다 중요한 요소가 각각 다르기 때문이다. 임장 체크리스트를 사용하는 게 귀찮다고 생각할 수 있는데 이런 연습을 꾸준히 하다 보면 집을 보는 눈이 트이고 한 100개 정도 집을 본 경험치가 쌓이면 신기하게도 눈으로만 봐도 파악이 된다. 수리비가 대략 얼마나 들어갈지, 수리비와 매매 호가를 더한 금액이 시

| 임장 체크리스트 |

아파트명		지역 인구수	
연식		세대수	
평형		실거주 만족도(직방)	
대장 아파트 1년 상승률		매물 증감 상태(아실)	
시장 강도(부동산 지인)		매물 호가	
공시가격		실거래 평균가(호갱)	

집밖 체크리스트	초·중·고등학교와 거리	☐
	지하철, GTX, KTX와의 거리	☐
	해당 단지의 로열동 파악(로열동이 아니라면 가격 차이)	☐
	남·동·서·북 방향(남향이 아닌 방향의 가격 차이)	☐
	해당 동의 로열층 파악(1층, 탑층과의 가격 차이)	☐
	속집 또는 끝집(사이드일 경우 가격 차이)	☐
	계단식, 혼합식, 복도식	☐
	지하주차장 연결 여부	☐
	단지의 고도 및 경사도	☐
	대략적인 동 간 거리	☐
	주차 가능 대수	☐
	단지 내 커뮤니티	☐
	단지 내 주간 장터 유무	☐
집안 체크리스트	거실 베란다 뷰와 일조권 상태	☐
	베란다 곰팡이나 결로가 있는지 확인	☐
	베란다와 각방 천장에서 누수의 흔적이 있는지 확인	☐
	베란다 샷시 상태(입주 상태 그대로/새로 했다면 메이커)	☐
	베란다 확장 상태(확장 유무에 따른 가격 차이 파악)	☐
	베란다 페인트 상태(수성페인트인지 탄성코트인지)	☐
	화장실 인테리어를 했는지(했다면 몇 년 전인지)	☐
	싱크대 교체를 했는지(했다면 몇 년 전인지)	☐
	도배의 상태 파악(합지인지 실크인지)	☐
	장판의 상태 파악(장판, 원목, 대리석)	☐
	현관 중문 여부	☐
	현관 신발장, 타일, 거울 상태	☐
	등과 스위치 상태	☐
	기타 수리가 필요해 보이는 부분	☐

세 및 실거래가와 비교했을 때 얼마나 안전마진을 확보할 수 있는지 등에 대한 계산이 집을 둘러보는 와중에 끝난다면 그때부터는 진정한 투자 고수가 된 것이다.

임장 시 공인중개사에게 물어봐야 할 것들

집을 보러 가기 전에 파악해야 할 것은 그 집에 현재 매도자(소유주)가 거주하고 있는지 아니면 임차인이 거주하고 있는지를 물어보는 것이다. 소유주가 거주하고 있다면 매매 잔금일을 내가 새롭게 받는 임차인과의 전세 잔금일로 맞춰서 최소한의 금액으로 투자할 수가 있다. 물론 매매가 이루어지면 기존 임차인이 나가는 조건(명도)으로 계약을 할 수도 있는지 아니면 기존의 세입자를 그대로 승계해야 하는 조건인지도 파악하자. 이 정도만 알아도 내가 투자를 할 때 얼마 정도 들어가는지가 나온다.

MONEY POINT 54

임장 지도가 임장 계획표라면 임장 체크리스트는 하나의 집을 볼 때 무엇을 확인해야 하는지 목록화한 도구다. 처음엔 불편하더라도 딱 100채만 체크리스트와 함께 임장을 해보면, 나중에는 체크리스트 없이도 어느 정도 견적을 낼 수 있다.

그리고 소유주가 왜 매도를 하는지 부동산중개소 사장님에게 물어보는 게 좋다. 나 같은 경우 급매만 매수하기에 매도자가 왜 급매로 내놓았는지 묻는 걸로 대화를 트곤 한다. 정확한 호수를 알면 미리 대법원 인터넷등기소(www.iros.go.kr)에서 등기부등본을 열어볼 수 있으니 가압류나 높은 근저당이 있는지도 확인해본다. 그게 없다면 금전적인 사항이 아닌 다른 이유일 텐데, 세금 문제로 빨리 털어야 하는 경우가 많다. 중개소를 통해 이런 사항들을 알게 되면 매매 계약 협상에서 내가 우위를 차지할 확률이 커진다. 나는 서두르지 않아도 되지만 상대방은 빨리 팔아야 한다면 매매가를 협의하는 데도 유리하기 때문이다.

임장을 보러 갔을 때는 안 올라온 신고가나 실거래가가 있는지도 물어본다. 임장을 간 단지에 다른 매물들도 미리 알아두고 방금 본 집과 인테리어나 가격에서 얼마나 차이가 있는지 물어보면 "아 그 집 며칠 전에 얼마에 팔렸어요"라는 답을 듣는다. 만약 비슷한 컨디션의 집인데 한 집은 1억 5000만 원에 최근 팔렸고 내가 보는 집은 1억 2000만 원에 나왔다면 어떻게 해야 하겠는가? 비슷한 컨디션의 집임에도 가격이 20%나 차이가 난다면 급매가 맞으니 바로 매도자에게 계좌번호를 달라고 해야 한다. 만약 이렇게 상대방을 떠보기 싫다면 단도직입적으로 같은 단지의 매물을 보여주면서 이 중에서 성사가 된 것이 있는지를 물어보는 방법도 있다.

앞서 알려드린 아실이나 부동산 지인에서 기간별 매물 증감을 파악할 수 있는 기능이 있지만 그래도 제일 정확한 건 그 단지의 전문 부동산 중개소에 물어보는 것이다. 보통은 단지 상가에 입점되어 있으니 중개소 사장님에게 중복 매물을 제외하고 현재 매매와 전세 물건이 얼마나 있는지, 매물이 최근에 쌓여가는지 아니면 줄어드는지를 물어보라. 만약 시장이 매우 좋은 상황이라면 중개할 매물이 없는데 자꾸 버스를 타고 단체로 와서 죽겠다는 등의 이야기를 들을 것이다. 반대로 시장이 안 좋은 상황이라면 요새 전화 문의가 뜸하고 거래가 잘 성사되지 않는다고 할 것이다.

그럼 이제 최종적인 판단만이 남았다. 현재 전세가 몇 건이 있는지 파악했고 호가가 어느 정도인지 알고 있으니 내가 매수한 후에 제시한 금액으로 전세를 놓으면 빼줄 수 있는지를 물어봐야 한다. 보통 적극적인 분들이라면 가능하다고 할 테고 소극적인 분들이라면 "우리는 중개만 하지 책임은 못 진다" "미래는 알 수 없다" "그건 네가 알아서 해야 하는 거지 난 모른다" 이런 식으로 대답을 할 것이다. 판단을 내릴 때는 최악의 경우까지 다 따져야겠지만, 기본적으로 나는 긍적적인 사람이 좋다. 긍정적인 사람과 일을 해야 어떻게든 되는 방향으로 진행된다. 그래서 나는 전세를 확실하게 빼줄 수 있다고 말할 수 있고, 전세 대기자를 보유하고 있는 중개소 사장님을 찾아서 거래한다. 정말 신기하게도 처음에 뭔가 꺼림칙하면 나중에 항상 꼭 일이 벌어지곤 했다. 물론 이런 과정에서 강압적으로 "무조건 해주세요"라고 하지는 않는다. 가능한 구해주면 좋겠지만 안 되더라도 전세금은 해결할 수 있다고 부담 갖지 않도록 요청한다. 또 매매 계약을 체결하면서 전세 계약도 함께 맡기는 편인데, 만약 3개월 전에 매매 계약을 체결했다면 기간을 한 달 반 정도 드린다. 그리고 잔금일 기준으로 한 달 반이 지나도 못

MONEY POINT 55

부동산중개소 사장님과 대화를 통해 매도자가 물건을 내놓은 이유, 급매라면 싸게 나온 이유, 아직 인터넷에 올라오지 않은 신고가나 실거래가, 그 지역의 시장 동향과 지역적 특성 등 다양한 정보를 얻을 수 있다. 운이 좋으면 사이트에 올라오지 않은 서랍 매물도 얻을 수 있다. 그래도 현장이 중요한 이유다.

구한다면 그때는 나도 발등에 불이 떨어진 상황이니 한 곳이 아닌 여러 곳에 문의해놓는다.

발품을 팔다 보면 운이 좋게 아직 네이버 부동산에 올라오지 않은 서랍 매물을 받을 기회도 생긴다. 중개소 입장에서 온라인에 매물을 올린 순간 양타(중개 수수료를 매도자, 매수자에게 동시에 취하는 것)가 되기 어렵다. 다른 부동산에서 중개를 공동으로 하자고 요청할 가능성이 크기 때문이다. 그래서 정말 경쟁력이 있는 급매 물건이면 혼자 소화하기 위해서 잠깐 동안은 서랍에 두는데 이런 물건은 당연히 저렴하다. 그래서 부동산에 많이 다녀보라고 하는 것이다.

부동산중개소에 물어보면 좋을 질문 리스트

사실 '임장할 때 공인중개사에게 물어봐야 할 질문'이라는 주제만 가지고도 책 한 권이 뚝딱 나올 정도로 할 얘기가 많다. 앞으로 이 지역의 호재라든지, 이 단지의 임차인은 보통 어떤 회사에 많이 다니는지 등은 중요한 내용인 만큼 잘 알려져 있다. 여기서는 책에서 다루는 내용을 중개소 사장님을 통해 어떻게 파악할 수 있는지를 중심으로 알려주겠다.

"최근에 비싸게 나간 물건이 있나요?"

'부동산 거래신고 등에 관한 법률'에 따라 거래 계약 이후 30일 이내에 신고를 해야 하는데 높은 금액의 실거래가는 30일을 꽉 채워서 늦게 신고한다. '부동산 가두리'라고 하는데 기존에 상담하던 거래 계약 건이 잘 성사될 확률이 크기 때문이다. 이에 만약 아직 실거래 신고를 하지는 않았지만 중개소들끼리는 높은 실거래가로 성사된 투자 건들을 공유하기에 꼭 물어보고 내가 사려는 금액과 비교해보자. 여기에서 내가 사려는 물건이 급매인지 체크가 가능하다.

"여기 지금 전세 물건은 몇 개나 나왔나요?"

이걸 알아야 투자 리스크를 정확히 파악할 수 있다. 만약 내가 매수할 물건 외에 전세 물건이 없다면 전세입자는 금방 구할 수 있을 것이다. 전세 매물이 몇 개 되지 않을 때는 나온 물건들보다 아래로 금액을 내놓아 경쟁력을 높일 수 있고, 내 물건이 인테리어가 잘되어 있고 RR이라면 비슷한 가격으로 경쟁할 수도 있다. 이렇게 매수금과 전세금을 대략 생각해두면 내 투자금도 예상할 수 있다.

"네이버 보고 왔는데요. 이것보다 더 싸게 나온 건 없나요?"

투자의 기본은 첫째도 둘째도 '안전마진 확보'다. 안전마진이 확보되어 있지 않은 건이면 물건을 사고 나서도 내내 불안할 수밖에 없다. 비슷한 컨디션이라면 500만 원이라도 싼 게 좋다.

네이버 부동산에 매물이 올라가면 다른 부동산도 같이 등록할 수 있으므로 매수인이 다른 부동산에 연락하면, 매물 등록을 한 중개소는 매수인과 매도인 양쪽에서 중개 수수료를 받을 수 없다. 그래서 정말 좋은 물건은 광고하지 않고 먼저 지인에게 보여준다. 이런 물건을 찾아보자.

"이 물건 보러 온 사람은 없었나요? 그때 왜 거래가 안 됐죠?"

"이 매물로 전화가 얼마나 왔나요?"

아무래도 먼저 임장을 보러 온 투자자가 사지 않았다면 그만한 이유가 있을 것이다. 보통은 가격이나 계약 조건 등이 안 맞아서일 텐데 만약 한두 명이 아닌 여러 명이 집만 보고 사지 않았다면 괜찮은 물건이 아닐 가능성이 크다.

반면 나 말고도 다른 투자자가 집을 보기로 했다거나 네이버 부동산에 올라온 매물을 보고 연락이 많이 왔다면 더 관심을 가져야 한다. 특히 내가 집을 보고 있는데 이 물건을 가지고 다른 분이 전화해서 매도자에게 계약금 쏜다고 계좌번호를 달라고 하는 걸 들었다면 바로 사야 한다.

계속 강조하지만 가격은 공급과 수요에 따라 결정되므로 동일한 공급 가격에 수요가 여럿 붙는다면 결국 가격은 올라갈 수밖에 없기 때문이다. 경쟁률이 높았던 단지가 추후 프리미엄이 높게 형성되는 것도 같은 원리다.

6장

돈이 없어도 누구나 부동산 부자가 될 수 있다

부동산 투자에 진입장벽은 없다

이 책을 여기까지 읽었다면 "난 직장인이라 시간이 없어서 부동산 투자를 할 수 없어" "난 종잣돈이 없어서 부동산 투자를 할 수 없어"라는 말이 더 이상 안 나올 것이다. '직장인이고 종잣돈이 없어도 부동산 투자로 돈을 벌겠다' '내가 부자가 되겠다'는 간절한 마음만 있으면 된다. 그리고 그 간절한 마음은 손품과 발품으로 이어져야 한다.

손품은 현재 지역별로 시세가 어떻게 움직이며 투자자들의 돈이 어디로 향하는지를 파악하고, 네이버 부동산 매물 검색을 통해 내가 살 수 있는 물건을 찾는 것이다. 발품은 손품으로 발견한 지역이나 매물을 직접 찾아가서 눈으로 보고 현장의 이야기를 들으며, 안전마진과 수익을 최대화하는 방법을 찾는 것이다.

투자는 해봐야 실력이 는다

회사생활을 열심히 하면서 주중 하루 저녁만 손품으로 네이버 매물을 검색하는 시간으로 비워둬라. 저녁을 먹은 후 컴퓨터에 앉아서 검색해도 좋고 나처럼 소파에 누워서 휴대폰으로 모바일 검색을 해도 좋다. 토요일에는 검색으로 찾은 매물을 보러 가야 하니, 소유자나 세입자와 집 보는 약속을 잡기 위해서는 가능하면 목요일이나 금요일 쯤에는 중개소를 통해서 연락하는 게 좋다. 그러니 매물 검색은 되도록 수요일이나 목요일 저녁으로 잡으면 좋겠다. 이게 습관이 되면 지금의 나처럼 금요일 저녁에 검색하고 토요일에 바로 임장을 가는 빠른 루틴을 소화할 수도 있을 것이다. 이런 손품 발품은 경험치가 쌓여야 빠르게 할 수 있으니, 처음에는 다소 우왕좌왕한다고 해도 하나씩 배워나가는 과정이라고 생각하고 천천히 진행하길 바란다.

MONEY POINT 56

매물 검색을 연습하는 주간 루틴을 만들자. 매주 수·목요일은 네이버 부동산을 통해 매물을 검색한다. 목·금요일은 찜해둔 매물 중 임장을 갈 지역의 부동산중개소에 연락해 약속을 잡고, 주말에 임장을 간다. 이 루틴을 1년만 해보면 부동산 투자의 임계점을 넘을 것이다.

물은 99도까지 열심히 온도를 올려놓아도 마지막 1도를 넘기지 못하면 영원히 끓지 않는다. 그 1도를 넘기는 것은 결국 매수 매도의 경험이다. 직접 해봐야지만 내 것이 된다. 아무리 손품 발품을 많이 했더라도 실제 투자까지 이어지지 않는다면 배울 수 있는 건 한정적이니 지르는 것도 해봐야 한다. 그래야 내가 잘했는지 못했는지 알 수 있다. 여기서 지른다는 건 인생의 모든 것을 거는 베팅이 아닌 1000만 원 내외의 돈으로 할 수 있는 소액투자를 뜻한다. 당연히 돈을 많이 투자하면 그만큼 수익이 높겠지만 반대로 손실도 커진다. 되돌리기 힘든 뼈아픈 투자는 가능하면 하지 말기를 바란다.

잭파시가 직접 해본 110억 부자가 되는 방법

회사원이고 사회초년생이면 시간은 많으니 너무 조급해하지 말길 바란다. 나는 돈이 없는 상태에서 부동산 투자를 시작했기에 리스크를 최소화할 수 있는 무피나 플피 투자를 기본 원칙으로 삼았다. 만약 돈이 들어가야 하는 때라면 최대 2000만~3000만 원대로 투자금을 한정했다. 이렇게 적은 돈을 들이면서 한 채당 3000만~5000만 원의 세후수익을 얻는 투자를 300번만 성공하면 100억 부자가 될 수 있을 거라는 플랜이었다.

100억이라는 액수가 너무 터무니없다고 느껴지는가? 목표를 높게 잡으면 실패하더라도 20억~30억 원은 생기지 않을까? 그러면 부자는 아니더라도 평생 먹고살 고민은 안 할 것이다. 만약 내가 지금까지 회사원 월급으로만 살았다면 팬데믹으로 인해 실직된 순간부터 미래를 불안해하며 살고 있을 것이다. 결국 나밖에 믿을 사람이 없다. 그러니 자신을 믿고 도전해보자.

지금 당장 서울·수도권 광역전철노선도를 방에 붙여라

나는 사회초년생 시절에 강북구 번동에 30년이 넘은 빌라를 첫 집으로 장만하면서 내게 익숙한 동네에서 돈이 안 들어가는 매물이 나오면 하나씩 매수하는 전략으로 2013년 한 해 동안 번동 148번지에 두 채와 미아 258번지에 두 채를 가졌다. 그러고 나서 이제 시야를 넓혀 다른 지역을 봐도 되겠다는 생각이 들어 을지로 지하상가에서 지하철 노선도를 사서 방에다 걸어두었다. 이후로 매일 지도가 닳도록 쳐다보며 부동산을 더 갖고 싶다고 마음속으로 외쳤다.

그때도 지금처럼 담보대출이 무한정 나오는 시절이 아니었다. 하지만 경매로 낙찰을 받으면 집의 개수에 상관없이 대출비율이 높다고 해서 경매를 배우기 시작했다. 그 당시 시중에 있는 거의 모든 경매 책들

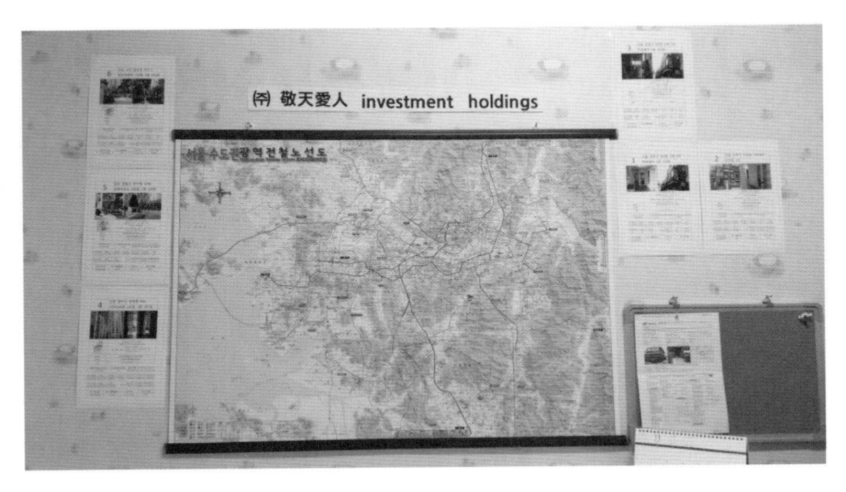

지도 위에 붙인 '경천애인(敬天愛人)'은 좌우명이라 법인 이름으로 생각해두었으나, 막상 하려니 어느 세입자가 들어올까 싶어서 마음에만 담아두고 있다.

은 다 사서 봤고 50권 정도 읽었을 때야 경매장에 들어갈 용기가 생겼다. 이후 10채 정도 낙찰을 받았다.

물론 서울 아파트는 그때도 넘보기 힘든 가격이었기 때문에 투자금 1000만 원 정도로 매수할 수 있는 인천의 계단식 25평형 아파트를 주된 투자 대상으로 삼았다. 경기도에서 태어났고 서울에서 대학을 다녔기에 수도권이 익숙한 것도 있었지만, 인천에 아파트 공급량이 많지 않았을 때였고, 25평 계단식 구축 아파트가 1억 원대 초중반인 지역이 많아 최소한의 금액으로 투자를 할 수 있어서였다. 이 정도 금액대라면 담보대출을 받고 월세 보증금을 받으면 내 돈은 1000만 원 정도밖에 안 들어갔기 때문이다.

결국 공급량이 답이다

주택보급률은 특정 국가 또는 특정 지역에 있어서 주택이 그곳에 거주하고 있는 가구들의 수에 비해 얼마나 부족한지 또는 여유가 있는지를 총괄적으로 보여주는 양적 지표다. 2020년 기준으로 우리나라 주택보급률은 103%로 모든 가구가 집이 있다는 의미다. 그리고 이 지표는 부동산 하락론의 근거로 주로 사용된다. 즉, 수요는 다 충족이 됐기에 주택 수는 충분하다는 주장에 뒷받침이 되는 것이다. 실제로 문재인 정부에서는 이를 근거로 공급을 규제했다. 하지만 이 지표는 주택의 배분 상태(자가보유율)나 거주 상태(주거 수준)를 보여주지 못한다는 한계가 있다.

그래서 만들어진 통계 산출 방식이 2장에서도 언급한 '인구 1000명당 주택 수'다. 이 지표는 OECD 국가들을 비롯해 많은 국가에서 시행하고 있어 나라별로 비교하는 데도 사용할 수 있다. 참고로 외국의 지수를 보면 프랑스는 약 600호, 일본과 독일이 약 500호, 영국이 약 450호, 미국이 약 400호다. 그럼 가장 최근 데이터인 2020년의 통계를 살펴보면 인구 1000명당 주택 수가 2010년 356.8호, 2015년 383호, 2020년은 418.2호로 지속적으로 증가하고 있다. 하지만 이 수치는 전국을 기준으로 한 평균치이고 지역별 데이터는 각각 다르기 때문에 이 부분을 유심히 살펴봐야 한다.

지방의 경우 전국 평균치인 418호보다 인구 1000명 당 주택 수가 많다. 즉, 지방 8도는 이미 인구 대비 주택 수가 어느 정도 받쳐주는 상

| 2020년 인구 1000명당 주택 수 |

지역	인구수(1000명)	주택수(1000호)	주택 수/인구수(1000명)
서울	9,586	3,778	394
인천	2,945	1,135	385
경기	13,512	5,114	379
수도권	**26,043**	**10,027**	**385**
부산	3,349	1,460	436
대구	2,411	1,006	417
광주	1,478	640	433
대전	1,488	620	417
울산	1,135	489	431
강원	1,522	731	481
충북	1,632	766	469
충남	2,177	995	457
전북	1,803	834	463
전남	1,789	858	480
경북	2,645	1,306	494
경남	3,333	1,510	453
제주	671	281	419
세종	354	149	422
전국 계	**51,829**	**21,674**	**418**

(자료 출처: 국토교통부)

황에서 공급 과잉까지 더해져 2016~2019년간 하락기를 보냈다. 이와는 반대로 서울, 경기, 인천은 상대적으로 주택 공급이 부족한 상황이었기에 지속적으로 집값이 상승했던 것이다.

보통 지방 투자자들은 자신의 지역에서만 매수하는 경향이 있는데, 기본적으로 매수는 공급이 없는 곳을 노려야 한다. 그게 바로 수도권이다. 지방 인구는 점점 줄어들고, 그 인구는 수도권으로 움직일 것이다. 이미 우리나라 인구의 반이 수도권에 거주한다. 그래서 나 역시 지방 아파트는 양도세 기본세율에 맞춰 2년 보유 후 매매를 상정하고 접근하지

지역	상승시점	상승기간	상승폭	2010	2011	2012	2013	2014	2015	2016	2017	2018	2019	2020	2021
전국	2020	2	22.3	2.51	9.21	-0.19	0.35	2.4	4.94	1.48	1.3	2.98	0.3	9.26	13.08
수도권	2014	8	48.9	-2.91	0.38	-3.95	-1.74	1.8	5.48	2.85	2.74	6.56	0.93	11.84	16.74
5개광역시	2008	14	67.6	8.42	18.63	3.27	2.93	3.55	6.25	0.65	0.73	0.64	0.21	8.53	10.02
6개광역시	2005	17	71.5	6.32	14.87	1.85	1.97	3.31	6.36	1.07	0.88	0.54	0.14	8.34	12.17
기타지방	2020	2	11.5	7.67	17.22	3.68	2.23	2.56	2.12	-0.67	-1.4	-3.33	-3.42	4.11	7.39
서울	2014	8	54.9	-2.2	-0.43	-4.59	-1.85	1.08	5.42	4.15	5.17	12.84	2.88	12.37	11.02
경기	2014	8	46.5	-3.49	1.58	-3.37	-1.66	2.13	5.17	2.07	1.46	3.74	-0.06	12.5	19.44
인천	2014	8	41.2	-2.89	-2.01	-4.56	-1.78	2.32	6.83	2.66	1.45	0.25	-0.05	7.74	19.96
대전	2013	9	36.4	9.12	17.63	-1.71	0.45	0.33	0.14	0.57	1.12	2.27	6.22	12.65	12.66
세종	2020	2	46.2				2.41	0.89	-0.51	0.54	3.01	1.13	-0.72	38	8.15
대구	2017	5	20.7	1.99	14	7.26	10.31	8	10.7	-3.55	-0.23	2.3	0.84	9.26	8.61
부산	2020	2	20.3	15.43	20.46	-0.72	-0.77	1.51	5.5	3.98	1.93	-2.03	-1.55	8.6	11.7
울산	2020	2	18.5	4	16.36	8.79	0.55	3.26	5.04	0.66	-1.85	-4.57	-4.53	9.94	8.59
광주	2020	2	9.23	3.53	22.3	5.33	2.52	3.47	6.34	0.16	0.96	5.26	0.12	2.31	6.92
충북	2020	2	11.8	6.6	19.75	6.92	3.42	6.66	1.19	-2.18	-2.46	-5.71	-3.41	3.03	8.75
충남	2020	2	11.7	1.56	12.32	9.34	4.46	3.95	0.14	-2	-1.71	-2.95	-2.95	3.47	8.27
강원	2020	2	9.89	2.61	18.6	1.96	0.77	1.31	3.89	3.15	1.46	-1.4	-4.77	1.17	8.72
경남	2020	2	10.3	13.94	22.01	-1.57	0.53	2.58	3.34	-0.88	-3.26	-5.97	-4.25	3.58	6.76
경북	2020	2	11	0.68	10	10.1	11.03	5.16	4.09	-3.98	-2.87	-4.98	-4.33	2.92	8.03
전남	2020	2	5.16	6.73	14.48	1.83	-1.8	-2.2	-0.17	1.39	1.71	1.94	-0.15	2.62	2.54
전북	2020	2	8.01	10.53	16.96	0.95	-2	-0.72	0.48	0.63	-0.11	-1.4	-3.56	0.77	7.24
제주	2021	1	11.8	9.82	10.59	9.84	-0.38	1.64	7.62	9.73	-0.23	-0.65	-2.14	-0.61	11.81

지역별 상승·하락률을 보여주는 자료. (출처: 손품왕)

MONEY POINT 57

서울·수도권 광역전철노선도를 사서 벽에 붙여두고 수시로 내가 사고 싶은 지역을 바라보자. 지리를 익히는 데도 도움이 될 뿐만 아니라, 동기부여의 목적으로 좋다.

만, 서울을 비롯한 수도권의 아파트는 매도 없이 차곡차곡 모아간다는 생각으로 접근한다. 시간이 흐를수록 가치가 더해질 거라고 믿기 때문이다.

그러니 지금 당장 서울·수도권 광역전철 노선도를 사서 방에 걸어두자. 그리고 그 지도를 보면서 "언젠간 꼭 갖고 말겠다"고 외쳐보라. 참고로 연초에 지도를 사면 지하철 공사 진행에 맞춰 노선도를 업데이트한다. 그러니 최근 업데이트된 지도인지 꼭 확인해보고 사는 게 좋다.

처음에는 최대한 많은 부동산 정보를 머리에 심어라

현재 내 부동산방 책장에는 100권 정도의 부동산 투자 관련 책들이 꽂혀 있다. 이 책들은 내가 읽었던 책들 중에서도 괜찮았던 책만 남겨둔 것이다. 그러니 실제로 내가 읽은 책은 더 많다. 지금도 서점에 가면 가장 먼저 가는 곳이 재테크, 부동산 코너로 내가 좋아하는 저자의 새로운 책이 나왔는지 확인한다.

비교적 많은 사람에게서 여러 곳의 부동산 카톡방에 들어가 가끔 올라오는 정보나 단지들을 보면서 공부한다는 이야기를 듣는다. 하지만 카톡방에서 얻는 정보들은 단편적일 수밖에 없다. 반면 부동산 책은 저자가 수개월간 공들여서 쓰고 여러 확인을 거쳐 정제된 정보를 주기 때문에 저자의 인사이트가 응축되어 있다. 또 저자에 따라 긍정적인 전망,

부정적인 전망 등 다양한 시각으로 읽을 수 있기에 어느 한쪽으로 치우치지 않은 유연한 생각을 할 수 있다.

그래서 부동산 책을 읽을 때는 가능하면 전망을 긍정적으로 보는 책 70%와 부정적으로 보는 책 30%를 동시에 본다. 그리고 상승과 하락에 대한 모든 시나리오를 대비하려고 노력한다. 너무 부정적인 책만 보는 것은 당연히 좋지 않지만 그렇다고 매번 장밋빛 전망만 보는 것도 좋지 않다고 본다. 부동산은 투자 사이클에 따라 상승하거나 버블이 끼

부동산 책들이 꽂혀 있는 책장.

면 또 자연스럽게 하락하면서 사이클이 반복되므로, 내가 현재 투자하려는 지역이 사이클 중 어느 시기에 해당하는지를 부동산 책을 통해서 추측해볼 수 있다. 이를테면 상승으로 점찍은 사람이 7이고 하락으로 점찍은 사람이 3이라면 전망은 상승에 가까울 것이다. 책을 쓸 정도이면 부동산시장을 잘 알고 어느 정도 인지도도 있다는 의미다. 그러니 책을 보면서 이분들의 집단지성을 나의 것으로 만들면 된다. 그래서 어느 쪽으로도 치우치지 않게 긍정·부정적인 전망의 책을 골고루 그리고 가능한 한 많이 보면 좋다.

부동산 책과 친해져라. 부동산 책을 사는 돈은 소비가 아닌 투자다. 언젠가 그 투자금들이 더 많은 부를 가져다줄 것이다.

부동산 커뮤니티 이용하기

부동산 책을 읽다 보면 유명한 저자들이 단기간에 부동산 실력을 키웠다고 말하는 방법이 바로 부동산 커뮤니티에서 활동하는 것이다. 많은 사람이 모인 만큼 다양한 의견을 들을 수 있기에 카페에 올라온 글을 밤새 읽다 보니 어느새 부동산 고수가 되었다고 한다. 이렇게까지는 하지 않더라도 부동산 커뮤니티 활동은 실시간으로 새로운 정보를 얻을 수 있는 좋은 방법이라고 생각한다.

앞서 말한 부동산 책 읽기도 좋지만 단점이 있다면 보통 책을 쓰는 시간과 출간되는 시간의 물리적인 차이가 대략 반년에서 1년 정도 걸린다는 것이다. 게다가 책에서 나오는 사례들은 이보다 더 과거인 몇 년 전 것들이 많아서 지금 현재 가장 최신의 투자법을 보여주기 힘들다.

하지만 부동산 카페는 실시간 정보가 올라오므로 참고할 만한 부분이 많다. 물론 여기서 핵심은 정보를 어떻게 받아들이느냐에 있다. 왜곡되거나 틀린 정보가 의외로 많기 때문이다. 다음에 정리한 카페들은 나도 가입되어 있고 투자 정보를 얻는 데 요긴하게 쓰고 있기에 참고하길 바란다.

소개한 카페들은 전국을 대상으로 한 정보가 많기에 다소 광범위할 수 있다. 만약 투자하고 싶은 지역이 정해진다면 그 지역을 대표하는 부동산 카페를 이용하는 것도 방법이다. 여기에서는 해당 지역의 정보들

| 잭파시가 추천하는 부동산 온라인 커뮤니티 |

1. 일반적인 부동산 정보 공유

카페명	멤버수	특징
부동산스터디	약 170만 명	유명한 필자들이 활동하며 활성화가 잘되어 있음
아름다운 내집갖기	약 110만 명	지역별 부동산 정보가 잘되어 있음
피터팬의 좋은방 구하기	약 300만 명	직거래 커뮤니티로 매물정보가 많음
실전 분양권투자 지원센터	약 45만 명	분양에 관한 투자정보가 많고 투자자들 활동 많음

2. 부동산 강의를 주최·진행하는 카페

카페명	멤버수	특징
월급쟁이 부자들	약 40만 명	유명 저자 너바나 님이 운영하며 강의 다양
행복재테크	약 15만 명	송사무장 님이 운영하며 투자·창업 정보 많음
부동산스케치북	약 10만 명	투자자들의 활동 및 실시간 투자 정보가 많음

만 주제로 삼기에 다소 폐쇄적인 성향이 있지만, 아파트 단지에 관한 디테일한 정보나 그 지역 사람들이 내리는 평가까지 확인할 수 있다. 전주에 투자한다면 '전주부동산의 모든 것', 구미라면 '구미부동산이야기'와 같이 각 지역에서 회원 수를 가장 많이 가지고 있는 카페에 가입해서 분위기를 살펴보기 바란다.

만약 커뮤니티를 통해 유료 강의를 듣는다면 최대한 강사와 친해지려고 노력하라. 사실 투자를 잘하는 부동산 강사와 어느 정도 친분이 쌓여 그 사람이 매수하는 아파트를 사전에 알 수만 있다면 이보다 더 좋은 투자 정보는 없다.

나도 부동산 강사를 하고 있지만 이건 외줄타기와 같다고 생각한다. 지속적으로 좋은 투자 소스를 제공해 수강자에게 수강료보다 몇 배, 몇십 배 수익으로 되돌려줘야 다시금 나를 믿고 투자할 수 있다. 만약 한 번이라도 투자 전망이 틀리면 이 바닥에서 살아남기 어렵기 때문에 유료 강의에는 자신이 가지고 있는 모든 정보와 인맥을 갈아 넣어서 최선을 다할 수밖에 없다.

그동안은 코로나로 인해 오프라인 집합 교육이 제한적이었지만 앞으로 점차 풀리면 온라인이 아닌 대면하여 강사를 만날 기회가 생길 것이다. 이때를 노려서 최대한 가까워지길 바란다. 그렇다고 한 사람의 의견을 맹신하고 따르라는 것은 아니지만 이렇게 네트워크를 점차 쌓다 보면 언젠가 나에게 고급 정보들이 내가 원치 않아도 밀려 들어오고 있음을 느낄 것이다. 이때는 부동산 투자가 훨씬 더 수월해진다.

부동산 인플루언서와 교류하기

과거에는 부동산 책의 저자가 되려면 필드에서 많은 경험을 쌓고 나서 출판사에 출간 요청을 했지만, 요새는 부동산 블로거로 2만 명 정도의 이웃만 있어도 출판사에서 먼저 집필 의뢰가 들어오기도 한다. 그만큼 네이버 블로의 이웃 수가 많아지고 유명 블로거(인플루언서)가 되면 시장에 영향력을 줄 수 있는 것이다.

그래서 이 책을 읽고 부동산 투자자가 되는 게 가장 먼저이나 부동산 투자자를 넘어 인플루언서가 되고 싶다고 하면 꼭 블로그를 하기 바란다. 블로그가 좋은 점이 초기 투자비용이 없고 자신만의 콘텐츠로만 승부를 볼 수 있어 남들과 다른 차별화가 있다면 늦게 시작했더라도 충분히 승산이 있다는 것이다.

395쪽의 표는 내가 이웃으로 추가해놓은 분들로 부동산 공부를 하면서 멘토로서 배울 수 있고, 정보를 얻는 루트로 활용하기 좋은 블로그 리스트다. 유명한 분이라고 하더라도 너무 상업적이거나 활성화(운영) 되어 있지 않은 블로그는 제외시켰다.

최근에는 부동산 분야를 세분화하여 부동산 종류별, 청약, 세금, 대출, 재건축·재개발 등의 보다 깊이 있는 내용을 전하는 블로그들이 많아졌다. 그러니 이들이 전하는 최신의 정보들을 잘 흡수해서 자신의 것으로 만들길 바란다. 몇몇 블로거들은 선의로 투자 시점과 투자 물건까지 정말 자세하게 올려주는 분들도 있으니 아직 투자 철학이나 원칙을 세우지 못한 부린이라면 따라해볼 만하다.

| 책파시가 추천하는 부동산 관련 블로그 |

블로그명	운영자	비고
빠숑의 세상 답사기	빠숑	다수의 베스트셀러를 집필한 부동산계에서 가장 유명한 저자 중 한 명으로, 팟캐스트, 유튜브도 운영
아기곰의 부동산 산책	아기곰	약 20년 전부터 부동산 칼럼니스트로 활동하며 다수의 책을 출간한 저자
오윤섭의 부자노트	오윤섭	《서울 아파트 마지막 폭등장에 올라타라》의 저자
'부룡'의 부동산 지식 공작소	부룡	《부동산 상승 신호 하락 신호》의 저자
미네르바올빼미의 세금이야기	미네르바올빼미	부동산 세금은 이 블로그의 내용만 잘 숙지해도 충분할 정도로 알찬 정보 제공
투에이스의 부동산 절세 이야기	투에이스	《부동산 절세의 기술》의 저자
시계공의 망명지	신성철	부동산 사이클과 흐름에 대한 거시적 분석 제공
수현의 인사이트	수현	《부동산 투자, 흐름이 정답이다》의 저자
독일병정의 세상사는 이야기	독일병정	인테리어 전문가로 인테리어 사진 및 부동산 동향 및 이슈에 대한 글 제공
시간으로부터의 자유	유나바머	부동산 빅데이터와 관련 엑셀 통계 제공
대치동 키즈의 또-엇	대치동 키즈	《내 집 없는 부자는 없다》의 저자
공부하는 직장인의 소소한 재테크이야기	큐에미	공부하는 직장인에게 도움이 되는 다양한 제태크 관련 글 제공
레비앙의 부동산공부	레비앙	《책으로 시작하는 부동산 공부》의 저자
북극성주의 투자의 맥	북극성주	'북극성부동산재테크' 카페 운영자
찰리파커의 부동산 투자 광장	찰리파커	'오늘의 재개발 재건축 소식'을 연재하며 부동산 투자 동향 제공
Data로 알아보는 서울 부동산 과거 현재 그리고 미래	삼토시	거시적 데이터 분석 전문가
Let them love!!	트루카피	부동산 투자의 고수를 만드는 고수
월급보다 월세부자	달천	《따라 하면 무조건 돈 버는 실전 부동산 경매》의 저자
네이마리 부동산 주저리	네이마리	부동산 경매 전문가
필기의 여왕	블루999	유료 임장기를 판매하는 부동산 투자 정보의 최상위자
정심의 투자마인드	정심	유명한 부동산 법인투자자

 **MONEY POINT 58**

책, 온라인 커뮤니티, 블로그, 유튜브 등 다양한 경로를 통해 부동산 정보를 얻을 수 있다. 초보일 때는 어느 한쪽으로 치우치지 않도록 다양한 관점의 정보들을 통해 기본기를 쌓는 게 중요하다. 기초가 튼튼할수록 진짜 좋은 정보가 무엇이며, 어디에서 얻을 수 있는지를 자연스럽게 알게 될 것이다.

중요한 건 그 사람의 투자를 오랫동안 지켜보면서 검증을 하고, 나와 상황이 맞는 방법을 따라 하는 것이다. 특히 블로그를 운영하는 사람이 법인 명의로 투자를 한다면 매수한 물건을 언제든 매도할 수 있기에 무작정 따라가면 위험할 수 있다. 이처럼 철저한 검증 또한 자신의 역할이다.

정보의 비대칭 상태에서 정보가 일반화되기 전에 큰 수익이 생기는 만큼, 아직 시장에서 인식되지 않은 투자 정보가 나에게 있는가는 성공 요소 중 하나다. 그런 정보가 나에게 들어오지 않는 상태라면 누구를 통해서 혹은 어떤 경로로 얻을 수 있는가, 이 부분을 지속적으로 생각하길 바란다. 그 시작이 바로 책, 커뮤니티, 블로그가 될 수 있다.

좋은 물건을 남에게 넘기지 말자

자본주의 사회에서 주식은 떼려야 뗄 수 없는 관계다. 증권사는 보통 전날 밤에 열린 미국 증시를 바탕으로 장전 브리핑을 하고 장이 끝나면 바로 금일의 국내 주식 시황 브리핑을 한다. 이런 시황 분석 뉴스를 보는 것은 주식에 관심이 있다는 증거이며, 시시각각 달라지는 주식시장에서 어떻게 대처할지를 고민해보는 중요한 시간이기도 하다.

이처럼 부동산도 매주 1회 나오는 시황을 챙겨보는 것은 부동산 흐름을 익히는 매우 중요한 시간이다. 우리나라에서는 한국부동산원과 KB부동산에서 매주 1회 주택시장동향이 나온다.

KB부동산에서 주간 시황 보는 법

KB부동산 사이트로 들어가서 'KB통계'를 클릭하면 주간보도자료와 주간통계표 2개의 파일이 올라온 것을 볼 수 있다. 주 1회 금요일마다 업로드되는데, 전주 화요일부터 금주 월요일까지의 데이터다. '주간보도자료' 워드 파일에는 KB국민은행 부동산플랫폼부 부동산데이터팀에서 전국 지역별 주간 상승·하락률을 분석한 시황이 담겨 있고, 주간통계표 엑셀 파일에는 그 근거 데이터가 있다.

매주 금요일에 이 자료가 업로드되면 399~400쪽 그림처럼 수도권과 지방을 구분해 전주에 비해 얼마나 상승·하락했는지 확인한다. 자료에 있는 데이터를 내가 직접 만든 엑셀 문서에 넣으면 자동으로 그림처럼 보여주는 수식을 걸어놨기에 쉽게 데이터를 가공할 수 있다. 이 자료는 매주 금요일에 잭파시 블로그에 업로드하니 참고하길 바란다.

나는 전국에 집이 50채 정도 있기에 내가 집을 보유하고 있는 지역별 흐름이 전부 내 관심사다. 그 지역에 집이 없다면 신경 쓸 필요가 없을까? 이런 생각은 하면 안 된다. 없으면 더더욱 내 것으로 만들려는 생각을 가지고 자료를 보길 바란다.

또 각 지역에서 가장 크게 상승한 단지는 주간통계표 엑셀 파일 첫 시트에 상승 이유도 분석해주므로, 지역별 이슈 사항을 꾸준히 확인하다 보면 전체 시장흐름을 읽는 눈도 키울 수 있다.

KB부동산 주간 시계열과 통계표 자료를 재가공한 수도권 시세 동향. (자료 출처: KB부동산)

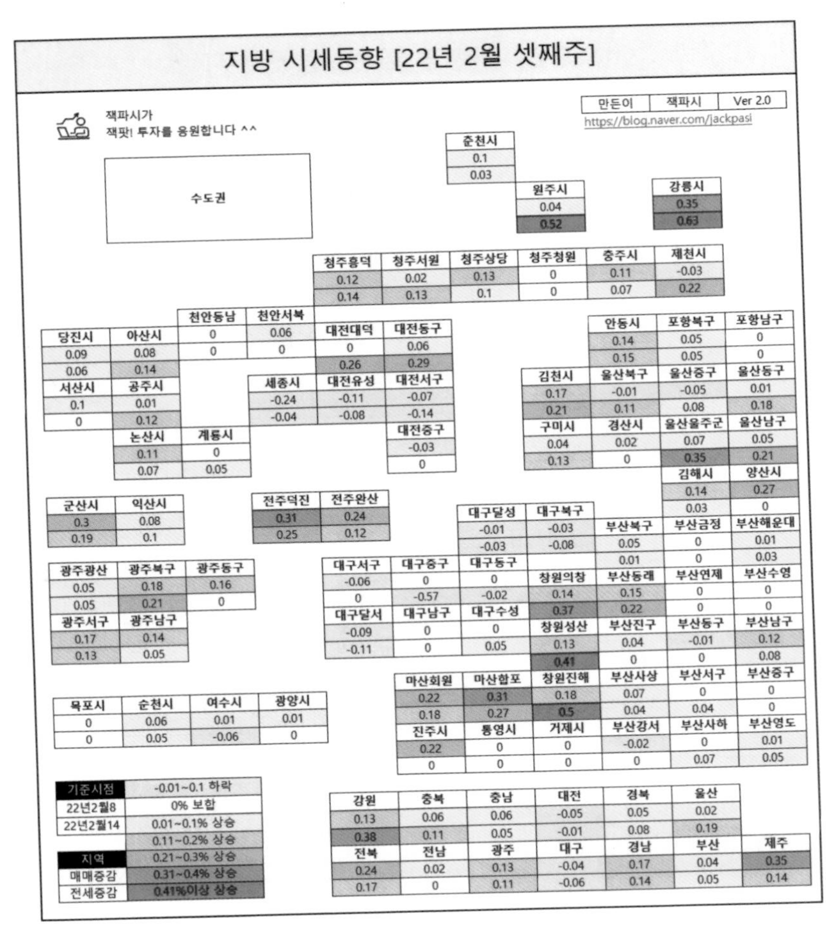

KB부동산 주간 시계열과 통계표 자료를 재가공한 지방 시세 동향. (자료 출처: KB부동산)

매주 급매물 리스트 검색하기

오래전 영화이긴 하지만, 15년 동안 갇혀 있던 〈올드보이〉의 오대수에게 만약 네이버 부동산 모바일로 시세보다 훨씬 싼 금액으로 나온 급매물을 발견하면 사설 감옥에서 내보내준다고 제안했다면 어땠을까? 그런 조건이라면 죽기 살기로 감옥에서 나가기 위해서 찾았을 것이다.

이때의 전제조건은 오대수가 이미 부동산 공부를 충분히 해서 이 물건이 저렴한가 아닌가를 판별해내는 눈은 있다고 가정했을 때의 경우다. 하지만 그런 눈이 없더라도 전세 호가보다 매매 호가가 낮은 걸 찾는 일은 사실 누구나 할 수 있다.

전세가격은 집의 사용가치이며, 매매가격은 사용가치에서 투자가치(미래 프리미엄)가 붙은 것임은 앞서 설명했다. 그러니 현재 매매가격이 전세가격보다 낮다면 그 집은 사용가치보다 못한 대접을 받고 있는 것이다. 이렇게 전세가격이 더 높은 아파트들을 모아놓고, 그중에서 투자가치가 가장 높은 물건이 바로 지금 당장 매수해야 할 아파트다. 이처럼 투자처를 찾는 건 어려운 일이 아니다.

여기서 내가 하고 싶은 말은 지금 이 순간에도 안전마진이 보장된 급매가 전국적으로 나오고 있다는 것이다. 이런 물건을 내 것으로 만드는 방법은 단 하나밖에 없다. 바로 그만큼 매물 검색을 생활화해 급매들을 빨리 발견하는 것이다. 사실 이것 외에 다른 능력을 높이기 위한 행위들은 결국 보조일 뿐이다.

물론 이런 물건은 자본금이 별로 없는 초보 투자자가 투자하기 좋은 것이다. 어느 정도 자산이 있고 투자할 능력도 있다면 갭 1000만 원으로 수익 3000만~5000만 원 버는 2, 3급지가 아니라 어느 정도 매매가와 전세가 갭이 차이가 나는 1급지에 투자해야 할 때가 올 것이다. 매매가와 전세가의 갭이 차이가 많이 난다는 건 그만큼 현 시점에서 미래 프리미엄을 높게 평가받는다는 의미다. 주식도 우량주가 더 많이 오르지 동전주들은 상폐당하기 십상이다. 그래서 부동산에서도 똘똘한 한 채가 좋다고 하지 않는가. 나 또한 자산을 모으는 과정이므로 추후에는 똘똘한 것들도 추가해나갈 예정이다. 다만 그 시점이 온다고 하더라도 지금과 같은 소액투자를 쉬지는 않을 것이다. 왜냐하면 이런 물건을 찾고 수익을 내는 과정 자체가 굉장히 재미있기 때문이다.

그리고 투자금이 넉넉하지 않은 초보 투자자들은 똘똘한 것만을 바라보다가는 영영 투자 기회를 잡지 못할 수도 있다. 지금 할 수 있는 최선의 투자를 하는 것이 중요하다.

데이터 분석의 루틴

이렇게 검색을 해서 좋은 물건을 찾아내는 것과 동시에 빅데이터 분석도 병행해야 한다. 매주 부동산 지인을 통해서 전국 아파트 급매물 리스트를 취합하고 수도권, 광역시, 8도별로 거래량 많은 아파트 순위를 살펴본다. 모바일로는 아실로 '많이 산 아파트'를 찾는 게 편리하고 무료이니 잘 이용해보자. 또 아실에서는 매물 증감과 갭 투자 증가지역까지 확인할 수 있으므로 투자자가 어디로 향하는지 파악할 수 있다.

참고로 아래 표는 내가 통계를 내면서 흐름을 체크하는 데이터 분석 항목 중 일부다. 이렇게 항목별로 분기별, 월별, 주별로 구분해 파악하고 있기에 현재 시점에서의 투자흐름과 유망 단지 등을 찾기가 훨씬 수월하다. 이런 데이터 속에 힌트가 굉장히 많기 때문이다. 이런 방법도 앞서 설명했던 톱다운 투자에 근거가 되는데 우선 크게 거시적으로 괜찮은 도와 시를 파악할 수 있고 점차 아래로 내려가면서 투자자들이 관심을 갖고 보는 아파트 단지를 알 수 있다. 이 분석들을 오랫동안 해보

| 데이터 분석 루틴 |

거시적 빅데이터 분석	분석 주기
한국과 전 세계 주택가격지수 비교	분기별 1회
미국 주택가격지수 추이	분기별 1회
도별 주택구입부담지수 추이	분기별 1회
도별 거래량 많은 아파트 순위 TOP 20	분기별 1회
아파트 거래량 증가 상위 지역 TOP 10	월 1회
아파트 매물 감소량 상위 지역 TOP 10	월 1회
외지인 및 법인 매수 상위 지역 TOP 20	월 1회
아파트 전월세 매물 부족 지역 TOP 10	월 1회
도별 아파트 미분양 추이	월 1회
도별 아파트 입주 물량 추이	월 1회
도·시별 매매·전세지수 추이	월 1회
도별 전세가율 추이	월 1회
도별 PIR(가구소득 대비 주택가격 비율)	월 1회
도별 KB매수매도 우위지수	주 1회
시별 KB주간상승·하락률 추이	주 1회
매매, 전세, 월세 매물 건수 추이	주 1회
전국 아파트 급매물 리스트 취합	주 2회

 **MONEY POINT 59**

한국부동산원과 KB부동산에서 매주 1회 업데이트되는 주택시장동향 팔로업, 네이버 부동산을 이용한 매주 급매물 리스트 업데이트, 분기별·월별·일별 거시적 데이터 분석, 그리고 주 1회 혹은 월 1회 임장. 이 루틴을 1년만 해보자. 시장흐름이 눈에 보이기 시작할 것이다.

면 투자흐름을 빠르게 파악해 유망 투자처에 선진입할 수 있다.

이제 부동산 투자의 근거는 감이 아닌 데이터 분석이 되어야 한다. 내가 설정해놓은 수치에 들어가지 않으면 의심하고, 들어간다면 걱정 말고 매수하라.

그리고 적어도 월에 1회 정도는 임장을 가보길 원한다. 정말 부동산 초보인데 빨리 배우고 싶고 자산을 늘리고 싶다면 월 1회보다 주 1회를 권장한다. 이 세상 모든 일이 처음에는 어려워 보여도 막상 한번 해보면 쉽다. 안 해봤기 때문에 머릿속으로 그려지지 않아 더 무섭게 느껴질 뿐이다. 만약 주 1회 임장을 다닌다면 아마 1년이 안 돼서 부동산 입지 전문가가 되어 있을 것이다.

부동산 투자에서는 임장을 다녀와 본 곳과 아닌 곳에 대해 정보를 받아들이는 데 차이가 크다. 나중에 손품으로 데이터 분석을 할 때도 이미 임장을 갔다 온 곳의 정보는 머릿속에 더 확실하게 들어온다. 인생을 살면서도 당연히 그렇겠지만 부동산 투자를 하면서 시야가 넓어진다는 건 아주 중요한 의미가 있다. 움츠러들지 않고 당당해질 수 있다. 이제 좋은 물건을 남에게 넘기지 말고 내가 갖자. 좋은 물건이 누구의 것이 되느냐는 이제 나에게 달렸다.

대선 이후
부동산시장을 생각하다

부동산시장은 정부 정책의 영향력이 크게 작용한다. 때문에 2022년 20대 대통령 선거는 부동산시장에서 가장 촉각을 곤두세웠던 큰 행사였다. 그러니 이 책의 마지막에서는 당선된 윤석열 대통령의 부동산 정책 공약을 살펴보면서 시행이 쉽게 가능한 부분과 그렇지 않은 부분을 따져보고 만약 시행 가능성이 높은 공약일 경우 어떤 결과를 발생시키는지 전망해보겠다.

먼저 대출 규제(금융위원회 소관), 주택 공급(국토교통부 소관)에서 많은 부분은 새롭게 바뀐 정권의 방향성에 따라 정책이 바뀔 수 있다. 그리고 소관이 국회이냐 대통령이냐를 나누는 것은 법률과 시행령의 차이다. 국회의원이 국회에서 제정하는 법률은 현재 더불어민주당이 172석을 보유하고 있기에 22대 국회의원 선거(2024년 4월)에서 국민의힘이 압승을 한다면 보다 쉽게 개정할 수 있겠지만 그렇지 않다면 사실 실현되기 어려운 공약일 수 있다. 반대로 대통령령은 보통 시행령이라고 하는데, 법률에서 구체적으로 범위를 정해 위임받은 사항이나 법률을 집행하기 위해 필요한 사항에 관해 발하는 명령으로 대통령의 의지만 있으면 개정이 가능하다. 이에 407~408쪽 표에서 대통령 후보 시절에 했던 공약과 국민의힘 중앙정책공약에 실린 사항들에 대해 어디 소관인지 추정해보고 그에 따른 결과를 정리해보았다. 간단하게 국회(법) 소관이 아니라면 나머지는 시행 가능성이 높다고 보면 된다.

첫 번째는 역시 주택 공급과 도시정비에 관한 내용이다. 공약으로만 보면 재건축·재개발 47만 호(수도권 30.5만 호), 도심·역세권 복합개발 20만 호(수도권 13만 호), 국공유지 및 차량기지 복합개발 18만 호(수도권 14만 호), 소규모 정비사업 10만 호(수도권 6.5만 호), 공공택지 142만 호(수도권 74만 호), 기타 13만 호(수도권 12만 호)로 5년간 총 250만 호 이상(수도권 130만~150만 호)을 공급하는 것으로 잡아놓았다. 이 수치는 예전 노태우 정부 시절 1기 신도시를 5개 지으면서 공급했던 200만 호를 넘어서는 수치로 사실 현실성이 없긴 하다. 다만 문재인 정부와는 반대로 공적인 공급이 아닌 민간 공급 물량이 크기에 앞으로 재건축·재개발시장이 활성화될 것은 분명하다.

재건축·재개발 규제를 풀기 위해서 30년 이상의 노후화된 공동주택의 정밀안전진단을 면제하고, 구조 안정성 가중치를 현행 50%에서 30%로 줄이는 등 정밀안전진단 기준을 낮추었다. 여기에 재건축 초과

| 대선 전 공약과 공약 이행에 따른 예상 결과 |

정책		공약	소관(추정)	비고
주택 공급 / 도시정비		30년 이상 공동주택 정밀안전진단 면제	국회 (도시 및 주거환경정비법 개정 필요)	단기적으로 재건축 재개발 수요 증가, 장기적으로 공급 물량 증가
		안전진단 가중치 변화 (심사기준완화)	국토부	
		재건축 초과이익환수제 완화	국회 (재건축 초과이익환수에 관한 법률 개정 필요)	
		과도한 기부채납 방지	국토부	
		1기 신도시 특별법 제정으로 용적률 상향 및 규제 완화	국회	더불어민주당 쪽에서도 동일하게 공약을 걸었고 수도권 표를 인식해 진행 가능성 있음
		주택법과 별도로 '리모델링 추진법' 제정	국회	
		역세권 민간 재건축	국토부	'서울시 빈집 및 소규모 주택 정비에 관한 조례'와 동일한 내용
세금	취득세	생애 최초 구매자 면제 또는 1%	국회 (지방세법 개정 필요)	무주택, 1주택, 다주택 전 층에서 취득세, 보유세 감소로 주택 구매 수요 증가
		1주택자 취득세율 단일화(현재 1~3%)		
		단순누진세율을 초과누진세율로 전환		
	보유세	장기적으로 종부세와 재산세 통합	국회 (지방세법 및 종부세법 개정 필요)	
		세부담 증가율 상한 인하		
		공정시장가액비율 95% 동결 및 공시가격 2020년 수준으로 환원	대통령 (종합부동산세 시행령 개정 필요)	2022년 3월 23일 발표. 2022년 공시가격 발표일 이후 높아진 공시가격을 어떻게 낮추는지 주목
	양도세	다주택자 중과세율 2년 배제(유예)	대통령 (소득세법 시행령 개정 필요)	다주택자 보유 매물 출현으로 시장 거래량 활성화. 장기적인 관점에서는 시장 안정화 가능
		다주택자 중과세율 재검토	국회 (소득세법 개정 필요)	

정책	공약	소관(추정)	비고
대출	LTV 규제를 합리적으로 변경	금융위원회	주택 구매 수요 증가
	신혼부부 또는 생애 최초 주택 구매자 대상 내 집 마련 금융지원 강화		
임대	임대차 3법 전면 재검토	국회 (임대차 3법 개정 필요)	전세 매물의 증가로 시장 안정화
	등록임대사업자 지원제도 재정비(전용면적 $60m^2$ 이하 소형 아파트 신규 등록 허용)	국회 (민간임대주택에 관한 특별법 개정 필요)	
	종부세 합산 배제, 양도세 중과세 배제	대통령	시행령으로 개정이 가능하나 민간임대주택에 관한 특별법으로 임대주택등록이 선행되어야 함

이익에 대한 부담금을 완화하고 용적률 인센티브를 주는 등의 공약을 내놓았다. 이 부분에서는 법률 개정이 필요한 공약과 법률 개정 없이 정부의 정책 의지로 추진 가능한 공약이 섞여 있는데 단기적으로는 재건축·재개발 수요가 증가할 것이고 장기적으로 공급 물량이 증가해 가격이 안정화될 것이다.

또한 '1기 신도시 재정비사업 촉진을 위한 특별법'을 제정한다고 하니 수도권 1기 신도시인 분당·일산·평촌·산본·중동, 그중에서도 분당과 일산이 핵심이 될 것으로 예상한다. 왜냐하면 평촌, 산본, 중동은 용적률이 204~226%로 법적용적률 상한선(제3종일반주거지역 300%)을 따져봤을 때 실현 가능성이 낮다. 재건축의 사업모델은 기존 용적률에서 늘어난 용적률만큼 아파트를 지어서 비싼 값에 일반 분양으로 팔면서 그 수익으로 기존 조합원의 건축비를 충당하는 것인데, 현재 용적률이 너무 높아 사업성이 부족하다.

MONEY POINT 60

'1기 신도시 재정비사업 촉진을 위한 특별법'의 최대 수혜 지역은 일산과 분당일 것으로 예측된다. 이 지역에서도 용적률이 낮고 평균 대지지분이 20평 이상인 단지들을 눈여겨보자.

다만 용도지역 변경은 역세권 등에 500%까지 용적률을 올려주겠다는 공약이 있기에 역세권 단지라면 기대해볼 만하다. 그래서 평균 용적률이 169%로 가장 낮은 일산(성저마을·밤가시마을·정말마을에 용적률 100% 이하의 저층 단지가 많음)과 대지가격이 높은 분당(평균 용적률 184%)이 먼저 바람이 불 것이다. 이 지역에서도 용적률이 낮고 평균 대지지분이 20평 이상인 단지들을 먼저 찾아보라. 투자는 호재가 중요하지 현실화와는 큰 상관이 없다. 평촌·산본·중동 신도시도 형평성이 있어야 하니 마찬가지로 낮은 용적률과 높은 대지지분을 가지고 있는 단지가 중심이 될 것이다.

다음 공급 계획으로 도심·역세권·준공업지역 등의 복합개발이 있는데 이 중에 투자 대상으로 눈여겨볼 곳은 역세권과 준공업지역이다. 현재 서울에서 준공업지역은 약 3.3%의 면적을 차지하고 있는데 위 개발은 서울시에서 2022년 1월에 발표한 '서울시 빈집 및 소규모 주택 정비에 관한 조례'에 따라 낙후된 역세권과 준공업지역에 주택 공급을 활성화하겠다는 내용과 맥락을 같이한다. 이에 네이버 부동산에서 지적편집도를 보며 파란색으로 표시된 준공업지역의 물건을 찾아보기 바란다(4장 구축 빌라 사례를 참고하자).

두 번째로는 세금 정책으로 취득세, 보유세, 양도세를 이전 정부보다 낮추는 것이다. 다만 취득세는 지방세법 개정, 보유세는 지방세법 및 종부세법 개정이 필요한 사항으로 현재 과반수 이상의 의석을 보유하고 있는 더불어민주당의 강력한 저항이 있을 것은 당연하다. 따라서 현재 상황에서는 소득세법 시행령 개정으로 변경이 가능한 다주택자 중과세율 2년 배제 정도만이 빠르게 실행 가능할 것이다. 이 부분은 이재명 전 대통령 후보 측에서도 '한시적'이라는 조건을 달고 공약으로 내세운 사항이며, 부동산 거래량의 활성화를 위해 필요한 정책이라는 공감대도 형성되어 있기에 실현 가능성이 그만큼 높다.

세 번째 대출 정책은 국회(법)나 대통령(시행령)에 의해 변경되는 것이 아닌 금융위원회의 은행업감독규정이나 보증기관 내규를 근거로 삼기에 빠르게 변경이 가능하다. 2022년 1월 윤석열 대통령은 "담보대출이고 하니 LTV를 좀 높여서 이 부분에 대한 대출 규제를 강하게 하지 않더라도 금융기관 자산건전성에 큰 문제가 없다"고 언급했다. 현재 투기지역과 투기과열지구의 LTV는 집값이 9억 원 이하면 40%, 9억 원 초과분에서는 20%로 제한하고 있으나, 앞에서 언급한 내용으로 볼 때 다시 70%까지 일괄 인상될 수 있다. 추가로 생애 첫 주택이나 신혼부부의 경우 집값의 80%까지 대출받을 수 있다. 하지만 공약에는 총부채원리금상환비율DSR의 언급이 없기에 LTV를 올리더라도 소득이 낮으면 현 시행중인 DSR의 제한에 걸려서 받을 수 있는 대출금에는 큰 차이가 없을 것이다. 그래서 대출 정책에서는 LTV 인상 외에도 DSR이 어떻게 완화되는지도 함께 살펴야 한다.

마지막으로 임대차 3법 전면 재검토 및 등록임대사업자 지원 제도 재정비에 관련한 내용이다. 2020년 7월에 시행한 임대차 3법의 계약갱신청구권과 전·월세상한제로 전·월세가격이 급등했고 전세 매물이 감소함에 따라 전세가격 상승에서 매매가격 상승으로 이어졌다. 이렇게 주택임대시장의 작동원리를 무시한 임대차 3법을 2+2년에서 다시 2년으로 환원하는 것을 공약으로 내세웠지만 이 부분은 임대차법을 밀어붙인 더불어민주당과의 충돌이 확실시되므로 쉽지 않을 것이다.

또한 2020년 '7.10 주택시장 안정 보완 대책'에 의해 아파트 장기 및 단기임대주택 제도가 폐지되었는데 이를 전용면적 60m^2 이하의 소형 아파트라면 신규 등록을 다시 허용하는 공약이 있다. 물론 신규 등록이 된다면 종부세 합산 배제, 양도세 중과 배제 등 세제 혜택도 다시 살아난다. 내가 약 50채를 보유하고 있으면서도 종부세를 무서워하지 않는 이유가 바로 서울·수도권 아파트 중 일부를 장기임대주택사업자로 등록해서 종부세 합산 배제 혜택을 받고 있어서다. 만약 등록임대사업자 지원 제도가 부활한다면 독자들도 나와 같은 포트폴리오로 운영하면서 종부세 부담을 줄일 수 있을 것이다.

나는 대출 없이 0원으로 소형 아파트를 산다

초판 1쇄 발행 2022년 4월 19일
초판 17쇄 발행 2023년 6월 29일

지은이 책파시(최경천)
펴낸이 김선식

경영총괄 김은영
콘텐츠사업2본부장 박현미
책임편집 김현아 **디자인** 마가림 **책임마케터** 박태준
콘텐츠사업5팀장 차혜린 **콘텐츠사업5팀** 마가림, 김현아, 남궁은, 최현지
편집관리팀 조세현, 백설희 **저작권팀** 한승빈, 이슬
마케팅본부장 권장규 **마케팅4팀** 박태준, 문서희
미디어홍보본부장 정명찬 **영상디자인파트** 송현석, 박장미, 김은지, 이소영
브랜드관리팀 안지혜, 오수미, 문윤정, 이예주 **지식교양팀** 이수인, 염아라, 김혜원, 석찬미, 백지은
크리에이티브팀 임유나, 박지수, 변승주, 김화정 **뉴미디어팀** 김민정, 이지은, 홍수경, 서가을
재무관리팀 하미선, 윤이경, 김재경, 안혜선, 이보람
인사총무팀 강미숙, 김혜진, 지석배, 박예찬, 황종원
제작관리팀 이소현, 최완규, 이지우, 김소영, 김진경, 양지환
물류관리팀 김형기, 김선진, 한유현, 전태환, 전태연, 양문현, 최창우
외주스태프 **세금감수** 투에이스 **내지조판** 김남정 **저자사진** 타임온미

펴낸곳 다산북스 **출판등록** 2005년 12월 23일 제313-2005-00277호
주소 경기도 파주시 회동길 490 다산북스 파주사옥
전화 02-704-1724 **팩스** 02-703-2219 **이메일** dasanbooks@dasanbooks.com
홈페이지 www.dasan.group **블로그** blog.naver.com/dasan_books
종이 한솔피엔에스 **인쇄·제본** 갑우문화사 **코팅·후가공** 제이오엘앤피

ISBN 979-11-306-8987-6 (03320)